Koudegolf

Van dezelfde auteur

Maandagskinderen
Noorderveen
Moordkuil
Engelenstem

Arnaldur Indriðason

Koudegolf

Vertaald door Willemien Werkman

2006
uitgeverij Signature / Utrecht

Europese thrillers van wereldniveau

Speur nu ook op internet
www.signa.nl

Wilt u op de hoogte worden gehouden van de literaire thrillers en romans van uitgeverij Signature? Meldt u zich dan aan voor de literaire nieuwsbrief via onze website www.signa.nl.

Tweede druk, juni 2006
Eerste druk, april 2006

© 2004 Arnaldur Indriðason
Published by agreement with Edda, Media and Publishing, Reykjavík,
www.edda.is
Oorspronkelijke titel: Kleifarvatn
Vertaling: Willemien Werkman
© 2006 uitgeverij Signature, Utrecht
Alle rechten voorbehouden.

Omslagontwerp: Wil Immink
Typografie: Pre Press B.V., Zeist
Druk- en bindwerk: Koninklijke Wöhrmann, Zutphen

ISBN 90 5672 183 6
NUR 305

Slaap maar, ik ben dol op je.

Uit een volksliedje

Uitspraak van þ, ð en æ

De IJslandse þ wordt ongeveer uitgesproken als de Engelse stemloze th als in bijvoorbeeld *think*.
De IJslandse ð, die nooit aan het begin van een woord voorkomt, is de stemhebbende variant: als bijvoorbeeld in het Engelse *that*.
IJslands æ wordt uitgesproken als *ai*.

Van een volledig overzicht van de uitspraak van de IJslandse namen is afgezien.

1

Ze stond lange tijd bewegingloos en staarde naar de botten alsof ze daar niet konden zijn. Net zomin als zijzelf.

Eerst dacht ze dat het weer een verdronken schaap was, tot ze dichterbij kwam en half onder het zand de schedel zag en het skelet dat duidelijk van een mens was. De ribben staken uit het zand omhoog en eronder waren de omtrekken te onderscheiden van een heup- en een dijbeen. Het skelet lag op zijn linkerzij en ze zag de rechterkant van de schedel, een lege oogkas en drie tanden in de bovenkaak. In één daarvan zat een grote, zilveren vulling. Er was een groot gat in de schedel te zien en onwillekeurig dacht ze dat dit was veroorzaakt door een hamer. Ze knielde neer en staarde naar de schedel. Aarzelend stak ze een vinger in het gat. De schedel was gevuld met zand.

Ze wist niet waarom ze aan een hamer moest denken; ze gruwde bij de gedachte dat iemand op zijn hoofd was geslagen met een hamer. Het gat was ook groter dan de afdruk van een hamer. Het was zo groot als een lucifersdoosje. Ze besloot het skelet niet meer aan te raken. Ze pakte haar mobieltje en toetste een driecijferig nummer in.

Ze dacht er even over na wat ze eigenlijk moest zeggen. Het was op de een of andere manier zo onwerkelijk. Een skelet dat zo lang in het water had gelegen, begraven in de zandbodem. En op dit moment voelde ze zichzelf ook niet al te best. Steeds maar dacht ze aan hamers en lucifersdoosjes. Ze kon zich niet goed concentreren. Haar gedachten vlogen alle kanten op en ze had er de grootste moeite mee ze op een rijtje te krijgen.

Het had er ook mee te maken dat ze een houten kop had. Ze was van plan geweest vandaag thuis te blijven, maar ze was van gedachten veranderd en naar het meer gegaan. Ze nam zich voor goed op haar stem te letten. Ze was wetenschapper. Ze had altijd een wetenschapper willen zijn en wist dat ze de metingen goed moest controleren. Maar ze had een zware kater en aan haar gedachten ontbrak elke logica. Het jaarfeest van het Energie-instituut was de avond ervoor gevierd en zoals dat soms gaat, had ze zich te veel laten gaan.

Ze dacht aan de man die thuis in haar bed lag en wist dat ze zich vanwege hem naar het meer had gesleept. Ze wilde niet samen met hem wakker worden en hoopte dat hij weg zou zijn als ze weer thuiskwam. Hij was met haar mee naar huis gegaan na het jaarfeest, maar het was weer nauwelijks de moeite waard geweest. Geen haar beter dan de andere mannen die ze had leren kennen na de scheiding. Hij praatte over niets anders dan zijn cd-collectie en zeurde maar door terwijl ze allang niet meer de moeite nam om te luisteren. Ze was in de stoel in de kamer in slaap gevallen. Toen ze wakker werd, zag ze dat hij op haar bed was gaan liggen en daar met open mond lag te slapen in een piepklein onderbroekje en met zwarte sokken aan zijn voeten.

"Alarmcentrale", zei een stem in de telefoon.

"Ja, ik heb een skelet gevonden", zei ze. "Het is een schedel met een gat."

Ze vertrok haar gezicht. Waarom had ze ook zoveel gezopen! Wie zegt nou zoiets? Een schedel met een gat. Ze moest denken aan het liedje over een koekje met een gat. Wat heeft hij daar gehad? Een koekje met een gat.

"Mag ik je naam?" zei de toonloze stem van de meldkamer.

Ze graaide haar gedachten weer bij elkaar en gaf haar naam.

"En waar is het?"

"In het Kleifarvatn. Aan de noordkant."

"Heb je het opgehaald in een net?"

"Nee. Het ligt op de bodem van het meer."

"Was je aan het duiken?"

"Nee. Het steekt omhoog uit de bodem. De ribbenkast en de schedel."

8

"Ligt het op de bodem?"

"Ja."

"Hoe kun je het dan zien?"

"Ik sta hier en kijk ernaar."

"Heb je het aan land gehaald?"

"Nee, ik heb het niet aangeraakt", loog ze onwillekeurig.

Er viel een stilte aan de andere kant van de lijn.

"Wat is dit voor idioots?" zei de stem vervolgens geïrriteerd.

"Is dit een grap? Weet je wat zo'n grap je kan kosten?"

"Het is geen grap. Ik sta erbij en kijk ernaar."

"Ja, natuurlijk, je kunt over de bodem van het meer lopen."

"Het water is weg", zei ze. "Er is geen water meer. Alleen een bodem. En daar ligt het skelet."

"Wat bedoel je ... het water is weg?"

"Niet al het water is weg, maar er is geen water meer waar ik sta. Ik ben een waterspecialist van het Energie-instituut. Ik was bezig de waterstanden te noteren toen ik dit skelet vond. Het heeft een gat in de schedel en steekt gedeeltelijk boven het zand uit. Ik dacht eerst dat het een schaap was."

"Een schaap?"

"We hebben er laatst een gevonden dat lang geleden in het meer verdronken was. Toen het meer nog groter was."

Het werd weer stil in de telefoon.

"Wacht daar", zei de stem aarzelend. "Ik stuur een wagen."

Ze bleef een poosje stil bij het skelet staan, maar liep toen naar het water en mat hoe ver het nu stond. Het skelet was beslist nog niet boven water gekomen toen ze twee weken geleden op deze zelfde plaats aan het meten was. Dan had ze het wel gezien. Het water was ruim twee meter gedaald sinds die tijd.

Het was een raadsel waarmee ze hadden geworsteld vanaf het moment dat de onderzoekers van het Energie-instituut voor het eerst opmerkten dat het water van het Kleifarvatn snel daalde. Het instituut was in 1964 begonnen de hoogte van het water te registreren en een van de taken van de waterspecialisten was de waterstanden bij te houden. In de zomer van 2000 was het of hun meetinstrumenten het hadden begeven. Elke dag weer leek een ongelooflijke hoeveelheid water te zijn verdwenen, twee keer meer dan gewoonlijk.

Ze liep weer naar het skelet. Ze zou het dolgraag beter willen bekijken, het uitgraven en het zand er afschrapen, maar ze bedacht dat de politie daar vast niet zo blij mee zou zijn. Ze vroeg zich af of het een man of een vrouw was en herinnerde zich dat ze ooit ergens had gelezen, waarschijnlijk in een detective, dat er nauwelijks enig verschil was tussen het skelet van een man en dat van een vrouw; alleen het bekken was anders. Maar ze herinnerde zich ook dat iemand haar eens gezegd had dat er niets klopte van wat je in een detective las. Ze kon het bekken niet zien. Dat lag begraven onder het zand en ze dacht bij zichzelf dat ze toch niet wist wat het verschil was.

Ze barstte nu van de koppijn en ging in het zand zitten naast het skelet. Het was zondagochtend en er reed een enkele auto langs het meer. Ze verbeeldde zich dat het een gezin was dat een tochtje maakte naar Herðísarvík of naar het zuiden, naar Selvog. Het was een populaire, mooie weg, die over lava, door zandheuvels en langs meren helemaal naar zee liep. Ze dacht aan het gezin in de auto. Haar man had haar verlaten toen duidelijk werd dat ze samen geen kinderen konden krijgen. Hij hertrouwde al snel en had nu twee schattige kindertjes. Had het geluk gevonden.

Het enige wat zij had gevonden, was een man die ze nauwelijks kende die met zijn sokken aan op haar bed lag. Het was moeilijker om een geschikte man te vinden naarmate de jaren verstreken. De meesten waren gescheiden, net als zij, of, wat erger was, hadden nooit een vrouw gehad.

Ze keek medelijdend naar het skelet en was bijna in tranen uitgebarsten.

Een uur later kwam er aarzelend een politieauto uit Hafnarfjörður aanrijden. Hij had geen enkele haast, maar zocht op zijn dooie akkertje zijn weg naar het meer. Het was mei; de zon stond hoog aan de hemel en spiegelde zich in het gladde wateroppervlak. Ze zat in het zand, volgde de auto met haar ogen en zwaaide ernaar, tot hij aan de kant van de weg stilhield. Twee politieagenten stapten uit, keken in haar richting en begonnen naar haar toe te lopen.

Ze stonden lange tijd zwijgend bij het skelet, waarna een van hen met zijn voet tegen de ribbenkast duwde.

"Misschien was hij aan het vissen ..." zei hij tegen zijn collega.

"In een boot?" zei zijn collega.

"Of is hij hierheen gewaad."

"Er is een gat", zei ze en ze keek hen om beurten aan. "In de schedel."

Een van hen knielde neer.

"Inderdaad", zei hij.

"Hij kan op de rand van de boot gevallen zijn en een gat in zijn hoofd hebben opgelopen", zei zijn collega.

"Hij zit vol zand", zei degene die het eerst gesproken had.

"Moeten we dit niet aan de recherche melden?" zei de ander nadenkend.

"Zitten die niet bijna allemaal in Amerika?" zei zijn collega en hij keek naar de lucht. "Op een congres over criminaliteit?"

De andere politieagent knikte. En zo stonden ze daar een poosje zwijgend boven het skelet tot een van hen zich tot haar richtte.

"Waar is al het water?" vroeg hij.

"Daar zijn verschillende verklaringen voor", zei ze. "Wat gaan jullie doen? Kan ik naar huis?"

Ze keken elkaar aan, noteerden haar naam en bedankten haar zonder zich te verontschuldigen. Het maakte haar niet uit. Zij had geen haast. Het was een mooie dag bij het meer en met die houten kop had ze hem hier niet beter kunnen besteden, als ze niet op het skelet gestuit was. Ze vroeg zich af of de man met de zwarte sokken inmiddels naar huis was gegaan en ze hoopte maar dat dit zo was. Ze had zin om een film te huren en zich vanavond voor de televisie te installeren.

Ze keek omlaag naar het skelet en naar het gat in de schedel. Misschien kreeg ze nog een goede politiefoto.

2

De agenten brachten hun chef in Hafnarfjörður op de hoogte van het skelet in het meer en het kostte enige tijd om uit te leggen hoe het kwam dat ze midden in het meer stonden en toch hoog en droog op het land. De chef belde met de hoofdcommissaris op het bureau van de rijksrecherche, meldde de vondst van het skelet en vroeg of de rijksrecherche de zaak niet kon overnemen.

"Dat is iets voor de opleidingsafdeling", zei de hoofdcommissaris. "Ik denk dat ik de juiste man ervoor heb."

"Wie dan?"

"We hebben hem op vakantie gestuurd; hij heeft nog zo'n vijf jaar staan, geloof ik, maar ik weet dat hij blij is om iets om handen te hebben. Hij is dol op vermissingen. Heeft plezier in zo'n klus."

De hoofdcommissaris nam afscheid van zijn collega in Hafnarfjörður, toetste een ander nummer in en vroeg of hij Erlendur Sveinsson aan de lijn kon krijgen. Hij stuurde meteen een aantal rechercheurs naar het Kleifarvatn.

Erlendur was verdiept in zijn boek toen de telefoon ging. Hij probeerde het licht van de meizon buiten te houden, zoals hij dat altijd deed. Er hingen dikke gordijnen voor de ramen in de woonkamer en hij had de deur naar de keuken, waar geen gewone gordijnen hingen, dichtgedaan. Zo had hij genoeg duisternis om zich heen gecreëerd dat hij de lamp bij zijn stoel kon aandoen.

Erlendur kende het boek uit zijn hoofd. Hij had het al vele malen eerder gelezen. Het ging over een reis die een paar mannen in de herfst van 1868 maakten van Skaftártunga naar de Mýrdalsjökull in het noorden, over de Fjallabaksleið. Ze waren op weg naar Garður om te gaan vissen. In hun gezelschap was een jonge jongen van zeventien jaar, David. De mannen waren ervaren reizigers en kenden de weg goed, maar kort na hun vertrek werd het slecht weer en ze zijn nooit aangekomen. Er werd een grote zoektocht naar hen ondernomen, maar er is nooit iets van hen teruggevonden. Pas tien jaar later werden bij toeval hun beenderen aangetroffen in een grote zandverstuiving ten zuiden van Kaldaklofi. Ze hadden een deken over zich heen getrokken en lagen dicht tegen elkaar aan.

Erlendur staarde in de duisternis en zag de jonge jongen voor zich in de groep, angstig en vol zorgen. Hij scheen voor het vertrek al geweten te hebben hoe het zou aflopen; het was de omgeving opgevallen dat hij zijn speelgoed tussen zijn broers en zusters had verdeeld en zei dat hij het niet meer nodig zou hebben.

Erlendur legde het boek opzij, kwam wat stram overeind en nam de telefoon op. Het was Elínborg.

"Ben je van plan om te komen?" was het eerste wat ze zei.

"Dat is toch de bedoeling?" zei Erlendur. Elínborg was al heel lang bezig een kookboek te schrijven en het zou nu eindelijk worden gepresenteerd.

"God, ik ben enorm gestrest. Hoe denk jij dat het wordt ontvangen?"

"Ik kan niet eens iets met de magnetron beginnen", zei Erlendur. "Dus ik ben misschien niet de aangewezen persoon om ..."

"Ze zijn er heel tevreden over bij de uitgeverij", zei Elínborg. "En de foto's van de gerechten zijn schitterend. Het is heel bijzonder wat die fotograaf heeft gedaan. En er is een hoofdstuk gewijd aan het kerstdiner ..."

"Elínborg."

"Ja."

"Belde je me over iets speciaals?"

"Een skelet in het Kleifarvatn", zei Elínborg en haar stem

werd zachter nu het niet meer over het kookboek ging. "Ik heb je nodig. Het water is gedaald of zo en ze hebben er vanochtend beenderen in gevonden. Ze willen dat jij ernaar kijkt."

"Het water is gedaald?"

"Ja, ik begreep het ook niet helemaal."

Sigurður Óli stond al bij het skelet toen Erlendur en Elínborg bij het meer arriveerden. De Technische Recherche was onderweg. De agenten uit Hafnarfjörður stonden te hannesen met geel afzetlint waarmee ze het terrein wilden afzetten; ze kwamen er nu pas achter dat ze niets hadden om het aan vast te maken. Sigurður Óli keek naar hun pogingen en probeerde zonder resultaat de typische Hafnarfjörður-humor te ontdekken.

"Heb jij geen vakantie?" vroeg hij aan Erlendur toen deze naar hem toe liep over het zand.

"Ja", zei Erlendur. "Heb jij nog wat nieuws te melden?"

"*Same old*", zei Sigurður Óli. Hij keek naar de weg, waar een grote jeep van een van de televisiejournaals aan het parkeren was. "Ze hebben haar naar huis laten gaan", zei hij en hij gebaarde met zijn hoofd naar de politieagenten uit Hafnarfjörður. "De vrouw die het geraamte heeft gevonden. Ze was hier iets aan het meten. We kunnen later nog met haar gaan praten als we willen weten waarom het water verdwenen is. Als alles normaal was, zaten wij nu gewoon aan de koffie."

"Gaat het goed met je schouder?"

"Ja. Hoe is het met Eva Lind?"

"Ze is er nog niet vandoor", zei Erlendur. "Ik denk dat ze daar wel op uit is, maar verder weet ik het niet."

Hij knielde neer en bekeek wat er te zien was van het skelet. Hij stak een vinger in het gat in de schedel en raakte een van de ribben aan.

"Hij is op zijn hoofd geslagen", zei hij en hij kwam weer overeind.

"Scherp opgemerkt", zei Elínborg spottend. "Als het tenminste een híj is", voegde ze eraan toe.

"Tijdens een gevecht of zo, denk je niet?" zei Sigurður Óli.

"Het gat zit recht achter de oogkas aan de rechterkant. Eén goede klap was waarschijnlijk voldoende."

"Het is misschien niet uitgesloten dat hij alleen in een bootje zat en met zijn hoofd op de rand is gevallen", zei Erlendur en hij keek naar Elínborg. "Die spottende toon van jou, Elínborg, komt die ook voor in je kookboek?"

"De botbreuken zijn natuurlijk lang onder het zand begraven geweest", zei Elínborg. Ze beantwoordde de vraag niet.

"We moeten het skelet opgraven", zei Sigurður Óli. "Wanneer komt de Technische Recherche?"

Erlendur zag dat er steeds meer auto's langs de kant van de weg bleven staan en informeerde of de vondst van het skelet naar de media was uitgelekt.

"Moeten ze geen tent opzetten?" zei hij en hij keek naar de weg.

"Ja", zei Sigurður Óli. "Ze komen vast en zeker met een tent."

"Dus jij denkt dat hij alleen aan het vissen was op het meer?" zei Elínborg.

"Nee, dat is gewoon een mogelijkheid", zei Erlendur.

"Maar als hij een klap heeft gehad?"

"Dan is dat geen ongeluk geweest", zei Sigurður Óli.

"We weten niet wat er gebeurd is", zei Erlendur. "Misschien is hij doodgeslagen. Misschien was hij met iemand op het water en waren ze aan het vissen als plotseling een van beiden een hamer tevoorschijn haalt. Misschien waren ze maar met zijn tweeën. Maar ze kunnen ook met zijn vijven zijn geweest."

"Of", zei Sigurður Óli, "hij is ergens in de stad op zijn hoofd geslagen waarna ze met hem het water zijn opgegaan en hem naar de bodem hebben laten zakken."

"Hoe denk je dat ze hem hebben laten zakken?" vroeg Elínborg. "Er is nogal wat voor nodig om zo'n lijk onder water te houden."

"Is het een volwassen man?" vroeg Sigurður Óli.

"Zeg eens tegen hen dat ze zich op gepaste afstand houden", zei Erlendur. Hij keek hoe de journalisten vanaf de weg omlaag klauterden naar de bodem van het meer. Er naderde een klein vliegtuig uit Reykjavík dat laag over het water vloog en je kon zien hoe de mannen daarin een camera vasthielden.

Sigurður Óli liep de journalisten tegemoet. Erlendur ging naar de rand van het meer. Golfjes kabbelden lichtjes over het zand; hij keek hoe de namiddagzon spiegelde in het wateroppervlak en dacht na over wat er aan de hand was. Trok het water zich terug door menselijk ingrijpen of was de natuur aan het werk? Het was niet waarschijnlijk dat het water zelf antwoord op dit raadsel zou geven. Verborg het meer misdaden op de plaatsen waar het dieper was en nog donker en stil?

Hij keek omhoog naar de weg. De mannen van de Technische Recherche in hun witte overalls haastten zich over het zand in zijn richting. Ze droegen een tent en tassen vol geheimzinnige spullen. Hij keek naar de hemel en voelde de warmte van de zon op zijn gezicht.

Misschien was die het wel die het meer deed opdrogen.

Het eerste wat de Technische Recherche ontdekte toen ze met kleine schepjes en borsteltjes met fijne haren het zand van het skelet begonnen te schrapen, was een touw dat tussen de ribben was gekropen en bij de wervelkolom onder het skelet lag, waar het in het zand verdween.

De waterdeskundige heette Sunna en ze had zich net lekker op de bank geïnstalleerd. De band zat in het apparaat, een Amerikaanse thriller, *The Bone Collector*. De man met de zwarte sokken was weg. Hij had twee telefoonnummers achtergelaten die ze direct door de wc had gespoeld. De film zou net beginnen toen er werd gebeld. Ze wilde eerst doen alsof ze niet thuis was. Ze werd voortdurend lastiggevallen. Als het niet mensen waren die haar een goedkoper telefoonabonnement wilden aansmeren, dan waren het wel stokvisverkopers of jongetjes die lege flessen kwamen ophalen en logen dat het voor het Rode Kruis was. De bel galmde nogmaals. Ze aarzelde nog steeds. Ze zuchtte en kwam onder haar deken vandaan.

Toen ze de deur opende, stonden er twee mannen voor haar neus. De één zag er nogal ongelukkig uit, met hangende schouders en een treurige uitdrukking op zijn gezicht, misschien liep hij tegen de vijftig. De ander was jonger en zag er veel prettiger uit, knap zelfs.

Erlendur zag hoe ze geïnteresseerd naar Sigurður Óli keek en kon een glimlach niet onderdrukken.

"Het gaat om het Kleifarvatn", zei hij.

Toen ze in de kamer zaten, vertelde ze hun wat zij en de mensen bij het Energie-instituut dachten dat er aan de hand was.

"Het water loopt niet buiten de oever weg", zei Sunna, "maar het sijpelt weg door de bodem, het afgelopen jaar ongeveer een kubieke meter per seconde, waarmee het ongeveer in evenwicht bleef."

Erlendur en Sigurður Óli keken haar aan en probeerden eruit te zien alsof ze het erg interessant vonden.

"Herinneren jullie je de aardbeving in Suðurland van 17 juni 2000?" vroeg ze en zij knikten. "Zo'n vijf seconden later werd er een grote aardbeving gemeten in het Kleifarvatn die ertoe leidde dat het water tweemaal zo snel wegsijpelde. Toen het water zich begon terug te trekken, dachten de mensen eerst dat het kwam doordat er minder neerslag was, maar toen kwam aan het licht dat het wegliep in spleten die dwars door de bodem van het Kleifarvatn lopen en daar al tientallen jaren zitten. Ze schijnen bij de aardbeving groter te zijn geworden, met deze gevolgen. Het meer was tien vierkante kilometer groot, maar nu nog maar acht. De oever heeft zich minstens vier meter teruggetrokken."

"En zo kwam het skelet boven water", zei Erlendur.

"We hebben het skelet van een schaap gevonden toen de oever zich twee meter had teruggetrokken", zei Sunna. "Maar dat was overduidelijk niet op zijn kop geslagen."

"Wat bedoel je, op zijn kop geslagen?" zei Sigurður Óli.

Ze keek naar hem. Ze had geprobeerd zich niet te laten kennen toen ze naar zijn handen keek. Geprobeerd niet te zoeken naar een trouwring.

"Ik zag een gat in de schedel", zei ze. "Weten jullie wie het is?"

"Nee", zei Erlendur. "Hij heeft een boot nodig gehad, is het niet? Om zo ver op het water te komen."

"Als je bedoelt of iemand naar de plek had kunnen waden waar het skelet lag, dan is het antwoord nee. Daar was het water tot voor kort minstens vier meter diep. En als het lang geleden is gebeurd, ik weet daar natuurlijk niets van, dan kan het nog veel dieper zijn geweest."

"Dus ze hebben in een boot gezeten?" zei Sigurður Óli. "Zijn er boten bij het meer?"

"Er zijn huizen in de omgeving", zei ze en ze keek hem in de ogen. Hij had mooie ogen, donkerblauw met fijne wenkbrauwen. "Misschien zijn daar ook wel boten. Ik heb nog nooit een boot op het meer gezien. Alleen als we zelf een eindje het water opvaren", zei ze voor zich uit.

De mobiele telefoon van Erlendur ging. Het was Elínborg.

"Je moet weer hiernaartoe komen", zei ze.

"Wat is er?" zei Erlendur.

"Kom en kijk zelf. Het is heel bijzonder. Ik heb nog nooit zoiets gezien."

3

Hij stond op, zette het televisiejournaal uit en zuchtte diep. Er was uitgebreid aandacht besteed aan de vondst van het skelet in het Kleifarvatn en er was een gesprek met de hoofdcommissaris van politie, die zei dat er diepgaand onderzoek naar de zaak gedaan zou worden.

Hij liep naar het raam en keek in de richting van de zee. Op de stoep voor het huis zag hij het echtpaar dat elke avond voor zijn huis langs liep, de man voorop, net als altijd, de vrouw deed moeite hem bij te houden. Ze praatten samen onder het lopen, hij achteromkijkend, zij tegen zijn rug. Ze liepen al jarenlang voorbij en letten allang niet meer op hun omgeving. Vroeger hadden ze wel eens omhooggekeken naar zijn huis en naar de andere huizen aan de straat bij de zee en in de tuinen. Soms waren ze zelfs gestopt om naar een nieuw speeltoestel te kijken of naar werkzaamheden aan hekken of zonweringen. Het maakte niet uit wat voor weer het was en welke tijd van het jaar, altijd moesten ze dat rondje lopen aan het eind van de middag of in de vooravond, altijd met zijn tweeën.

Hij keek naar de zee en zag een groot vrachtschip aan de horizon. De zon stond nog hoog aan de hemel, al was het al bijna avond. De lichtste tijd van het jaar stond voor de deur, waarna de dagen weer korter zouden worden en hij weer niets waard zou zijn. De lente was mooi geweest. Hij had half april de eerste goudplevieren al voor zijn huis gezien. Ze waren meegelift op de lentewinden uit Europa.

Het was het einde van de zomer geweest toen hij voor het

eerst naar het buitenland voer. Toen waren de vrachtschepen nog niet zo groot en containers bestonden nog niet. Hij dacht terug aan de matrozen die gebukt gingen onder lasten van vijftig kilo. Dacht terug aan hun smokkelverhalen. Ze kenden hem nog van het zomerwerk in de haven en vonden het leuk om te vertellen hoe ze de accijnzen ontdoken. Sommige verhalen waren heel avontuurlijk en hij wist dat ze voor de helft verzonnen waren. Andere waren gewelddadig en spannend; die waren meestal wel waar. En sommige verhalen kreeg hij nooit te horen. Toch zeiden ze dat ze wisten dat hij ze nooit zou doorvertellen. Iemand die al vanaf zijn middelbareschooltijd communist was, deed dat niet!

Die vertelde niets door.

Hij keek in de richting van de televisie. Het was alsof hij zijn hele leven op dit bericht had gewacht.

Hij was socialist geweest zolang hij zich kon herinneren, net als iedereen in zijn familie, van vaders- en moederskant. Het kon eenvoudig niet dat je je niet voor politiek interesseerde en hij groeide op met een grote aversie tegen het conservatisme. Zijn vader was al sinds de eerste decennia van de twintigste eeuw betrokken geweest bij arbeidsconflicten. Er werd veel over politiek gepraat bij hem thuis en er bestond vooral een grote haat jegens het Amerikaanse leger op de Miðnesheiði dat door de kleine groep kapitalisten in IJsland in de watten werd gelegd. Het waren de IJslandse kapitalisten die het meest van het leger profiteerden.

Ze hadden een club, vrienden van hem die uit een gelijksoortige omgeving kwamen. Ze waren behoorlijk radicaal en sommigen welbespraakt. Hij herinnerde zich hun politieke bijeenkomsten nog goed. Herinnerde zich de passie. De verhitte hoofden van de mensen die het woord voerden. Hij ging naar de bijeenkomsten met zijn maats die net als hij voet aan de grond begonnen te krijgen in de jongerenbeweging van de partij, en luisterde hoe hun leider gloedvolle redevoeringen hield over de kapitalisten die het proletariaat uitbuitten en de Amerikaanse legermacht die hen in zijn zak had. Hij had dat vaak horen zeggen en altijd met dezelfde overtuiging. Hij werd gegrepen door alles wat hij hoorde, omdat hij was opgevoed als een IJslander met gevoel voor het volk en hij een keiharde socialist was die wist wat hij moest geloven. Hij wist dat hij de waarheid aan zijn kant had.

Ze praatten op hun bijeenkomsten veel over het Amerikaanse leger op de Miðnesheiði en de trucs die de IJslandse kapitalisten gebruikten om gedaan te krijgen dat het leger toestemming kreeg een basis op IJslands grondgebied te vestigen. Hij wist hoe het land aan de Amerikanen was verkocht zodat de IJslandse kapitalisten een leventje kregen als een luis op een zeer hoofd. Hij was nog maar een tiener op Austurvöllur toen de legers van het kapitalisme met traangas en knuppels uit het parlement werden verdreven en slaags raakten met hun tegenstanders. "De verkopers van het land zijn de hielenlikkers van de Amerikaanse imperialisten! We zitten onder de plak van de Amerikaanse kapitalisten!" De jongerenbeweging zat niet om slagzinnen verlegen.

Hij behoorde zelf tot het onderdrukte volk. Hij werd gedreven door enthousiasme en magische woorden en de rechtvaardige gedachte dat alle mensen gelijk moesten zijn. De directeur moest met de arbeiders samen in de fabriek werken. "Weg met de klassenscheiding!" Hij geloofde oprecht en standvastig in het socialisme. Hij voelde een soort innerlijke behoefte om zich te verzetten, om anderen te overtuigen, om te vechten voor alle mensen die het minder hadden, de arbeidersstand en de onderdrukten.

"Voorwaarts, onderdrukten in duizenden landen ..."

Hij nam met volle inzet deel aan de discussies op de bijeenkomsten en stortte zich op het leesmateriaal bij de jongerenbeweging. Hij zocht boeken in de bibliotheek en in boekwinkels. Er waren er genoeg. Hij wilde eruit kunnen citeren. Diep in zijn hart wist hij dat de waarheid zijn wapen was. Veel van wat hij bij de jongerenbeweging hoorde, vervulde hem met een gevoel van rechtvaardigheid.

Langzamerhand leerde hij antwoorden op de vragen over het dialectisch materialisme, de klassenstrijd als drijvende kracht van de geschiedenis, rijkdom en armoede; hij raakte erin getraind die ideeën met citaten te onderstrepen in de geest van de revolutionairen, naarmate hij meer las en meer beïnvloed raakte door wat hij las. Het duurde niet lang of hij viel op tussen zijn kameraden door zijn kennis van het marxisme en door zijn retoriek en hij trok de aandacht van de leiders van de jongerenbeweging. Het kiezen van leiders en commissies en het formuleren van besluiten had altijd veel voeten in de aarde en ze vroegen hem of hij tot het bestuur wilde toetreden. Hij was toen in het derde jaar van zijn middelbare school. Ze hadden op school een discussievereniging opgericht die ze Rode Vlag hadden genoemd. Zijn vader had besloten dat hij door mocht leren, als enige van vier broers en zussen. Daar was hij hem nog altijd dankbaar voor.

Ondanks alles.

De jongerenbeweging verzette veel werk door het uitgeven van een nieuwsbrief en verslagen van de bijeenkomsten. Hun leider werd zelfs naar Moskou ontboden en hij kwam vol verhalen over het rijk van het proletariaat terug. De architectuur was schitterend. Het volk was zo gelukkig. Het bezat alles wat het nodig had. De kolchozen en de planeconomie brachten een vooruitgang die werkelijk alles sloeg. De wederopbouw van de industrie na de oorlog slaagde boven verwachting. Er verrezen overal fabrieken die door het volk, de arbeiders zelf, werden geleid. Nieuwe industrieterreinen ontstonden rond de steden. Alle medische voorzieningen waren gratis. Alles wat ze gelezen hadden, alles wat ze gehoord hadden, was waar. Er was niets (aan) gelogen. Wat een tijd!

Er waren er ook die naar de Sovjet-Unie waren gereisd en vertelden over andere, slechtere ervaringen. Dat had geen enkele invloed op de jongeren. Die mensen brachten de boodschap van het kapitalisme. Zij hadden de zaak verraden, de strijd voor een rechtvaardiger maatschappij.

De bijeenkomsten van de discussievereniging Rode Vlag werden druk bezocht en het lukte hen om nog meer mensen te werven voor de beweging. Hij werd eenstemmig gekozen tot voorzitter van de vereniging en trok al snel de aandacht van de voormannen van de Socialistische Partij. In zijn laatste jaar op de middelbare school, waar hij cum laude voor slaagde, was het duidelijk dat hij een van de leiders van de toekomst zou worden.

Hij wendde zich van het raam af en liep naar de foto uit zijn studententijd die boven de piano hing. Hij keek naar de gezichten onder de witte baretten. De jongens in zwarte jasjes, de meisjes in jurken. Het universiteitsgebouw baadde in het zonlicht en de zon werd weerkaatst in de witte studentenbaretten. Hij was vicepreses geweest. Het had niet veel gescheeld of hij was preses geworden. Hij streek met zijn hand over de foto. Hij miste zijn studiejaren. Hij miste de tijd waarin zijn overtuiging zo sterk was dat niets hem aan het wankelen kon brengen.

In het laatste schooljaar werd hem werk aangeboden bij het partijorgaan. Hij had in de zomer als sjouwer in de haven gewerkt en arbeiders en zeelieden leren kennen en met hen gediscussieerd. Ze noemden hem een communist en dat was geen compliment. Hij had wel belangstelling voor de journalistiek en wist dat het orgaan een van de pijlers van de partij was. Hij bracht samen met de voorzitter van de jongerenbeweging een bezoek aan de vicevoorzitter van de partij voordat hij bij de krant begon. De vicevoorzitter zat weggedoken in een diepe stoel, veegde zijn bril schoon met een zakdoek en vertelde hun over de socialistische staat op IJsland. Hij praatte zacht en alles wat hij zei, was zo waar en zo juist dat er een rilling over zijn rug liep toen hij daar in dat kleine kamertje zat en elk woord in zich opnam.

Hij was een goede leerling. Het maakte niet uit wat hij leerde, geschiedenis, wiskunde, hij hoefde er niets voor te doen. Wat eenmaal zijn hoofd was binnengegaan, bewaarde hij daar en kon hij wanneer hij maar wilde tevoorschijn halen. Zijn geheugen en studieaanleg kwamen hem goed van pas in de journalistiek en hij leerde snel. Hij werkte hard en kon een lang gesprek voeren zonder ook maar een aantekening te hoeven maken. Hij wist dat hij geen objectieve journalistiek bedreef, maar dat deed niemand.

Hij wilde in het najaar met zijn studie aan de universiteit van IJsland beginnen, maar hem werd gevraagd of hij bij het blad wilde blijven werken. Daar hoefde hij niet lang over na te denken. Halverwege de winter vroeg de vicevoorzitter of hij hem thuis wilde komen bezoeken. De Oost-Duitse communistische partij nodigde enkele IJslandse studenten uit om aan de universiteit van Leipzig te studeren. Als hij de uitnodiging aannam, moest hij zelf zijn reis betalen, maar in onderdak en onderhoud zou worden voorzien.

Hij wilde graag naar Oost-Europa of de Sovjet-Unie om de wederopbouw na de oorlog met eigen ogen te zien. Hij wilde reizen en volken leren kennen en talen leren. Hij wilde het socialisme in werking zien. Hij had in zijn laatste jaar op de middelbare school getwijfeld of hij naar de universiteit in Moskou zou gaan en had eigenlijk nog geen beslissing genomen toen hij de vicevoorzitter bezocht. De vicevoorzitter veegde zijn bril schoon met een zakdoek en zei dat een studie in Leipzig een geweldige kans voor hem zou zijn om een communistische staat vanbinnen te leren kennen, met eigen ogen het socialisme in de praktijk te zien en later meer voor het land te kunnen betekenen.

De vicevoorzitter zette zijn bril op zijn neus.

"En voor de zaak", voegde hij eraan toe. "Je zult het daar goed hebben. Leipzig heeft een lange geschiedenis en maakt deel uit van onze cultuurgeschiedenis. Halldór Laxness ging er zijn vriend Jóhann Jónsson bezoeken. En de volksverhalen van Jón Árnason werden in 1862 uitgegeven door uitgeverij Hinrichs in Leipzig."

Hij knikte. Hij had alles gelezen wat Halldór Laxness had geschreven over het socialisme in het oosten en verafgoodde hem om zijn overtuigingskracht.

Hij bedacht dat hij op een vrachtschip kon werken op de heenreis. Een oom van hem kende iemand bij de rederij en die had hem ook aan het vakantiebaantje geholpen. Het was geen probleem om overtocht op een schip te regelen. Zijn hele familie was in de zevende hemel. Niemand van hen was ooit in het buitenland geweest. Niemand had ooit gevaren, laat staan om er aan de universiteit te studeren. Het werd als een groot avontuur gezien. Het wonder werd in telefoongesprekken en brieven besproken. Het wordt wel wat met hem, zeiden ze. Misschien wordt hij nog wel eens minister!

Het schip voer eerst naar de Faerøer, daarna naar Kopenhagen, Rotterdam en Hamburg, waar hij afzwaaide. Daar nam hij de trein naar Berlijn en sliep een nacht op het station. De volgende avond stapte hij in een trein naar Leipzig. Hij wist dat er niemand zou zijn om hem af te halen. Hij had een adres in zijn zak en vroeg naar de weg tot hij aankwam op de ontvangstplaats.

Hij stond voor de studentenfoto, zuchtte diep en keek naar de gezichten van zijn vrienden in Leipzig. Ze zaten in hetzelfde jaar. Als hij toen geweten had wat er zou gebeuren ...

Hij vroeg zich af of de politie de waarheid over de man in het meer ooit zou achterhalen. Hij troostte zich ermee dat het allemaal erg lang geleden was en niemand zich nog bekommerde over wat er gebeurd was.

Niemand bekommerde zich nog om de man in het Kleifarvatn.

4

De Technische Recherche had een grote tent over het skelet opgezet. Elínborg stond erbij te kijken en zag Erlendur en Sigurður Óli met snelle passen op haar afkomen over de drooggevallen bodem van het meer. Het was al laat in de avond en de mensen van de pers waren weg. Het verkeer rond het meer was toegenomen nadat het nieuws over de vondst van het skelet bekend was geworden, maar nu was het weer normaal en de rust over het gebied was weergekeerd.

"Dat duurde lang", zei Elínborg toen ze dichterbij waren gekomen.

"Sigurður moest onderweg nog zo nodig een hamburger naar binnen werken", zei Erlendur geïrriteerd. "Wat is er aan de hand?"

"Kom", zei Elínborg en ze opende de tent. "De forensisch arts is hier."

Erlendur keek in de avondstilte over het rimpelloze meer en dacht na over de barsten in de bodem. Hij keek naar de lucht. De zon stond nog aan de hemel, dus het was volop licht. Hij staarde naar een witte stapelwolk recht boven hem en dacht hoe wonderlijk het was dat het meer op de plek waar hij nu stond wel vier meter diep was geweest.

De mannen van de Technische Recherche hadden het zand rond het skelet weggegraven, zodat het nu helemaal vrij lag. Nergens was een rest vlees of een flard van een kledingstuk te zien. Naast het skelet zat een vrouw van rond de veertig. Ze kraste met een geel potlood op het heupbeen.

"Het is een man", zei ze. "Van gemiddelde lengte en waarschijnlijk van middelbare leeftijd, maar dat moet ik nader uitzoeken. Ik weet niet hoelang hij in het meer heeft gelegen, misschien veertien, vijftien jaar. Misschien langer. Maar dat is een gissing. Ik kan daar meer over zeggen als ik het skelet naar de Barónstigur heb gebracht en het kan onderzoeken."

Ze stond op en begroette hen. Erlendur wist dat ze Mathildur heette en nieuw was bij de Forensische Dienst. Hij wilde haar eigenlijk vragen waarom ze misdaden wilde onderzoeken. Waarom ze niet gewoon arts was geworden, als een normaal mens, en profiteerde van het IJslandse gezondheidsstelsel.

"Klopt het dat hij op zijn hoofd is geslagen?" zei Erlendur.

"Zo ziet het er wel uit", zei Mathildur. "Maar het is moeilijk te zien waarmee. Alle sporen rond het gat zijn verdwenen."

"We hebben het hier dus over een moord met voorbedachten rade?" zei Sigurður Óli.

"Alle moorden zijn met voorbedachten rade", zei Mathildur. "Ze zijn alleen niet allemaal even duidelijk."

"Het is geen vraag of het hier om moord gaat", zei Elínborg, die zwijgend naar het gesprek had geluisterd.

Ze stapte over het skelet heen en knielde in het grote gat dat de mannen van de Technische Recherche in de bodem van het meer hadden gemaakt. Erlendur liep naar haar toe en zag dat zich in het gat een omvangrijke, zwarte metalen kist bevond die met een touw aan de beenderen was gebonden. Hij was nog grotendeels onder het zand begraven, maar je kon er iets op onderscheiden wat leek op een maatverdeling met zwarte wijzerplaten en zwarte tekens. De kist was gebutst en vervormd. Hij was opengegaan en er zat zand in.

"Wat is dat?" vroeg Sigurður Óli.

"God mag het weten", zei Elínborg, "maar hij is ermee verdronken."

"Is het een of ander meetapparaat?" zei Erlendur.

"Ik heb zoiets nog nooit eerder gezien", zei Elínborg. "De technici dachten dat het een oud zendapparaat was."

"Zendapparaat?" zei Erlendur. "Wat voor zendapparaat?"

"Dat wisten ze niet. Ze moeten het nog opgraven."

Erlendur keek naar het touw dat om het skelet was vastge-maakt en naar de zwarte kist die gebruikt was om het lichaam in het water te laten zinken. Hij zag voor zich hoe mannen het lijk uit een auto droegen en het zendapparaat eraan vastbon-den, ermee het meer opvoeren en alles overboord gooiden.

"Hij is dus door anderen verdronken?" zei hij.

"Hij kan dat moeilijk zelf hebben gedaan", schamperde Sigurður Óli. "Hij kan toch niet het meer op zijn gevaren, zich-zelf aan een of ander zendapparaat hebben vastgeketend, zich op zijn hoofd hebben laten vallen en in het water zijn gesprongen zodat hij voorgoed verdwenen was. Dat zou de raarste zelf-moord uit de geschiedenis zijn."

"Is het eigenlijk een zwaar apparaat?" zei Erlendur. Hij pro-beerde zich niet door Sigurður Óli van de wijs te laten brengen.

"Het lijkt me zeer zwaar", zei Mathildur.

"Heeft het zin om hier op de bodem naar het moordwapen te zoeken?" vroeg Elínborg. "Met een metaaldetector. Misschien is hij met een hamer of een dergelijk voorwerp neergeslagen."

"Daar houdt de Technische Recherche zich mee bezig", zei Erlendur. Hij knielde neer bij de zwarte kist en veegde het zand eraf.

"Misschien is het zo'n bakkie", zei Sigurður Óli.

"Kom je ook?" vroeg Elínborg. "Als het boek uitkomt?"

"Zijn we dat niet min of meer verplicht?" zei Sigurður Óli.

"Ik wil jullie niet tot last zijn, hoor."

"Hoe heet het boek?" vroeg Erlendur.

"*Blauwe bonen in tomatensaus*", zei Elínborg. "Het is een grapje. Blauwe bonen, je weet wel, kogels …"

"Leuk", zei Erlendur en keek verwonderd naar Sigurður Óli, die in lachen uitbarstte.

Eva Lind zat tegenover hem in een wit hemd met haar voeten onder zich in de stoel. Ze draaide met haar wijsvinger door haar haren, lok na lok, als in een trance. Eigenlijk mochten de patiën-ten geen bezoek ontvangen, maar de mensen die hier werkten kenden Erlendur goed en deden niet moeilijk als hij vroeg of hij haar mocht zien. Ze zaten al een hele tijd zwijgend tegenover elkaar. Ze zaten in de zitkamer van de patiënten; aan de muren hingen affiches van campagnes tegen alcohol- en drugsgebruik.

"Zie je dat oude wijf nog altijd?" vroeg Eva, terwijl ze aan haar haren draaide.

"Noem haar niet steeds een oud wijf", zei Erlendur. "Valgerður is twee jaar jonger dan ik."

"Nou en, ik noem haar oud wijf. Zie je haar nog steeds?"

"Ja."

"En verder? Komt ze ook bij je thuis? Die Valgerður?"

"Dat is wel eens gebeurd."

"En verder spreken jullie af in hotels."

"Zoiets. Hoe gaat het met je? Ik moest je de groeten doen van Sigurður Óli. Hij zegt dat het beter gaat met zijn schouder."

"Jammer. Ik wilde hem op zijn hoofd raken."

"Wat kun je toch een verdomd kreng zijn", zei Erlendur.

"Is ze al van die kerel af? Ze is toch nog getrouwd, die Valgerður? Heb je dat niet een keer gezegd?"

"Dat gaat je niets aan."

"Dus ze blijft bij hem? Dat betekent dat je een getrouwde vrouw neukt. Wat vind je daarvan?"

"We zijn niet met elkaar naar bed geweest. Trouwens, dat gaat je ook niets aan. En sla niet zulke ordinaire taal uit!"

"Onzin dat jullie niet met elkaar naar bed zijn geweest!"

"Kun je hier niet een of andere pil krijgen? Waarmee je die zotheid uit je kop krijgt?"

Hij stond op. Ze keek naar hem op.

"Ik heb je niet gevraagd om me hier te plaatsen", zei ze. "Ik heb er niet om gevraagd dat je je van me hebt ontdaan. Ik wil dat je me met rust laat. Gewoon met rust."

Hij liep de zitkamer uit zonder afscheid te nemen.

"Doe de groeten aan dat wijf", riep Eva Lind hem na en ze draaide even rustig als daarvoor haar haren rond haar vinger. "Doe de groeten aan dat kutwijf", herhaalde ze zachtjes.

Erlendur parkeerde de auto voor zijn huizenblok en liep het trappenhuis binnen. Toen hij bij de ingang van zijn appartement kwam, zag hij dat bij zijn deur een slanke jongeman met lang haar op zijn hurken een sigaret zat te roken. Het bovenste deel van het lichaam van de man bevond zich in de schaduw en Erlendur kon zijn gezicht niet zien. Hij dacht eerst dat het een of andere crimineel was die nog wat met hem te vereffenen had. Er waren er wel eens die hem met een dronken kop opbelden en hem bedreigden met alles wat mooi en lelijk was, omdat hij zich op de een of andere manier met hun ellendige bestaan had bemoeid. Een enkeling zocht hem op en had een wapen bij zich. Hij rekende op iets dergelijks, daar bij de entree van zijn appartement.

De jongeman kwam overeind toen hij Erlendur de trap op zag lopen.

"Kan ik bij je slapen?" vroeg hij en hij leek zich geen raad te weten wat hij met zijn sigarettenpeuk moest doen. Erlendur telde twee peuken op de vloerbedekking.

"Wie ben ..."

"Sindri", zei de jongeman en hij stapte uit de schaduw. "Je zoon. Herken je me niet?"

"Sindri?" zei Erlendur verbaasd.

"Ik ben weer naar de stad verhuisd", zei Sindri. "Ik wilde eens bij je langsgaan."

Sigurður Óli stond op het punt in slaap te vallen aan de zijde van Bergþóra, toen de telefoon op het nachtkastje ging. Hij keek naar de display waarop het nummer te zien was. Hij wist wie het was en wilde niet opnemen. Toen de telefoon voor de zevende keer overging, stootte Bergþóra hem aan.

"Neem nou op", zei ze. "Het doet hem goed om met je te praten. Hij heeft het gevoel dat je hem kan helpen."

"Ik ben niet van plan hem in de waan te laten dat hij mij 's nachts kan bellen", zei Sigurður Óli.

"Lieverd, doe niet zo naar", zei Bergþóra. Ze boog zich over Sigurður Óli heen en pakte de telefoon op het nachtkastje.

"Ja hoor, hij is thuis", zei ze en ze glimlachte.

"Sliep je?" vroeg een stem in de telefoon.

"Ja", loog Sigurður Óli. "Ik wil je vragen me niet meer thuis te bellen. Ik wil niet dat je dat doet."

"Neem me niet kwalijk", zei de stem. "Ik kan niet slapen. Ik zit vol antidepressiva en kalmerende middelen en slaappillen, maar niets helpt."

"Je kunt me niet zomaar bellen wanneer het jou uitkomt", zei Sigurður Óli.

"Neem me niet kwalijk", zei de man. "Het gaat niet goed met me."

"Oké", zei Sigurður Óli.

"Het is een jaar geleden", zei de man. "Op de dag af."

"Ja", zei Sigurður Óli. "Dat weet ik."

"Een heel jaar in de hel", zei de man.

"Probeer daar niet aan te denken. Het wordt tijd dat je ophoudt jezelf daarmee te kwellen. Je hebt er niets aan."

"Dat is gemakkelijk gezegd", zei de man in de telefoon.

"Dat weet ik", zei Sigurður Óli. "Probeer het toch maar."

"Wat moest ik nou toch met die verdomde aardbeien?"

"Daar gaan we het niet voor de duizendste keer over hebben", zei Sigurður Óli, hij keek naar Bergþóra en schudde zijn hoofd. "Dat viel jou niet aan te rekenen. Dat moet je begrijpen. Hou op jezelf zo te kwellen."

"Zeker wel", zei de man. "Dat was me zeker wel aan te rekenen. Dat was me volledig aan te rekenen."

Toen legde hij neer.

5

De vrouw keek hen om beurten aan, glimlachte vaag en vroeg hen binnen. Elínborg stapte als eerste over de drempel en Erlendur volgde haar. Ze waren zojuist door haar uitgenodigd; de vrouw had de tafel gedekt en cakejes en spritsen klaargezet. Uit de keuken kwam de geur van koffie. Het was in een rijtjeshuis in Breiðholt. Elínborg had door de telefoon met haar gepraat. Ze was hertrouwd. Haar zoon uit haar eerste huwelijk studeerde medicijnen in de Verenigde Staten. Ze had twee kinderen met haar tweede man. Ze reageerde meteen toen Elínborg belde en ze nam de middag vrij om Erlendur en haar bij haar thuis te ontmoeten.

"Is ie 't?" vroeg de vrouw toen ze hun een stoel aanbood. Ze heette Kristín, was al voorbij de zestig en was met de jaren dik geworden. Ze had de berichten over de vondst van het skelet in het Kleifarvatn gezien.

"Dat weten we nog niet", zei Erlendur. "We weten dat het een man is, maar we wachten nog op nadere details over zijn leeftijd."

Er waren nog maar een paar dagen voorbij sinds de vondst van de botten. Een deel van het skelet was opgestuurd voor een C14-onderzoek, maar de forensisch arts volgde ook nog een ander spoor dat volgens haar sneller ging. Elínborg had met haar gesproken.

"Sneller dan wat?" had Erlendur Elínborg gevraagd.

"Ze gebruikt de aluminiumsmelterij in Straumsvík", zei Elínborg.

"De aluminiumsmelterij?"

"Ze kijkt naar de uitstoot van de aluminiumsmelterij. Het gaat om zwaveldioxine en fluor en dergelijke stoffen. Heb je daar nooit van gehoord?"

"Nee."

"De dioxine gaat in een bepaalde concentratie de lucht in, zet zich af op zee en wordt onder andere op het water aangetroffen in de omgeving van de smelterij, zoals het Kleifarvatn. Betere maatregelen tegen vervuiling hebben deze stoffen verminderd. Ze zegt dat ze het in een bepaalde concentratie in de botten heeft aangetroffen en de voorlopige conclusie is dat het lijk voor 1970 in het water is gegooid."

"En wat is de marge?"

"Vijf jaar ervoor of erna."

Het onderzoek naar het skelet in het Kleifarvatn hield zich nu dus bezig met mannen die waren verdwenen tussen 1960 en 1975. Het waren er acht in het hele land. Vijf ervan hadden in de omgeving van de hoofdstad gewoond.

De eerste man van Kristín was een van hen. Ze had de berichten over de vondst gezien. Ze had destijds zelf aangifte gedaan van zijn vermissing. Op een dag kwam hij niet thuis van zijn werk. Ze wachtte op hem met het eten. Hun zoontje speelde op de grond. Het werd later en later. Ze deed de jongen in bad, bracht hem naar bed en ging weer naar de keuken. Ze ging opnieuw zitten wachten. Ze zou televisie hebben gekeken als het niet donderdag was geweest.

Het was in de herfst van 1969. Ze woonden in een klein appartement dat ze pas hadden gekocht. Hij was verkoopleider bij een makelaardij en had de woning voor een schappelijke prijs gekregen. Zij had juist haar opleiding aan de handelsschool beëindigd toen ze elkaar leerden kennen. Een jaar later trouwden ze met pracht en praal en een jaar na de bruiloft werd hun zoon geboren, op wie de man dol was.

"Daarom begrijp ik het niet", zei Kristín en ze keek hen om beurten aan.

Erlendur begreep dat ze nog steeds wachtte op de man die zo plotseling en onbegrijpelijk uit haar leven was verdwenen. Hij

zag voor zich hoe ze in haar eentje zat te wachten in de schemering van de herfst. Zag hoe ze belde naar mensen die hem
gekend hadden en hun vrienden waren, belde naar familie die
zich de dagen daarop in de woning verzamelde om haar te
steunen en te helpen in haar verdriet.

"We waren gelukkig", zei ze. "Kleine Benni was onze oogap-
pel, ik had net een baan gekregen bij de Handelsvereniging en
wist niet beter dan dat het hem ook goed ging in zijn werk. Het
was een grote makelaardij en hij was een goede verkoper. Hij
had het op school nooit zo goed gedaan, ging na drie jaar van
de middelbare school af, maar hij werkte hard en ik dacht dat
hij tevreden was met zijn leven. Hij had me nooit het idee gegeven dat dat niet zo was."

Ze schonk koffie in hun kopjes.

"Ik merkte de laatste dag niets ongewoons aan hem", zei ze en
ze hield hun de schotel met cakejes voor. "Hij nam 's ochtends
afscheid, belde 's middags alleen om mijn stem te horen en
later nog eens om te zeggen dat hij wat later zou zijn. Daarna
heb ik nooit meer wat van hem gehoord."

"Maar ging het slecht op zijn werk, ook al vertelde hij jou dat
niet?" vroeg Elínborg. "We lazen de verklaring en …"

"Ze moesten iemand ontslaan. Hij had het daar al dagen
over, maar ze wisten niet wie. En toen werd hij die dag bij de
directeur geroepen en werd hem gezegd dat ze hem niet meer
nodig hadden. De directeur vertelde me dat later. Hij zei me
dat mijn man helemaal niets gezegd had toen hij werd ontslagen, niet geprotesteerd had en niet naar een reden had
gevraagd, maar gewoon de kamer was uitgelopen en aan zijn
bureau was gaan zitten. Geen enkele reactie."

"Heeft hij je niet gebeld om het je te vertellen?" vroeg Elínborg.

"Nee", zei de vrouw, en Erlendur voelde het verdriet dat haar
nog altijd in zijn greep hield. "Hij belde niet vaker dan ik verteld heb en sprak met geen woord over zijn ontslag."

"Waarom werd hij ontslagen?" vroeg Erlendur.

"Daar heb ik nooit een bevredigend antwoord op gekregen.
Ik denk dat de directeur medelijden met me had en me wilde

sparen toen hij met me sprak. Hij zei dat ze moesten inkrim-
pen wegens verminderde verkoop, maar ik hoorde ook dat
Ragnar te weinig aandacht voor zijn werk had gehad. Te weinig
aandacht had voor wat hij aan het doen was. Na een reünie van
zijn oude middelbareschoolklas had hij het erover dat hij weer
wilde gaan studeren. Hij kreeg visitekaartjes, ook al was hij met
school gestopt, en zijn oude kameraden waren allemaal artsen,
juristen en ingenieurs geworden. Zo praatte hij. Alsof hij het
erg vond dat hij zijn school niet had afgemaakt."

"Bracht je zijn verdwijning daarmee in verband?" vroeg
Erlendur.

"Nee, eigenlijk niet", zei Kristín. "Ik kan die net zo goed in
verband brengen met een klein ruzietje dat we de dag ervoor
hebben. Of met het feit dat onze jongen 's nachts moeilijk
slaapt of dat hij zich geen nieuwe auto kan veroorloven. Ik weet
werkelijk niet wat ik moet denken."

"Was hij zwaarmoedig?" vroeg Elínborg. Ze merkte op dat de
vrouw in de tegenwoordige tijd sprak, alsof ze er nog middenin
zat.

"Gewoon, net als de meeste IJslanders. Hij verdween in de
herfst, dat zegt misschien wel iets."

"Je hebt destijds gezegd dat het uitgesloten was dat er sprake
was van een misdrijf", zei Erlendur.

"Ja", zei ze. "Ik kan me dat niet voorstellen. Hij was niet in dat
soort zaken verwikkeld. Het moet gewoon toeval zijn geweest
als hij iemand zou zijn tegengekomen die hem heeft vermoord.
Ik heb nooit gedacht dat er zoiets gebeurd was en jullie ook
niet, jullie van de politie. Jullie hebben zijn vermissing ook
nooit als een misdrijf behandeld. Hij zat nog op zijn werk toen
alle anderen weggingen en dat is het laatste wat er van hem
gezien is."

"De vermissing is nooit als misdrijf onderzocht?" zei Elínborg.

"Nee", zei Kristín.

"Zeg eens, was je man eigenlijk een soort zendamateur?"
vroeg Erlendur.

"Zendamateur? Wat is dat?"

"Dat weet ik zelf eigenlijk ook niet precies", zei Erlendur en hij keek naar Elínborg om hulp. Ze zweeg. "Dat zijn mensen die radiocontact hebben met mensen over de hele wereld", vervolgde Erlendur. "Je hebt of had een of ander krachtig zendapparaat nodig om je signaal ver genoeg de wereld in te sturen. Had hij zo'n apparaat?"

"Nee", zei de vrouw. "Een zendamateur?"

"Deed hij iets met telecommunicatie?" vroeg Elínborg. "Bezat hij een zendapparaat of …"

Kristín keek naar haar.

"Wat hebben jullie eigenlijk gevonden in het Kleifarvatn?" vroeg ze met een verbaasd gezicht. "Hij heeft nooit een zendapparaat gehad. Wat voor zendapparaat?"

"Viste hij wel eens op het Kleifarvatn?" vroeg Elínborg zonder haar vraag te beantwoorden. "Had hij daar belangstelling voor?"

"Nee, nooit. Hij had geen enkele interesse in vissen. Mijn broer vist veel op zalm en probeerde hem wel eens mee te krijgen, maar hij wilde nooit. Hij was wat dat betreft net als ik. We waren het daarover helemaal eens. We wilden geen enkel schepsel voor niets of voor ons plezier doden. We zijn nooit bij het Kleifarvatn geweest."

Erlendurs aandacht werd getrokken door een foto in een mooi lijstje op een plank in de kamer. Hij was van Kristín met een kleine jongen, waarschijnlijk haar vaderloze zoon, en hij moest denken aan zijn eigen zoon, Sindri. Hij kon niet bedenken waarom hij hem was komen opzoeken. Sindri was hem altijd uit de weg gegaan, anders dan Eva Lind, die hem ter verantwoording wilde roepen voor het feit dat hij in hun jeugd geen aandacht voor hen had gehad. Erlendur was van hun moeder gescheiden na een kort huwelijk en naarmate de jaren vorderden, leek het er steeds meer op dat hij nooit contact met zijn kinderen had gezocht.

Ze hadden elkaar daar bij de entree begroet met een handdruk, als twee vreemden, en hij liet hem binnen en zette koffie. Sindri zei dat hij een woning of een kamer zocht. Erlendur zei dat hij niets voor hem wist en beloofde contact met hem op te nemen als hij iets hoorde over woonruimte.

"Misschien kan ik voorlopig hier blijven", zei Sindri en hij bekeek de inhoud van de boekenkasten in de kamer.

"Hier?" reageerde Erlendur en hij kwam in de keukendeur staan. Hij begreep ineens waarom Sindri hem was komen opzoeken.

"Eva zei dat je een kamer over had; er staat alleen wat rotzooi in."

Erlendur keek naar zijn zoon. Er was een extra kamer in zijn woning. De rotzooi waar Eva het over had gehad, waren spullen van zijn ouders die hij bewaarde omdat hij zich er niet toe kon zetten ze weg te doen. Het waren spullen uit zijn ouderlijk huis. Een kist met papieren van zijn ouders en voorouders, wat oude boekenplanken, gebonden jaargangen van tijdschriften, boeken, vishengels, een oud geweer van zijn opa, nooit gebruikt.

"En je moeder?" vroeg Erlendur. "Kun je niet naar haar toe gaan?"

"Ja, natuurlijk", zei Sindri. "Dat zal ik dan maar doen."

Ze zwegen.

"Nee, er is geen plaats in die kamer", zei Erlendur. "Dus … ik weet niet …"

"Eva heeft hier geslapen", zei Sindri.

Op zijn woorden volgde een diep stilzwijgen.

"Ze zei dat je veranderd was", zei Sindri ten slotte.

"En jij?" vroeg Erlendur. "Ben jij veranderd?"

"Ik ben er al heel wat maanden niet meer aan geweest", zei Sindri. "Als je dat bedoelt."

Erlendur kwam weer tot zichzelf en nam een slok van zijn koffie. Hij keek naar de foto op de plank en daarna naar Kristín. Hij verlangde naar een sigaret.

"Die jongen heeft zijn vader dus nooit gekend", zei hij. Hij zag hoe Elínborg hem scherp aankeek, maar lette er niet op. Hij wist heel goed dat hij zich in de persoonlijke zaken mengde van een vrouw die meer dan dertig jaar geleden op mysterieuze wijze haar man had verloren en nooit een bevredigend antwoord had gekregen. De vraag van Erlendur had niets met het politieonderzoek te maken.

"Zijn stiefvader is altijd heel goed voor hem geweest en er bestaat een goed contact met mijn andere kinderen", zei zij. "Ik begrijp niet wat dat met de vermissing van mijn man te maken heeft."

"Nee, neem me niet kwalijk", zei Erlendur.

"Dan weten we genoeg, denk ik", zei Elínborg.

"Denken jullie dat het hem is?" vroeg Kristín en ze stond op.

"Ik denk niet dat er veel aanwijzingen voor zijn", zei Elínborg. "We moeten het nog nader onderzoeken."

Ze bleven even staan, alsof er nog iets niet was gezegd. Alsof er iets in de lucht hing wat moest worden uitgesproken voor ze uit elkaar gingen.

"Het jaar nadat hij verdwenen was", zei Kristín, "werd er een lijk gevonden op Snæfellsnes. Ze dachten dat hij het was, maar toen bleek dat het niet zo was."

Ze kneep haar handen samen.

"Soms, nu nog altijd, denk ik dat hij misschien nog leeft. Dat hij helemaal niet dood is. Soms denk ik dat hij ons verlaten heeft en de stad of zelfs het land is uitgegaan zonder het ons te laten weten en een nieuw gezin heeft gesticht. Ik heb hem zelfs hier in Reykjavík in een flits gezien. Zo'n vijf jaar geleden was het net of ik hem zag. Ik liep als een gek achter hem aan. Het was op Kringla. Ik bleef achter die man aanlopen tot ik zag dat hij het niet was, natuurlijk."

Ze keek naar Erlendur.

"Hij verdween, maar toch … is hij niet weg", zei ze en een vage glimlach speelde om haar lippen.

"Ik weet het", zei Erlendur. "Ik weet wat je bedoelt."

Toen ze buiten in de auto zaten, sprak Elínborg hem erop aan dat hij die opmerking over de zoon had gemaakt. Erlendur vroeg of ze niet zo overgevoelig wilde zijn.

Zijn mobiel ging. Het was Valgerður. Hij had al gehoopt dat ze iets van zich zou laten horen. Ze was forensisch arts en ze hadden elkaar afgelopen Kerstmis leren kennen toen Erlendur een moordzaak onderzocht in een hotel in Reykjavík. Hun relatie was nogal broos. Ze was getrouwd. Haar man had toegegeven dat hij was vreemdgegaan, maar wilde toen het erop aankwam niet scheiden. Hij werd heel onderdanig, vroeg om vergeving en beloofde beterschap. Zij zei dat ze hem zou verlaten, maar dat was er nog steeds niet van gekomen.

"Hoe gaat het met je dochter?" vroeg ze en Erlendur vertelde haar kort over zijn bezoek aan Eva Lind.

"Denk je dat het haar zal helpen?" vroeg Valgerður. "Deze behandeling?"

"Ik hoop het, maar als het niet zo is, zou ik niet weten wat haar nog wel zou kunnen helpen", zei Erlendur. "Ze is in ongeveer dezelfde toestand terechtgekomen als toen ze haar kind verloor."

"Zullen we proberen morgen iets af te spreken?" vroeg Valgerður.

"Ja, laten we dat doen", zei hij en ze namen afscheid.

"Was zij dat?" vroeg Elínborg, die wist dat Erlendur een soort verhouding had.

"Als je Valgerður bedoelt, ja", zei Erlendur.

"Maakt ze zich zorgen over Eva Lind?"

"Wat zeiden ze bij de Technische Recherche over het apparaat?" vroeg Erlendur om van onderwerp te veranderen.

"Ze weten nog niet zoveel", zei Elínborg. "Ze denken dat het Russisch is. Naam en nummers zijn eraf gesleten, maar ze zeggen dat er nog resten zijn van één letter en ze denken dat dat een cyrillische letter is."

"Russisch?"

"Ja, Russisch."

Er stonden maar enkele huizen aan de zuidoever van het Kleifarvatn en Erlendur en Sigurður Óli verzamelden informatie over de eigenaren. Ze belden aan en stelden algemene vragen over vermissingen die met het meer te maken zouden kunnen hebben. Het leverde geen enkel resultaat op.

Sigurður Óli bracht het gesprek op Elínborg en merkte op dat ze het wel heel druk had met de voorbereidingen van de publicatie van haar kookboek.

"Ik denk dat ze verwacht dat ze er beroemd mee wordt", zei Sigurður Óli.

"Wil ze dat graag?" vroeg Erlendur.

"Wil niet iedereen beroemd worden?" zei Sigurður Óli.

"Allemaal ijdelheid", zei Erlendur.

6

Sigurður Óli las de brief door, de laatste woorden van een jongeman die in 1970 zijn huis verliet en nooit terugkeerde.

De ouders van de man waren even oud, beiden 78 jaar en kerngezond. Ze hadden nog twee zonen, jonger, die allebei rond de vijftig waren. Ze wisten dat hun oudste zoon zelfmoord had gepleegd. Ze begrepen dat uit wat er in de brief stond. Ze wisten niet hoe hij het gedaan had en ze wisten ook niet waar zijn stoffelijk overschot was. Sigurður Óli had ze vragen gesteld over het Kleifarvatn, het zendapparaat en het gat in de schedel, maar ze hadden geen idee waar hij het over had. Hun zoon was nooit in enig conflict geraakt met wie dan ook en had geen vijanden. Dat was uitgesloten.

"Het is een absurde gedachte dat hij vermoord zou zijn", zei de vrouw en ze keek naar haar man, nog altijd vol verdriet om het lot van haar zoon die zoveel jaren geleden verdween.

"Je ziet het toch in die brief", zei de man. "Het is duidelijk wat hij van plan was."

Sigurður Óli las de brief nog eens door.

Lieve papa en mama vergeef me maar ik kan niet anders dit is ondraaglijk en ik kan me niet voorstellen te leven kan dat niet ik wil het niet en kan het niet

De brief was ondertekend met *Jakob*.

"Het was de schuld van dat grietje", zei de vrouw.

"We weten daar niets van", zei de man.

"Ze had het aangelegd met zijn vriend", zei de vrouw. "Onze jongen kon daar niet tegen."

"Denken jullie dat hij het is, dat het onze zoon is?" vroeg de man. Ze zaten op de bank tegenover Sigurður Óli en wachtten totdat de vragen die door hun hoofd hadden gespookt sinds hun zoon verdween, beantwoord zouden worden. Ze wisten dat hij de moeilijkste niet kon beantwoorden, de vragen waarmee ze al die jaren hadden geworsteld, over de plichten en de verantwoordelijkheid van ouders, maar hij kon hun wel vertellen of hij was gevonden. In de nieuwsberichten stond alleen dat er een skelet van een man was gevonden in het Kleifarvatn. Niets over het zendapparaat en het gat in de schedel. Ze begrepen niet waar Sigurður Óli het over had, toen hij daar vragen over stelde. Ze wilden alleen antwoord op één vraag: is hij het?

"Ik denk niet dat het erg waarschijnlijk is", zei Sigurður Óli. Hij keek van de een naar de ander. De onbegrijpelijke verdwijning en de dood van hun geliefde zoon had hun leven getekend. De zaak was nooit afgesloten. Hun zoon was nog altijd niet thuisgekomen en zo was het al die jaren geweest. Ze wisten niet waar hij was en wat er met hem gebeurd was en die onzekerheid maakte hen ongelukkig en somber.

"We hebben altijd gedacht dat hij de zee in was gegaan", zei de vrouw. "Hij was een goede zwemmer. Ik heb altijd gezegd dat hij zo ver de zee op was gezwommen tot hij wist dat hij te ver was gegaan of tot hij door de kou was omvangen."

"De politie zei ons destijds dat als er nergens een lijk werd gevonden, het waarschijnlijk was dat hij de zee in is gegaan", zei de man.

"Vanwege die slet", zei de vrouw.

"We kunnen haar dat niet nadragen", zei de man.

Sigurður Óli merkte op dat ze zich begonnen te herhalen. Hij stond op en wilde afscheid nemen.

"Soms word ik zo boos op hem", zei de vrouw, en Sigurður Óli wist niet of ze haar man of haar zoon bedoelde.

Valgerður zat op Erlendur te wachten in het restaurant. Ze had hetzelfde leren jasje aan dat ze bij hun eerste afspraak had gedragen. Ze hadden elkaar toevallig leren kennen en in een opwelling had hij haar mee uit eten gevraagd. Hij wist helemaal niet of ze getrouwd was of een gezin had, maar toen bleek dat ze een echtgenoot had, dat haar twee zoons het huis uit waren en dat haar huwelijk scheuren vertoonde.

Ze gaf tijdens hun volgende afspraak toe dat ze Erlendur had willen gebruiken om wraak te nemen op haar man.

Korte tijd later had ze weer contact opgenomen met Erlendur en ze hadden elkaar daarna nog enkele malen ontmoet. Eén keer had ze hem thuis opgezocht. Hij had geprobeerd zo goed mogelijk op te ruimen, kranten weg te gooien, de boeken op de planken te zetten. Hij kreeg zelden bezoek en had zich er zo lang mogelijk tegen verzet Valgerður bij hem thuis te ontvangen. Ze gaf het echter niet op en zei dat ze wilde zien hoe hij woonde. Eva Lind zei dat zijn appartement een hol was waar hij in wegkroop om zich te verbergen.

"Moet je al die boeken zien", zei Valgerður toen ze bij hem in de kamer stond. "Heb je ze allemaal gelezen?"

"De meeste wel", zei Erlendur. "Wil je koffie? Ik heb koeken voor erbij gekocht."

Ze liep naar de boekenkast en streek met haar vingers over de ruggen van de boeken, las de titels en pakte het ene boek na het andere van de plank.

"Gaan deze over ontberingen en dood in de bergen?" vroeg ze.

Ze had al snel in de gaten gekregen dat Erlendur een speciale belangstelling had voor verdwijningen en bij voorkeur boeken las over vermissingen en ontberingen op IJsland. Hij had haar verteld wat hij behalve aan Eva Lind aan niemand anders had verteld, dat zijn broertje in de bergen bij de Oostfjorden was omgekomen toen hij acht jaar oud was en Erlendur tien. Ze waren met zijn drieën, de twee jongens en hun vader. Erlendur en zijn vader waren gezond en wel thuisgekomen, maar zijn broer werd vermist en zijn lichaam was nooit gevonden.

"Je hebt me een keer verteld dat er een artikel over jou en je broer in een van deze boeken staat", zei Valgerður.

"Ja", zei Erlendur.

"Wil je me dat laten zien?"

"Dat is goed", zei Erlendur aarzelend. "Maar niet nu. Ik zal het je later wel eens laten zien."

Valgerður stond op toen hij het restaurant binnenkwam en als altijd begroetten ze elkaar met een handdruk. Hij wist niet precies wat voor soort relatie ze hadden, maar hij was er tevreden mee. Ze waren nooit met elkaar naar bed geweest, al hadden ze elkaar regelmatig gezien, het afgelopen halfjaar. Hun relatie ging in elk geval niet om de seks. Ze zaten samen en praatten over alles wat er in hun leven gebeurde.

"Waarom ben je eigenlijk niet bij hem weggegaan?" vroeg hij nadat ze gegeten hadden en aan de koffie en likeur zaten en over Eva Lind en Sindri en haar zoons en hun werk hadden gepraat. Ze had hem uitgehoord over het skelet in het Kleifarvatn, maar hij kon weinig zeggen. Alleen dat de politie bezig was met mensen te praten die familieleden hadden die binnen een bepaald tijdsbestek rond 1970 verdwenen waren.

Valgerður was er kort na Kerstmis achter gekomen dat haar man al twee jaar lang een ander had. Het was al wel eens eerder voorgekomen, maar dat was niet zo 'serieus', zoals hij het noemde. Toen ze had gezegd dat ze hem wilde verlaten, beloofde hij de relatie met die andere vrouw te beëindigen en daarna was er niets meer gebeurd.

"Valgerður …?" begon Erlendur.

"Je hebt Eva Lind bezocht in de kliniek, hè?" haastte zij zich te zeggen alsof ze voelde wat er komen ging.

"Ja, ik heb haar opgezocht."

"Herinnert ze zich nog iets van de arrestatie?"

"Nee, ik geloof niet dat ze zich de arrestatie herinnert. We hebben het er niet over gehad."

"Arm kind."

"Ben je van plan met hem verder te gaan?" vroeg Erlendur.

Valgerður nam een slok van haar likeurtje.

"Het is zo moeilijk", zei ze.

"Ja?"

"Ik ben er niet klaar voor om er een punt achter te zetten", zei ze. Ze keek Erlendur aan. "Maar ik wil jou ook niet kwijtraken."

Toen Erlendur laat in de avond thuiskwam, lag Sindri Snær op de bank te roken en televisie te kijken. Hij knikte naar zijn vader en bleef kijken. Erlendur dacht dat hij naar tekenfilms keek. Hij had zijn zoon een sleutel van zijn huis gegeven en kon hem elk moment van de dag verwachten, ook al had hij hem niet toegestaan bij hem te blijven slapen.

"Ga je hem nog uitzetten?" zei hij en hij trok zijn jas uit.

Sindri stond op en zette de televisie uit.

"Ik vond nergens een afstandsbediening", zei hij. "Is dat niet een stokoude tv?"

"Nee, hij is hoogstens twintig jaar oud", zei Erlendur. "Ik kijk niet veel."

"Eva belde me vandaag", zei Sindri en hij drukte zijn sigaret uit. "Was dat een vriend van jou die haar heeft aangehouden?"

"Sigurður Óli. Ze sloeg hem. Met een hamer. Ze probeerde hem dood te slaan, maar raakte zijn schouder. Hij wilde haar aanklagen wegens lichamelijk letsel en het hinderen van een politieman in functie."

"En toen heb jij bekokstoofd dat ze in plaats daarvan in die kliniek werd opgenomen."

"Ze heeft zich nooit willen laten behandelen. Sigurður Óli heeft voor mij de aanklacht ingetrokken."

Eddi. Hij was een dealer die gezocht werd in verband met een drugszaak. Sigurður Óli en twee andere rechercheurs wachtten hem op in een drugshol aan Hlemm, vlak bij het politiebureau aan de Hverfisgata. Een bekende van Eddi had de politie getipt. Een van de mensen die tegenstand boden, was Eva Lind. Ze was volstrekt van de wereld. Eddi lag halfnaakt op de bank en bewoog zich niet. Een ander meisje, jonger dan Eva Lind, lag naakt boven op hem. Toen Eva de politie zag, ging ze volledig door het lint. Ze wist wie Sigurður Óli was. Wist dat hij een collega van haar vader was. Ze greep een hamer die op de grond lag en probeerde Sigurður Óli ermee dood te slaan. Ze trof hem niet op zijn hoofd, maar raakte zijn sleutelbeen. De pijn was ondraaglijk en Sigurður viel op zijn knieën. Ze wilde nog eens toeslaan, maar toen sprongen de andere twee politiemannen tevoorschijn en werkten haar tegen de grond.

Sigurður Óli praatte er niet over, maar Erlendur hoorde van de andere agenten dat hij had geaarzeld toen hij Eva op zich af had zien stormen. Ze was de dochter van Erlendur en hij wilde haar geen pijn doen. Daarom kon ze hem raken.

"Ik dacht dat ze zou veranderen, nadat ze haar kind had verloren", zei Erlendur. "Maar ze is nu twee keer zo moeilijk. Het is nu net of niets haar meer kan schelen."

"Ik zou haar willen opzoeken", zei Sindri. "Maar bezoek is niet toegestaan."

"Ik zal eens met ze praten."

De telefoon ging en Erlendur strekte zijn arm uit en nam op.

"Erlendur?" zei een zwakke stem. Erlendur herkende hem onmiddellijk.

"Marion?"

"Wat hebben jullie gevonden in het Kleifarvatn?" vroeg Marion Briem.

"Een skelet", zei Erlendur. "Niets waar jij je zorgen over hoeft te maken."

"Nou, nou", zei Marion, die met pensioen was en er moeite mee had om zich niet meer met Erlendur en de interessante zaken die hij moest oplossen te bemoeien.

Er viel een lange stilte.

"Wilde je iets speciaals zeggen?" vroeg Erlendur.

"Misschien moet je het Kleifarvatn zelf in je onderzoek betrekken", zei Marion, "maar ik wil je niet lastigvallen. Wees maar niet bang. Ik wil een oude collega die al genoeg aan zijn hoofd heeft niet storen."

"Wat is er met het Kleifarvatn?" vroeg Erlendur. "Waar heb je het over?"

"Nee, maak je geen zorgen", zei Marion en ze verbrak de verbinding.

7

Soms, als hij terugdacht, rook hij de stank weer van het hoofdkwartier aan de Dittrichring, de verstikkende lucht van het
smerige linoleum, zweet en angst. Hij herinnerde zich ook de
zure walm van de bruinkool die boven de stad hing, waardoor
soms de zon haast niet te zien was.

Leipzig was heel anders dan hij zich had voorgesteld. Hij had
er voor hij vertrok over gelezen en kende de ligging op de
plaats waar de Elster, de Parthe en de Pleisse samenstroomden.
Hij wist dat de stad een oud centrum van uitgevers en boek-
handelaren in Duitsland was. De componist Bach was er
begraven en je had de beroemde Auerbachkeller, een kroeg die
Goethe had vereeuwigd in zijn *Faust*. Jón Leifs had er muziek
gestudeerd en rond 1900 in de stad gewoond. Hij had een oude
Duitse universiteitsstad voor zich gezien. Voor hem lag echter
een treurige, sombere naoorlogse stad. De geallieerden hadden
Leipzig ingenomen en de stad vervolgens aan de Sovjets overgedragen. Nog steeds zag je de kogelgaten in de gebouwen en
half ingestorte huizen, overblijfselen van de oorlog.

Diep in de nacht reed de trein de stad binnen. Hij sloeg zijn
bagage op in een kluis op het station en liep door de straten tot
de stad begon te ontwaken. Er was een tekort aan elektriciteit
en het was donker in de stad, maar hij was blij dat hij in Leipzig was aangekomen en het voelde als een avontuur dat hij
helemaal alleen zo ver van huis was. Hij liep naar de Nikolauskirche en toen hij bij de Thomaskirche aankwam, ging hij op
een bank ertegenover zitten en dacht aan de verhalen van de

schrijvers Halldór en Jóhann die zoveel jaren geleden met zijn tweeën door de stad hadden gezworven. Het begon lichter te worden en hij zag voor zich hoe zij naar de Thomaskirche omhoogkeken en onder de indruk waren van wat ze zagen voor ze hun wandeling voortzetten.

Een jong bloemenmeisje liep hem voorbij en bood hem bloemen te koop aan, maar hij kon geen cent missen en lachte verontschuldigend naar haar.

Hij verheugde zich op alles wat voor hem lag. Verheugde zich erop om op eigen benen te staan en zijn eigen lot te bepalen. Hij had geen idee wat hem te wachten stond en hij was van plan het met een open geest tegemoet te treden. Hij wist dat hij geen heimwee zou voelen, omdat hij bezig was met een avontuur dat zijn toekomst voorgoed zou bepalen. Hij besefte dat zijn studie zwaar zou zijn, maar hij zag er niet tegenop om ook te gaan werken. Hij popelde om aan zijn studie techniek te beginnen en wist dat hij nieuwe mensen zou leren kennen en nieuwe vrienden zou maken. Hij kon haast niet wachten.

In een lichte regen liep hij tussen de ruïnes en door de straten en er speelde een vage glimlach om zijn lippen toen hij zich voorstelde hoe die twee vrienden vroeger door dezelfde straat liepen.

Toen het ochtend werd, haalde hij zijn tassen op, ging naar de universiteit en vond zonder problemen het inschrijvingsbureau. Hij werd doorverwezen naar het studentenhuis, vlak bij het hoofdgebouw. Het studentenhuis was een oude, eerbiedwaardige villa die bij de universiteit hoorde. Hij moest zijn kamer delen met twee anderen. De ene was Emil, een klasgenoot van de middelbare school, de ander kwam uit Tsjecho-Slowakije. Geen van beiden was in de kamer aanwezig. Het huis had drie verdiepingen en op de tweede verdieping waren een gezamenlijke badkamer en een keukentje. Oud behang krulde van de muren, de houten vloer was vies en de stank van vocht hing in het hele gebouw. In zijn kamer stonden drie oude bedden en een oud bureau. Een kaal peertje hing aan het plafond, waar vroeger pleisterwerk had gezeten, maar waar nu overal scheuren in zaten zodat het verrotte houtwerk te zien was. De kamer had twee ramen; voor het ene was het gordijn vastgespijkerd, omdat de gordijnroede gebroken was.

Slaperige studenten kwamen uit hun kamers tevoorschijn. Er had zich een rij gevormd voor de wc. Sommigen gingen naar buiten om te plassen. Iemand had in de keuken een grote ketel water laten vollopen en verhitte die op het fornuis. Hij zocht zijn vrienden, maar zag ze niet. Hij keek naar de mensen in de keuken en opeens drong het tot hem door dat daar zowel mannen als vrouwen rondhingen.

Een van de jonge vrouwen kwam naar hem toe en sprak hem in het Duits aan. Hij had weliswaar Duits gehad op de middelbare school, maar begreep niet direct wat ze zei. Hij vroeg haar in stijf Duits om wat langzamer te praten.

"Zoek je iemand?" vroeg ze.

"Ik zoek Emil", zei hij. "Hij is IJslander."

"Kom jij ook uit IJsland?"

"Ja. En jij? Waar kom jij vandaan?"

"Dresden", zei de vrouw. "Mijn naam is Maria."

"Ik heet Tómas", zei hij en ze schudden elkaar de hand.

"Tómas?" herhaalde ze. "Er zitten nog een paar IJslanders op de universiteit. Ze zitten vaak op de kamer bij Emil. Soms moeten we ze eruit zetten omdat ze tot laat in de nacht aan het zingen zijn. Je spreekt best goed Duits."

"Dank je. Middelbareschool-Duits. Weet je waar Emil is?"

"Hij heeft rattenwacht", zei ze. "In de kelder. Het wemelt hier van de ratten. Wil je thee? Er komt een mensa op de eerste verdieping, maar tot die tijd moeten we voor onszelf zorgen."

"Rattenwacht?!"

"Ze worden 's nachts actief. Je kunt ze het beste vangen."

"Zijn er veel?"

"Als we er tien doden komen er twintig voor terug. Toch is het nu beter dan in de oorlog."

Onwillekeurig keek hij om zich heen naar de grond alsof hij ze tussen de voeten van de mensen door zou zien wegschieten. Als hij ergens een afkeer van had, dan waren het ratten.

Hij voelde dat er licht op zijn schouder werd getikt en toen hij omkeek, zag hij zijn vriend lachend voor zich staan. Met zijn ene hand had hij twee reusachtige ratten aan hun staart vast en hield ze omhoog. In de andere had hij een grote schop. "Het is het beste om ze met een schop dood te slaan", zei hij.

Hij raakte gewend aan de onzichtbare bewoners van het huis, de stank van vocht, de stank van de wc op de bovenverdieping die in het hele gebouw hing, de rottende matrassen, de krakende stoelen en het primitieve keukentje. Hij dacht er gewoon niet te veel over na en wist dat de wederopbouw na de oorlog lange tijd zou duren.

De universiteit was uitstekend, al was ze niet zo deftig ingericht. De docenten waren hoogopgeleid, de studenten gemotiveerd en de colleges interessant. Hij leerde studenten techniek kennen; ze kwamen voor het merendeel uit Leipzig of andere Duitse steden of uit naburige landen, vooral Oost-Europese. Sommigen hadden net als hij een beurs van de Oost-Duitse regering. Verder leken de studenten aan de Karl Marx-universiteit uit de hele wereld afkomstig te zijn. Hij leerde algauw Vietnamezen, Cubanen en Chinezen kennen, die nogal op zichzelf waren. Er waren ook Nigerianen en in de kamer naast de zijne woonde een vriendelijke Indiër, die Deependra heette.

Het kleine groepje IJslanders in de stad trok veel met elkaar op. Karl, die in een klein vissersdorp aan zee was opgegroeid, studeerde journalistiek. Deze studierichting werd het Rode Klooster genoemd en er werd gezegd dat alleen degenen die het ·strengst de partijlijn volgden, toegelaten werden. Rut kwam uit Akureyri en had daar op de middelbare school gezeten. Zij was leidster van de jongerenbeweging in die stad geweest en studeerde literatuur, met als hoofdvak Russische literatuur. Hrafnhildur bekwaamde zich in het Duits en de Duitse literatuur en Emil kwam uit het westen en studeerde economie. De meesten waren op de een of andere manier door hun partij thuis uitverkoren voor een beurs om in Oost-Duitsland te studeren. 's Avonds kwamen ze bij elkaar, legden een kaartje en luisterden naar jazzplaten van de Indiër Deependra of gingen naar een kroeg in de buurt en zongen uit volle borst IJslandse liederen. De universiteit had een actieve filmclub en ze keken met elkaar naar de *Pantserkruiser Potemkin* en spraken over de invloed van films als propagandamateriaal. Ze praatten met andere studenten over politiek. Iedereen was verplicht aanwezig te zijn bij vergaderingen en bijeenkomsten van de Freie Deutsche Jugend, afgekort FDJ, de enige vereniging die op de universiteit was toegestaan. Allemaal streefden ze naar hetzelfde doel: een nieuwe en betere wereld.

Behalve één. Hannes was het langst van hen allen in Leipzig en hield zich afzijdig van de groep. Pas na twee maanden ontmoette hij Hannes voor het eerst. Hij had thuis in Reykjavík veel over hem gehoord en wist dat hij bestemd was voor grote dingen binnen de partij. De voorzitter had destijds zijn naam laten vallen op de redactievergadering en gezegd dat ze nog van hem zouden horen. Hannes was net als hijzelf journalist geweest bij het partijorgaan en hij had ook verhalen over hem gehoord bij de redactie. Hij was naar een bijeenkomst in Reykjavík gegaan waar Hannes sprak en was gegrepen door zijn hartstocht en door wat hij zei over de IJslandse democratie, die zo gemakkelijk door de knieën ging voor die van de oorlog profiterende cowboys uit het westen, en dat de IJslandse politici de marionetten waren van de Amerikaanse grootmacht. De democratie is in dit land geen reet waard zolang het Amerikaanse leger de IJslandse bodem besmeurt! riep hij onder een donderend applaus uit. Het eerste jaar dat Hannes in Oost-Duitsland was, had hij in het partijorgaan een column geschreven die 'Brief uit het Oosten' heette en waarin hij de geneugten van het communistische rijk bezong, maar die columns verschenen niet meer. De IJslanders in de stad wisten niet veel over Hannes te zeggen. Hij had zich geleidelijk van hen vervreemd en hield zich afzijdig. Soms hadden ze het erover, maar dan haalden ze hun schouders op alsof het hun niet aanging.

Op een dag liep hij Hannes bij toeval tegen het lijf in de bibliotheek van de universiteit. Het was al laat in de avond en er waren nog maar weinig mensen; Hannes zat over zijn studieboeken gebogen. Buiten was het koud en guur. Soms was het zo koud in de bibliotheek dat als je met elkaar praatte, je adem een stoomwolkje vormde. Hannes had een lange overjas aan, een muts met een klep op en oorwarmers op zijn oren. De bibliotheek was ernstig beschadigd door bombardementen en alleen dit gedeelte was in gebruik.

"Ben jij niet Hannes?" vroeg Tómas vriendelijk. "Wij hebben elkaar nog niet ontmoet."

Hannes keek op van zijn boeken.

"Ik heet Tómas." Hij stak zijn hand uit.

Hannes keek even naar hem en naar zijn uitgestoken hand en boog zich weer over zijn boeken.

"Laat me met rust", zei hij.

Hij schrok. Hij had een dergelijke reactie van een landgenoot niet verwacht en al helemaal niet van deze man, die bij iedereen in hoog aanzien stond en voor wie hij zoveel bewondering had.

"Neem me niet kwalijk", zei hij. "Ik wilde je niet storen. Je bent blijkbaar aan het studeren."

Hannes antwoordde hem niet meer, maar ging door met iets over te schrijven uit de boeken die geopend voor hem op tafel lagen. Hij schreef snel met een potlood en had handschoenen zonder vingertoppen aan om zijn handen warm te houden.

"Ik vroeg me alleen af of we niet een keer een kop koffie kunnen gaan drinken", zei hij. "Of een biertje."

Hannes antwoordde niet. Hij stond naast hem en wachtte op een of andere reactie, maar toen die uitbleef, liep hij van de tafel weg en draaide zich om. Hij was bijna tussen de boekenkasten verdwenen toen Hannes opkeek van zijn papieren en antwoordde.

"Tómas, zei je?"

"Ja, we hebben elkaar nog nooit ontmoet, maar ik heb veel over je …"

"Ik weet wie je bent", zei Hannes. "Ik was vroeger net als jij. Wat wil je van me?"

"Niks", zei hij. "Ik wilde je alleen maar begroeten. Toen ik nog in IJsland was, heb ik je zo'n beetje gevolgd. Ik wilde je alleen maar begroeten. Ik was een keer op een bijeenkomst waar je …"

"Hoe bevalt het je in Leipzig?" onderbrak Hannes hem.

"Retekoud en slecht eten, maar de universiteit is goed en het eerste wat ik wil doen als ik thuiskom, is zorgen dat het verkopen van bier wordt toegestaan."

Hannes glimlachte.

"Dat is waar, het bier is het beste van de stad."

"Misschien kunnen we samen eens een glas drinken", zei hij.

"Misschien", zei Hannes en hij wendde zich weer tot zijn boeken. Hun gesprek was ten einde.

"Wat bedoelde je toen je zei dat je vroeger net als ik was?" vroeg Tómas aarzelend. "Wat wilde je daarmee zeggen?"

"Niks", zei Hannes en hij keek hem aan. Hij had iets onzekers. Alsof het hem niets kon schelen of hij wel of geen antwoord gaf. "Let niet op mij", zei hij. "Je hebt er niets aan."

Volkomen verward liep Tómas de bibliotheek uit, de kou in. Hij kwam Emil en Rut tegen, onderweg naar het studentenhuis. Ze hadden een pakket opgehaald dat Rut van huis opgestuurd had gekregen. Het was een voedselpakket en ze verheugden zich op de inhoud. Hij vertelde ze niet wat er tussen Hannes en hem was voorgevallen, want hij begreep niet wat Hannes had bedoeld.

"Lothar was je aan het zoeken", zei Emil. "Ik zei hem dat je in de bieb was."

"Ik heb hem niet gezien", zei hij. "Weet je wat hij wilde?"

"Geen idee", zei Emil.

Lothar was een soort mentor van hem, zijn *Betreuer*. Alle buitenlanders aan de universiteit hadden zo'n mentor, aan wie ze alles konden vragen en die een beetje op ze lette. Lothar was bevriend geraakt met de IJslanders in het studentenhuis. Hij had aangeboden ze rond te leiden door de stad en ze de beste plekken te laten zien. Hij hielp ze met allerlei universitaire aangelegenheden en soms betaalde hij de rekening na een bezoek aan de Auerbachkeller. Hij zei dat hij naar IJsland wilde gaan om IJslandse literatuur te studeren. Hij sprak heel goed IJslands, kende zelfs een paar bekende liedjes uit zijn hoofd. Hij vertelde dat hij belangstelling had voor IJslandse sagen en dat hij de *Njáls Saga* had gelezen. Hij zou hem graag willen vertalen.

"Hier is het", zei Rut opeens en ze bleef staan. "Het is een kantoor. Binnen zijn cellen."

Ze keken omhoog naar het gebouw. Het was een somber stenen gebouw van vier verdiepingen. Voor alle ramen van de benedenverdieping waren planken getimmerd. Hij zag het straatnaambordje, Dittrichring. Nummer 24.

"Cellen? Wat is het dan voor gebouw?" vroeg hij.

"Hier zit de Sicherheitspolizei", zei Emil zachtjes, alsof iemand hen afluisterde.

"De Stasi", zei Rut.

Hij keek weer omhoog. De gedempte straatverlichting wierp een zwak licht op de stenen muur en de vensters. Er trok een rilling door hem heen. Hij voelde dat hij dit gebouw nooit wilde binnengaan, maar kon niet weten dat zijn verlangen niets zou uithalen tegen hun wil.

Hij zuchtte diep en keek uit over de zee, waar een klein zeilbootje langsvoer.

Tientallen jaren later, toen de muur gevallen was, was hij weer in de stad terug geweest en had hij meteen die oude, misselijkmakende stank geroken, net als die rat toen in het studentenhuis. Die was vast komen te zitten achter het fornuis, dat ze keer op keer hadden gebruikt zonder het te merken, totdat de stank in de oude villa ondraaglijk was geworden.

8

Erlendur keek naar Marion, die op een stoel in haar kamer zat
met een plastic masker voor haar gezicht en zuurstof inademde. Hij had zijn voormalige chef bij de recherche rond Kerstmis voor het laatst gezien en wist niet dat Marion ziek was. Hij
had op het werk geïnformeerd en te horen gekregen dat haar
longen op waren na tientallen jaren kettingroken. Een bloed-
prop had een verlamming aan de linkerzijde, de handen en een
deel van haar gezicht veroorzaakt. Het was schemerig in de
woning, al scheen buiten de zon, en er lag een dikke laag stof
op de meubels. Eenmaal per dag kwam een verpleegster langs
bij Marion. Ze ging net weg toen Erlendur op bezoek kwam.

Hij ging op de bank tegenover Marion zitten en dacht erover
na hoe slecht het ging met zijn oude collega. Er zat haast geen
vlees meer op haar botten. Een groot hoofd knikkebolde boven
een zwak lichaam. Elk bot in haar gezicht was zichtbaar en haar
ogen lagen diep in hun kassen. Het haar was gelig en dun.
Erlendurs ogen bleven hangen op de door tabak vergeelde vingers en de afgekloven nagels op de versleten stoelleuning.
Marion sliep.

De verpleegster had Erlendur binnengelaten. Hij zat rustig te
wachten tot Marion wakker werd. Hij dacht terug aan zijn eerste dag bij de recherche, vele jaren geleden.

"Wat is er met jou?" was het eerste wat Marion tegen hem
had gezegd. "Lach jij nooit?"

Hij wist niet wat hij daarop moest antwoorden. Hij wist niet
wat hij moest denken van dat kleine wezentje dat voortdurend

een Camel-sigaret tussen haar vingers had en altijd omgeven werd door een dikke, blauwe sigarettenwalm.

"Waarom wil je eigenlijk bij de recherche werken?" vervolgde Marion toen Erlendur geen antwoord gaf. "Waarom blijf je niet gewoon het verkeer regelen?"

"Ik dacht dat jullie wel iets aan me zouden hebben", zei Erlendur.

Het kantoortje was klein, er lagen overal stapels papieren en kaarten, en de grote asbak op het bureau zat vol met sigarettenpeuken. Er hing een zware sigarettenlucht, maar Erlendur had daar geen last van. Hij rookte zelf ook en haalde een sigaret tevoorschijn.

"Zijn er misdaden waarvoor je je speciaal interesseert?" vroeg Marion.

"Sommige", zei Erlendur en hij streek een lucifer af.

"Sommige?"

"Ik ben geïnteresseerd in vermissingen", zei Erlendur.

"Vermissingen? Waarom?"

"Ik heb dat altijd gehad. Ik ..." Erlendur aarzelde.

"Wat? Wat wil je zeggen?" Marion was een kettingrookster en stak een nieuwe Camel aan met een piepklein stompje, dat nog nagloeide toen het op de berg in de asbak belandde. "Wat een afschuwelijk gestotter, ben je je tong verloren? Als je van plan bent zo te stotteren op je werk, wil ik niets met je te maken hebben. Hou daarmee op!"

"Ik ben van mening dat ze vaker met een misdrijf te maken hebben dan nu misschien wordt aangenomen", zei Erlendur. "Het is niets persoonlijks. Het is gewoon een gevoel."

Erlendur kwam weer tot zichzelf. Hij keek hoe Marion de zuurstof inademde. Hij keek uit het raam. Gewoon een gevoel, dacht hij.

Marion Briem opende langzaam haar ogen en zag Erlendur op de bank zitten. Hun ogen ontmoetten elkaar en Marion haalde het zuurstofmasker weg.

"Zijn jullie nou allemaal die verdomde communisten vergeten?" zei Marion met hese stem. Haar mond stond een beetje scheef na de beroerte en ze was moeilijk te verstaan.

"Hoe gaat het met je?" vroeg Erlendur.

Marion glimlachte even. Of misschien vertrok haar gezicht alleen maar.

"Het wordt nog een hele toer het einde van het jaar te halen."

"Waarom heb je me hier niets van verteld?"

"Waarom? Kun jij me een nieuwe long bezorgen?"

"Kanker?"

Marion knikte.

"Je rookt te veel", zei Erlendur.

"Wat ik niet over zou hebben voor een sigaret", zei Marion.

Marion zette het zuurstofmasker weer op en keek naar Erlendur of hij sigaretten tevoorschijn zou halen. Erlendur schudde zijn hoofd. In de hoek van de kamer stond de televisie aan en de ogen van de zieke dwaalden af naar het scherm. Het masker ging weer omlaag.

"Hoe gaat het met het skelet? Zijn jullie allemaal die communisten vergeten?"

"Over welke communisten heb je het toch?"

"Jouw chef kwam gisteren langs om me te bezoeken. Misschien wilde hij me de laatste eer bewijzen. Ik heb die opschepper nooit gemogen. Ik weet niet waarom jij die baan niet wilt. Wat voor reden heb je daarvoor? Kun je me dat vertellen? Je had allang helemaal niets kunnen doen voor een dubbel salaris."

"Daar is geen reden voor", zei Erlendur.

"Hij liet zich ontvallen dat het skelet was vastgebonden aan een Russisch zendapparaat."

"Ja. We nemen aan dat het Russisch is en we nemen aan dat het een zendapparaat is."

"Ga je me nog een sigaret geven?"

"Nee."

"Ik heb niet lang meer. Denk je dat het uitmaakt?"

"Je krijgt van mij geen sigaret. Heb je me daarom gebeld? Zodat ik eindelijk weer eens langs zou komen? Waarom vraag je me niet gewoon of ik je door het hoofd wil schieten?"

"Zou je dat voor me doen?"

Erlendur glimlachte en Marions ogen lichtten even op.

"Die beroerte is het ergst. Ik praat als een idioot en ik kan mijn handen haast niet bewegen."

"Waar had je het nu over?" vroeg Erlendur.

"Het was een paar jaar voordat jij bij ons kwam werken. Wanneer was dat ook alweer?"

"In 1977", zei Erlendur.

"Je zei toen dat je je interesseerde voor vermissingen, herinner ik me", zei Marion Briem en haar gezicht vertrok van de pijn. Marion zette het zuurstofmasker weer op en sloot haar ogen. Het bleef een lange tijd stil. Erlendur keek om zich heen. Hij vond dat de woning meer op die van hem leek dan hem zinde.

"Moet ik iemand waarschuwen?" vroeg hij. "Een dokter?"

"Nee, je waarschuwt helemaal niemand", zei Marion en ze haalde het masker weer van haar gezicht. "Je helpt me meer door nog eens koffie voor ons in te schenken. Ik moet gewoon even bijkomen. Je kunt je dat toch nog wel herinneren, dat we die apparaten vonden?"

"Welke apparaten?"

"In het Kleifarvatn. Weet je dat niet meer?"

Marion keek naar hem en begon hem met zwakke stem te vertellen over de apparaten in het Kleifarvatn, en opeens wist Erlendur weer waar ze het over had. Hij herinnerde het zich niet meer zo goed en had het helemaal niet in verband gebracht met het skelet in het meer, al hadden er natuurlijk direct bellen moeten gaan rinkelen.

"Op 10 september 1973 ging de telefoon bij de politie in Hafnarfjörður. Twee mannen uit Reykjavík in kikvorspakken – dat is het oude woord voor een duikerspak", zei Marion en ze lachte door haar pijn heen – "vonden bij toeval een heleboel onbekende apparaten in het water. Ze lagen op tien meter diepte. Al snel werd duidelijk dat de meeste Russisch waren, hoewel men had geprobeerd de Russische letters eraf te vijlen. Aan mensen van de telefoondienst werd gevraagd de apparaten te onderzoeken en ze ontdekten dat het Russische zend- en ontvangstapparatuur was."

"Het waren allerlei verschillende apparaten", zei Marion Briem. "Bandrecorders, radio-ontvangers, zenders."

"Zat jij op de zaak?"

"Ik stond bij het meer toen ze de apparaten bovenhaalden, maar ik had niet de leiding over het onderzoek. De zaak trok veel belangstelling. De Koude Oorlog was toen op zijn hoogtepunt en er was hier op IJsland geconstateerd dat er sprake was van spionage door de Russen. De Amerikanen hadden natuurlijk ook spionnen, maar zij waren een bevriend land. De Rus was de vijand."

"Zendapparatuur?"

"Ja. En afluisterapparatuur. Sommige apparaten bleken te zijn afgesteld op de golflengte van het leger op de Miðnesheiði."

"Dus jij wilt het skelet in het meer in verband brengen met die apparaten?"

"Wat denk jij?" zei Marion Briem en ze sloot haar ogen weer.

"Het is misschien niet eens zo gek."

"Houd het maar in je achterhoofd", zei Marion en ze trok een grimas.

"Is er iets wat ik voor je kan doen?" zei Erlendur. "Iets wat ik voor je kan halen?"

"Ik haalde soms westerns uit de videotheek", zei Marion na een lange stilte. Ze hield haar ogen gesloten.

Erlendur wist niet zeker of hij het goed had gehoord.

"Westerns?" zei hij. "Bedoel je cowboyfilms?"

"Kun je een goede western voor me halen?"

"Wat is een goede western?"

"John Wayne", zei Marion en haar stem begaf het.

Erlendur zat nog een poosje bij haar stoel te wachten of Marion weer zou ontwaken. Het liep al tegen de middag. Hij ging naar de keuken en schonk koffie in een kopje. Hij wist nog dat Marion haar koffie zwart en zonder suiker dronk, net als hijzelf. Hij zette het kopje bij de stoel waarin Marion zat. Hij wist niet wat hij verder nog kon doen.

Westerns! dacht hij, toen hij het huis verliet.

"Onverbeterlijk", zei hij bij zichzelf en hij reed weg.

Later die dag kwam Sigurður Óli in het kantoor bij Erlendur zitten. De man had midden in de nacht weer gebeld en gezegd dat hij zelfmoord overwoog. Sigurður had een politieauto naar zijn huis gestuurd, maar er was niemand. De man woonde alleen in een kleine eengezinswoning. De politie forceerde op verzoek van Sigurður de deur, maar het huis was leeg.

"Vanochtend belde hij me weer", zei Sigurður Óli nadat hij het verhaal had verteld. "Toen was hij thuisgekomen. Er is niets gebeurd, maar ik begin die man zo langzamerhand wel zat te raken."

"Is dat die vent die zijn vrouw en kind verloor?"

"Ja. Om een of andere reden verwijt hij het zichzelf en weigert naar iets anders te luisteren."

"Het was toch een ongeluk?"

"Nee, niet in zijn ogen."

Sigurður Óli werkte toen tijdelijk bij de afdeling die de toedracht van verkeersongelukken onderzocht. Een grote jeep was van opzij op een personenauto ingereden op een kruispunt op de Breiðholtsbraut met als gevolg dat een moeder en haar vijf jaar oude dochter, die op de achterbank in de veiligheidsgordel zat, het leven verloren. De bestuurder van de jeep was dronken en reed door rood licht. De auto van de moeder en haar dochter was de laatste in een lange file die over het kruispunt reed op het moment dat de jeep veel te hard door rood reed. Als de moeder gewacht had en bij het volgende groene licht was overgestoken, had de jeep geen enkele schade aangericht, maar was hij gewoon het kruispunt over gereden en had hij zijn weg vervolgd. De dronken bestuurder had naar alle waarschijnlijkheid ergens anders een ongeluk veroorzaakt, maar niet daar op dat kruispunt.

"Maar dat is met de meeste ongelukken zo", zei Sigurður Óli tegen Erlendur. "Een treurige samenloop van omstandigheden. Hij begrijpt dat niet, die man."

"Zijn geweten speelt hem parten", zei Erlendur. "Je zou wat begrip moeten tonen."

"Begrip?! Hij belt me midden in de nacht uit mijn bed. Kan een mens meer begrip tonen dan dit te verdragen?"

De vrouw was met hun dochtertje aan het boodschappen doen bij de Hagkaup in Smáralind. Ze stond al bij de kassa toen hij haar op haar mobiel belde en haar vroeg of ze nog snel even een doos aardbeien kon halen. Ze deed dat, maar liep daardoor een paar minuten vertraging op. De man redeneerde dat als hij haar niet had gebeld, ze niet op dat moment op het kruispunt had gestaan en de jeep hen niet had aangereden. Hij geeft zichzelf de schuld van wat er gebeurd is. Het ongeluk was gebeurd doordat hij haar had gebeld.

Het was een afschuwelijke ravage. De auto van de vrouw vloog in stukken uiteen en was total loss. De jeep was over de kop geslagen. De bestuurder liep een zware hoofdwond op en allerlei botbreuken en was bewusteloos toen hij in de ambulance werd afgevoerd. De moeder en de dochter waren op slag dood. Ze moesten uit het wrak worden geknipt. Het bloed stroomde over de straat.

Sigurður Óli ging samen met een dominee naar het huis van de man. De auto had op zijn naam gestaan. Hij was zich al ongerust gaan maken over zijn vrouw en zijn dochter, en schrok erg toen hij Sigurður en de dominee voor zijn deur zag staan. Toen hij te horen kreeg wat er gebeurd was, stortte hij in en moesten ze een dokter laten komen. Later belde hij af en toe met Sigurður Óli, die een soort vertrouweling van hem was geworden, of hij dat nu wilde of niet.

"Ik wil niet dat hij mij als zijn praatpaal gebruikt", zuchtte Sigurður. "Maar hij laat me niet met rust. Belt 's nachts en zegt dat hij een eind aan zijn leven wil maken! Waarom kan hij niet met die dominee praten? Die was er toch ook bij?"

"Praatpaal?" zei Erlendur.

"Dat hij alles aan me vertelt wat hij denkt en doet", zei Sigurður. "Praatpaal! Versta je geen IJslands?"

"Zeg hem dat hij eens met een psychiater moet praten."

"Hij ziet regelmatig een psych."

"Je vindt het duidelijk niet gemakkelijk je in hem te verplaatsen", zei Erlendur. "Hij moet ontzettend veel verdriet hebben."

"Ja", zei Sigurður.

"En hij is suïcidaal?"

"Zo praat hij wel. Hij zou heel goed iets stoms kunnen uithalen. Ik heb helemaal geen zin om daar middenin te zitten. Ik heb er gewoon geen zin in!"

"Wat zegt Bergþóra?"

"Zij denkt dat ik hem best wel een beetje kan helpen."

"Aardbeien?"

"Ik weet het. Ik zeg het voortdurend tegen hem. Het is be-spottelijk."

9

Erlendur zat te luisteren naar een verhaal over een vermissing in de jaren zeventig. Sigurður Óli was er ook. In dit geval ging het om een man van achter in de dertig.

Het voorlopige rapport over het skelet wees uit dat de man in het Kleifarvatn ergens tussen de 35 en de 40 geweest moest zijn. Vergeleken met de ouderdom van het Russische apparaat moest hij na 1961 te water zijn geraakt. Er waren verscheidene onderzoeken gedaan naar de zwarte kist die onder het skelet was aangetroffen. Het zou gaan om een afluisterapparaat, dat toen een kortegolfontvanger werd genoemd, en dat de frequentie die in de jaren zestig door de NAVO werd gebruikt kon ontvangen. Er stond een productiejaartal op, 1961, half weggevijld, en de letters die nog op het apparaat te onderscheiden waren, waren duidelijk Russisch.

Erlendur had de krantenberichten over de vondst van de Russische apparaten in het Kleifarvatn in 1973 bekeken en het meeste van wat Marion Briem hem gezegd had, klopte met wat er in de kranten stond. De apparaten waren op tien meter diepte gevonden, dicht bij Geithöfði, een stuk verder dan de plaats waar het skelet had gelegen. Hij vertelde Sigurður Óli en Elínborg over de vondst van de apparaten en ze bespraken of het met de vondst van het skelet in het meer te maken kon hebben. Elínborg leek dat overduidelijk. Als de politie beter had gezocht toen die apparaten werden opgedoken, hadden ze het skelet waarschijnlijk ook gezien.

Volgens de politieverslagen uit die tijd hadden de duikers

gezegd dat ze een zwarte limousine hadden gezien op de weg naar het Kleifarvatn toen ze daar een week eerder waren gaan duiken. Ze wisten meteen dat het om zendapparatuur ging. De Russische ambassade antwoordde niet toen hun om inlichtingen over de zaak werd gevraagd en de gevolmachtigden van andere Oost-Europese landen in Reykjavík ook niet. Erlendur vond een korte verklaring, waaruit bleek dat de apparaten Russisch waren. Het betrof onder andere een afluisterapparaat dat een bereik had van 160 kilometer en naar alle waarschijnlijkheid was gebruikt om telefoongesprekken in Reykjavík en het gebied rond Keflavík af te luisteren. Vermoedelijk dateerden de apparaten uit de vroege jaren zestig, antieke lampenradio's die later door transistors zouden worden vervangen. Ze werkten op batterijen en zaten in een gewone reistas.

De vrouw die tegenover hen zat, liep tegen de zeventig, maar zag er goed uit voor haar leeftijd. Ze hadden nooit kinderen gekregen, omdat de man met wie ze samenleefde zo plotseling was verdwenen. Ze waren niet getrouwd, maar hadden het er destijds wel over gehad om naar het gemeentehuis te stappen. Daarna had ze nooit meer met een man samengewoond, zei ze verlegen, en er klonk iets van spijt in haar stem door.

"Hij was een vreselijk lieve man", zei de vrouw, "en ik ging er altijd van uit dat hij zou terugkomen. Dat was beter dan de gedachte dat hij dood was. Daar kon ik me niet bij neerleggen. En ik heb me er ook nooit bij neergelegd."

Ze hadden net een kleine woning gekocht en wilden graag kinderen. Zij werkte in een melkwinkel. Het was 1968.

"Je kent ze vast nog wel", zei ze tegen Erlendur, "en jij misschien ook wel", voegde ze eraan toe en ze keek naar Sigurður. "Er waren toen van die speciale melkwinkels, waar ze alleen melk en *skyr* en dergelijke dingen verkochten. Niets anders dan zuivel."

Erlendur knikte rustig, maar Sigurður Óli begon zijn geduld te verliezen.

De man wilde haar na het werk afhalen, zoals hij elke dag deed, maar ze bleef in haar eentje voor de winkel staan en wachtte.

"Nu zijn er al meer dan dertig jaar voorbij", zei ze en ze keek naar Erlendur, "maar ik heb het gevoel dat ik nog altijd voor die melkwinkel op hem sta te wachten. Na al die jaren. Hij was altijd heel punctueel en ik weet nog dat ik vond dat hij laat was toen er tien minuten waren verstreken, en toen werd het een kwartier en toen een halfuur. Ik weet nog dat het oneindig lang leek te duren. Het was alsof hij me vergeten was."

Ze zuchtte.

"Later was het alsof hij nooit bestaan had."

Ze hadden de verklaringen gelezen. Ze had de volgende ochtend vroeg aangifte gedaan van de verdwijning van haar man. De politie kwam bij haar thuis. Er verschenen opsporingsberichten in kranten, op de radio en televisie. De politie had haar gezegd dat hij vast snel weer boven water zou komen. Ze hadden gevraagd of hij dronk en of hij wel eens eerder verdwenen was, of ze iets wist over een andere vrouw in zijn leven. Ze antwoordde op alle vragen ontkennend, maar die vragen maakten dat ze op een heel andere manier naar haar man ging kijken dan daarvoor. Was er een andere vrouw? Had hij een andere vrouw nodig gehad? Hij was verkoper en reisde veel door het land. Hij verkocht allerlei landbouwmachines en apparaten, tractors, hooiblazers, graafmachines en bulldozers, en daar hoorden reizen bij. Hij was altijd hooguit een paar weken weg. Hij was net thuisgekomen van zo'n reis toen hij verdween.

"Ik weet niet wat hij te zoeken had bij het Kleifarvatn", zei ze en ze keek hen om beurten aan. "We gingen daar nooit heen."

Ze hadden haar niets verteld over de Russische apparaten en het gat in de schedel, alleen dat er een skelet was gevonden waar vroeger water was geweest en dat ze vermissingen uit een bepaalde periode natrokken.

"Jullie auto werd twee dagen later teruggevonden bij het busstation", zei Sigurður Óli.

"Niemand herkende hem, mijn man, daar van het opsporingsbericht. Ik had geen foto van hem. En hij niet van mij. We waren nog niet zolang samen en we hadden geen fototoestel. We gingen nooit op reis. Dan maken mensen toch meestal foto's?"

"En met Kerstmis", zei Sigurður Óli.

"Ja, met Kerstmis", zei zij.

"En zijn ouders?"

"Zij waren allang dood. Hij was lang in het buitenland geweest. Ze werkten op cruiseschepen en hij had een poosje in Engeland en in Frankrijk gewoond. Hij praatte met een heel licht accent omdat hij zo lang weg was geweest. Er reden toen zo'n dertig bussen op verschillende bestemmingen in het land in de omgeving waar ze de auto vonden, maar geen enkele chauffeur kon zeggen of hij in een van die bussen had gezeten. Ze dachten van niet. De politie was ervan overtuigd dat hij hun zou zijn opgevallen als hij de bus had genomen, maar ik weet dat ze probeerden mij gerust te stellen. Ik denk dat zij het erop hielden dat hij dronken was en van mij af wilde. Ze zeiden dat vrouwen soms de politie belden als hun mannen zich lieten vollopen en zij ongerust werden."

De vrouw zweeg.

"Ik geloof niet dat ze veel moeite hebben gedaan voor dat onderzoek", zei ze toen. "Ik had niet het idee dat het hen erg interesseerde."

"Waarom denk je dat hij met de auto naar het busstation is gereden?" vroeg Erlendur. Hij zag dat Sigurður Óli een notitie maakte over het werk van de politie.

"Ik zou het echt niet weten."

"Denk je niet dat iemand anders hem daarheen kan hebben gereden? Om jou en de politie te misleiden? Om mensen te laten geloven dat hij de stad uit was?"

"Ik weet het niet", zei de vrouw. "Ik heb natuurlijk veel nagedacht over de mogelijkheid dat hij vermoord is, maar ik begrijp niet wie dat zou hebben willen doen en nog minder waarom. Ik begrijp dat gewoon niet."

"Vaak is het toeval", zei Erlendur. "Er hoeft helemaal geen verklaring voor te zijn. In IJsland zit er zelden een bedoeling achter een moord. Het is een ongeluk of opwelling, onvoorbereid en in de meeste gevallen zonder veel aanleiding."

In de verklaringen van de politie stond dat de man vroeg op de dag een korte zakenreis had gemaakt, maar daarna weer thuis zou komen. Een veeboer in de omgeving had belangstelling voor een tractor en hij was van plan geweest om even bij hem langs te gaan en de koop te sluiten. De boer zei dat de man nooit was komen opdagen. Hij had de hele dag op hem zitten wachten, maar de man had zich niet laten zien.

"Alles leek koek en ei en dan laat hij zichzelf verdwijnen", zei Sigurður Óli. "Wat denk je zelf dat er is gebeurd?"

"Hij liet zichzelf niet verdwijnen", zei de vrouw. "Waarom zeg je dat?"

"Nee, neem me niet kwalijk", zei Sigurður Óli. "Natuurlijk niet. Hij verdween. Neem me niet kwalijk."

"Ik weet het niet", zei de vrouw. "Hij kon soms een beetje zwaarmoedig zijn: zwijgzaam en afwezig. Misschien als we kinderen hadden gehad … misschien was alles anders gelopen als we kinderen hadden gehad."

Ze zwegen. Erlendur zag voor zich hoe de vrouw voor de melkwinkel heen en weer stond te schuifelen, bezorgd en teleurgesteld.

"Had hij iets te maken met de ambassades in Reykjavík?" vroeg Erlendur.

"Ambassades?" zei de vrouw.

"Ja, de ambassades", zei Erlendur. "Had hij daar een of andere connectie mee, in het bijzonder die van Oost-Europese landen?"

"Nee, geen enkele", zei de vrouw. "Ik begrijp niet … wat bedoel je?"

"Kende hij iemand van de ambassades of heeft hij voor ze gewerkt of zoiets?" zei Sigurður Óli.

"Nee, helemaal niet, of tenminste niet nadat ik hem had leren kennen. Ik weet daar niets van."

"Wat voor auto hadden jullie?" vroeg Erlendur. Hij herinnerde zich het merk niet meer uit de verklaringen.

De vrouw dacht na. De vreemde vragen brachten haar in verwarring.

"Het was een Ford", zei ze. "Ik geloof dat het een Falcon was. Zwart."

"Uit de processen-verbaal is geen enkele aanwijzing naar voren gekomen die uitsluitsel zou kunnen geven over de vermissing van je man."

"Nee, ze hebben niets gevonden. Iemand had een wieldop

van de auto gestolen, maar dat was alles."

"Toen hij voor het busstation stond?" vroeg Sigurður Óli.

"Dat dachten ze."

"Ontbrak er één wieldop?"

"Ja."

"Wat is er met de auto gebeurd?"

"Ik heb hem verkocht. Ik had geld nodig. Ik heb nooit veel geld gehad."

Ze herinnerde zich het kenteken nog van de auto en vertelde dat zonder erbij na te denken. Sigurður Óli schreef het op. Erlendur gaf hem een teken en ze stonden op en namen afscheid. De vrouw bleef op haar stoel zitten. Ze maakte een hulpeloze indruk.

"Waar kwamen die machines vandaan die hij verkocht?" vroeg Erlendur om toch nog iets te zeggen.

"Die landbouwmachines? Ze kwamen uit Rusland en Oost-Duitsland. Hij zei dat ze slechter waren dan Amerikaanse machines, maar ook veel goedkoper."

Erlendur kon er maar niet achter komen wat Sindri Snær van hem wilde. Zijn zoon was heel anders dan Eva Lind, zijn zus, die vond dat Erlendur niet genoeg zijn best had gedaan om zijn kinderen te blijven zien. Ze zouden niet van zijn bestaan geweten hebben, als hun moeder hem niet onophoudelijk zwart gemaakt had. Toen Eva ouder werd, ging ze op zoek naar haar vader en liet haar woede de vrije loop. Sindri Snær leek niet dezelfde boodschap te hebben. Hij bleef niet inhakken op Erlendur vanwege het uiteenvallen van het gezin en beschuldigde hem er niet van dat hij geen interesse had getoond voor Eva en hem toen ze kinderen waren en dachten dat hun vader een slecht mens was, omdat hij bij hen was weggelopen.

Toen Erlendur thuiskwam, was Sindri spaghetti aan het koken. Hij had opgeruimd in de keuken, wat betekende dat hij een paar lege verpakkingen in de vuilnisbak had gegooid, een paar messen en vorken had afgewassen, en de koffiepot daaromheen had schoongemaakt. Erlendur ging de kamer in en keek naar het nieuws op de televisie. Het skelet in het Kleifarvatn was nu nog maar het vijfde item. De politie was erin geslaagd haar mond te houden over de Russische apparatuur.

Ze zaten zwijgend bij elkaar en aten spaghetti. Erlendur sneed de slierten in stukken met zijn vork en gebruikte boter, maar Sindri stak een uiteinde in zijn mond en slurpte het naar binnen met tomatensaus. Erlendur vroeg hoe het met zijn moeder ging, maar Sindri zei dat hij niets van haar had gehoord sinds hij weer in de stad was. Ze zaten en aten. De televisie stond aan. Er was een praatprogramma begonnen. Een popster was aan het vertellen over wat hij in zijn leven had bereikt.

"Eva zei me het afgelopen jaar dat jij een broer hebt gehad die is overleden", zei Sindri plotseling en hij veegde zijn mond af met keukenpapier.

"Dat klopt", zei Erlendur na enig nadenken. Hij had dit niet zien aankomen.

"Eva zei dat het veel invloed op je heeft gehad."

"Dat klopt."

"En verklaart dat zo'n beetje hoe je bent?"

"Hoe ik ben?" zei Erlendur. "Ik weet niet hoe ik ben. En Eva al helemaal niet!"

Ze zaten en aten, Sindri met een uiteinde in zijn mond en Erlendur worstelend om de sliertjes op zijn vork te houden. Hij dacht bij zichzelf dat hij havergort en pens moest kopen als hij weer eens bij de winkel was.

"Daar kan ik niks aan doen", zei Sindri.

"Wat?"

"Dat ik nauwelijks weet wie je bent."

"Nee", zei Erlendur. "Daar kan jij niks aan doen."

Ze aten zwijgend verder. Sindri legde zijn vork neer en veegde met keukenpapier zijn mond af. Hij stond op, pakte de koffiekan, vulde die met kraanwater en ging weer aan tafel zitten.

"Ze zei dat hij nooit is gevonden."

"Ja, dat klopt, hij is nooit gevonden", zei Erlendur.

"Dus hij is nog steeds daarboven?"

Erlendur stopte met eten en legde zijn vork neer.

"Ik denk het wel, ja", zei hij en hij keek zijn zoon aan. "Waar wil je naartoe?"

"Zoek je soms naar hem?" vroeg Sindri.

"Of ik zoek?"

"Zoek je nog altijd naar hem?"

"Wat wil je van me, Sindri?" zei Erlendur.

"Ik werkte daar in het oosten. In Eskifjörður. Ze wisten niet dat wij … " Sindri zocht naar het juiste woord … "elkaar kenden, maar nadat Eva me verteld had over die zaak met je broer, begon ik de mensen daar ernaar te vragen, oudere mensen, mensen die samen met mij aan het vissen waren."

"Begon je naar mij te vragen?"

"Nee, niet direct. Niet naar jou. Ik stelde ze vragen over vroeger, over de mensen die daar ooit woonden en de boeren in de omgeving. Jouw vader was toch een boer? Mijn opa."

Erlendur antwoordde niet.

"Er zijn daar mensen die het zich heel goed kunnen herinneren", zei Sindri.

"Zich wat herinneren?"

"De twee jongens die met hun vader de bergen in gingen en de jongste broer die omkwam. Daarna verhuisde het gezin naar het zuiden."

Erlendur keek naar zijn zoon.

"Met wat voor mensen heb je gepraat?"

"Mensen die daar in het oosten wonen."

"En was je ze over mij aan het uithoren?" zei Erlendur. In zijn stem klonk woede door.

"Ik was ze helemaal niet aan het uithoren", zei Sindri. "Eva Lind vertelde me erover en ik vroeg gewoon wat er gebeurd was."

"En wat is er gebeurd?"

"Het was vreselijk slecht weer. Jouw vader kwam thuis en er werden hulptroepen bij elkaar geroepen. Jij werd gevonden, bedolven onder de sneeuw. Je broertje werd nooit gevonden. Je vader deed niet mee aan de zoektocht. De mensen zeiden dat hij zichzelf niet meer was en na die tijd altijd gek gebleven is."

"Gek?" zei Erlendur boos. "Wat een verdomde onzin."

"Je moeder was veel sterker", zei Sindri. "Zij zocht de hele dag met de reddingsploeg. En lang daarna nog. Net zolang tot jullie twee jaar later weggingen. Ze ging steeds de bergen in om naar haar zoon te zoeken. Het was een obsessie voor haar."

"Ze wilde hem kunnen begraven", zei Erlendur. "Dat was haar obsessie."

"De mensen vertelden ook over jou."

"Je moet niet naar die lariekoek luisteren."

"Ze zeiden dat de oudere broer, degene die gered werd, regelmatig naar het oosten komt en de bergen in trekt. Er konden een paar jaar overheen gaan voor hij weer kwam en hij was nu een paar jaar niet geweest, maar ze rekenden altijd op hem. Hij komt altijd alleen, met een tent, huurt een paard en gaat de bergen in. Hij komt na een week, een dag of tien of misschien twee weken naar beneden en vertrekt dan weer. Hij praat nooit met iemand, behalve als hij paarden huurt en dan zegt hij niet veel."

"Praten die mensen in het oosten daar nog altijd over?"

"Ik geloof het niet", zei Sindri. "Niet zo vaak. Ik was er gewoon nieuwsgierig naar en vroeg het de mensen die het nog wisten. Die zich jou nog herinnerden. Praatte met de boer bij wie je paarden huurt."

"Waarom wilde je dat weten? Je hebt nooit …"

"Eva Lind zei dat ze je beter kon begrijpen nadat je het haar had verteld. Zij wil altijd maar over je praten. Ik heb nooit zin gehad om van alles op jou af te schuiven. Voor haar beteken je iets, vraag me niet waarom. Ik heb met jou niets te maken en daar heb ik ook geen problemen mee. Ik vind het prima dat ik je niet nodig heb. Ik heb je nog nooit nodig gehad. Eva wel. Ze heeft je altijd nodig gehad."

"Ik heb geprobeerd voor Eva te doen wat ik kon", zei Erlendur.

"Dat weet ik. Ze heeft het me verteld. Ze vindt dat je je soms te veel met haar bemoeit, maar ze weet wat je probeert voor haar te doen."

"Een stoffelijk overschot kan nog na een mensenleeftijd worden gevonden", zei Erlendur. "Soms honderd jaar later. Gewoon bij toeval. Daar zijn veel gevallen van bekend."

"Natuurlijk", zei Sindri. "Eva vertelde dat jij je verantwoordelijk voelt voor hoe het met je broer is afgelopen. Dat jij hem bent kwijtgeraakt. Ga je daarom naar het oosten om hem te zoeken?"

"Ik denk …"

Erlendur zweeg.

"Vanuit een soort schuldgevoel?"

"Ik weet niet of het een schuldgevoel is", zei hij en hij glimlachte vaag.

"Maar je hebt hem nooit gevonden", zei Sindri.

"Nee", zei Erlendur.

"Daarom ga je steeds weer terug."

"Het is goed om in het oosten te zijn. Verandering van omgeving. Alleen zijn met jezelf."

"Ik heb het huis gezien waarin jullie woonden. Het is helemaal vervallen."

"Ja", zei Erlendur. "Al heel lang. Bijna ingestort. Ik ben wel eens van plan geweest om er een zomerhuis van te maken, maar …"

"Zeker een grote bende."

Erlendur keek naar Sindri.

"Het is nog steeds prettig om er te slapen", zei Erlendur. "Met de spoken."

Toen hij 's avonds naar bed ging, dacht hij aan de woorden van zijn zoon. Sindri had gelijk gehad. Hij was inderdaad enkele malen naar het oosten gereisd toen het zomer werd om zijn broer te zoeken. Hij wist ook niet waarom, behalve om wat overduidelijk was: hij wilde zijn stoffelijke resten vinden om de zaak te kunnen afsluiten, ook al wist hij diep vanbinnen dat er maar heel weinig te vinden was nu er zoveel tijd was verstreken. Hij sliep altijd de eerste en de laatste nacht in het oude woonhuis op de boerderij die helemaal vervallen was. Hij sliep op de grond in de kamer en keek door de gebroken ramen omhoog naar de hemel en dacht aan vroeger, toen hij in dezelfde kamer zat met zijn familie, verwanten en mensen uit de streek. Hij keek naar de mooi beschilderde kamerdeur en zag zijn moeder binnenkomen met de koffiepot en koffie inschenken voor de gasten in het zachte licht van de kamer. Zijn vader stond in de deuropening en lachte om iets wat gezegd werd. Zijn broertje kwam naar hem toe, verlegen vanwege de gasten, en vroeg of hij nog een koekje mocht. Hijzelf stond bij het raam en keek naar de paarden buiten. De mensen hadden net een rit gemaakt en waren blij en uitgelaten.

De spoken uit zijn verleden.

10

Marion Briem zag er iets beter uit toen Erlendur haar de volgende dag vroeg in de ochtend kwam bezoeken. Het was hem gelukt een western met John Wayne te huren. Hij heette *The Searchers* en leek in de smaak te vallen bij Marion Briem, die hem vroeg de band in de videospeler te doen.

"Sinds wanneer kijk jij naar westerns?" vroeg Erlendur.

"Ik heb westerns altijd leuk gevonden", zei Marion. Het zuurstofmasker lag op de tafel naast haar stoel. "In de beste worden simpele verhalen verteld over simpele mensen. Ik had gedacht dat jij ook dol was op zulke verhalen. Westernverhalen. Boerenjongens."

"Ik heb nooit veel in de bioscoop gezeten", zei Erlendur.

"Nog wat nieuws over het Kleifarvatn?" vroeg Marion.

"Wat zegt het ons dat het skelet, dat waarschijnlijk uit de jaren zeventig stamt, vastgebonden aan Russische afluisterapparatuur is aangetroffen?" zei Erlendur.

"Daar kun je toch maar één ding uit concluderen?" zei Marion.

"Spionage?"

"Ja."

"Denk je echt dat het een IJslandse spion is die daar in het water ligt?"

"Wie zegt dat het een IJslander is?"

"Kan je daar eigenlijk niet zo'n beetje van uitgaan?" zei Erlendur aarzelend.

"Er is niets dat erop wijst dat hij een IJslander is", zei Marion en ze kreeg opeens een hoestaanval die haar benauwd maakte. "Geef me het zuurstofmasker, ik voel me beter als ik zuurstof krijg."

Erlendur reikte naar het zuurstofmasker, zette het op haar gezicht en schroefde het vast op de zuurstoftank. Hij vroeg zich af of hij niet een verpleegster of zelfs een arts moest waarschuwen. Het was of Marion zijn gedachten las.

"Zet dat maar uit je hoofd. Ik hoef verder geen hulp. Later op de dag komt de verpleegster nog."

"Ik zou je niet zo moeten vermoeien."

"Ga nog niet meteen weg. Je bent de enige van degenen die me komen bezoeken met wie ik zin heb om te praten. En de enige die me misschien een sigaret geeft."

"Ik geef je geen sigaret."

Er viel een stilte en Marion haalde het zuurstofmasker weer van haar gezicht.

"Waren er IJslanders betrokken bij spionage tijdens de Koude Oorlog?" vroeg Erlendur.

"Ik weet het niet", zei Marion. "Ik weet wel dat geprobeerd werd ze zover te krijgen. Ik herinner me een man die naar ons toe kwam en zei dat de Russen hem niet met rust lieten." Marion sloot haar ogen weer even. "Het was een bijzonder armoedig spionageverhaal, maar natuurlijk erg IJslands."

De Russen zochten contact met die man en vroegen of hij ze wilde helpen. Ze hadden onder andere inlichtingen nodig over de vliegtuigen op Keflavík en de infrastructuur daar. De Russen namen het allemaal erg serieus en wilden de man ontmoeten op afgelegen plekken buiten de stad; hij vond ze erg opdringerig. Hij kwam niet van ze af. Hij zei dat hij dat helemaal niet wilde, maar dat ze niet naar hem luisterden en op het laatst gaf hij het op. Hij nam contact op met de politie en er werd een eenvoudige hinderlaag opgezet. Toen de man naar zijn afspraak met de Russen bij Hafravatn reed, zaten er twee politieagenten bij hem in de auto, verstopt onder een kleed. Andere politiemensen stonden paraat in de omgeving. De Russen vermoedden niets tot de politieagenten uit de auto van de man stapten en ze werden gearresteerd.

"Ze werden het land uitgezet", zei Marion en over haar gezicht trok een glimlach bij de herinnering aan dat spionageverhaal van de Russen. "Ik weet nog altijd hoe ze heetten: Kisilev en Dimetrijev."

"Ik vroeg me af of jij je nog iets herinnert van een vermissing hier in Reykjavík in de jaren zeventig", zei Erlendur. "Een man die landbouwmachines en graafmachines verkocht. Kwam niet opdagen op een afspraak met een boer hier vlak buiten de stad en er is daarna niets meer van hem vernomen."

"Ik kan me dat nog heel goed herinneren. Níels zat op die zaak. Luie donder."

"Nou", zei Erlendur, die Níels kende. "Die man had een Ford Falcon die voor het busstation is teruggevonden. Er was een wieldop afgehaald."

"Wilde hij niet gewoon van zijn vrouw af? Mij staat bij dat dat zo ongeveer de conclusie was. Dat hij zelfmoord had gepleegd."

"Zou kunnen", zei Erlendur.

Marion sloot de ogen. Erlendur zat een poosje zwijgend op de bank en keek naar de western terwijl Marion sliep. Op de cassette stond dat Wayne een ex-soldaat uit het zuiden speelt die indianen achtervolgt die zijn broer en schoonzuster doodden en hun dochter ontvoerden. De soldaat zoekt jarenlang naar het meisje en als hij haar eindelijk vindt, is ze haar voorgeschiedenis vergeten en indiaan geworden.

Na twintig minuten stond Erlendur op en nam afscheid van Marion, die nog altijd sliep met het masker op haar gezicht.

Toen hij weer op het bureau kwam, ging hij bij Elínborg zitten, die bezig was een speech te schrijven voor de presentatie van haar boek. Sigurður Óli was er ook. Hij zei dat hij de verkopen van de Falcon had kunnen herleiden, helemaal tot de laatste eigenaar van de auto.

"Hij verkocht de auto aan een sloperij in Kópavogur, ergens kort voor 1980", zei Sigurður Óli. "Die sloperij bestaat nog. Er neemt alleen niemand de telefoon op. Ze zijn misschien met vakantie."

"Ben je bij de Technische Recherche nog wat te weten gekomen over het afluisterapparaat?" vroeg Erlendur. Hij zag dat Elínborg haar lippen bewoog en naar het beeldscherm staarde alsof ze zich verbeeldde hoe de speech klonk.

"Elínborg!" zei hij streng.

Ze hief een vinger op en beduidde dat hij nog even moest wachten.

"... en ik hoop dat dit boek", las ze hardop voor van haar scherm, "jullie talloze plezierige uurtjes in de keuken zal geven en het meteen jullie horizon zal verbreden. Ik heb geprobeerd de toon populair te houden, geprobeerd om de nadruk te leggen op een huiselijke sfeer, omdat de keuken en het bereiden van eten het middelpunt ..."

"Heel mooi", zei Erlendur.

"Wacht even", zei Elínborg, "... het middelpunt vormen van elk goed huishouden, waar het gezin elke dag bijeenkomt en met elkaar de tijd doorbrengt."

"Elínborg", zei Sigurður Óli.

"Is het te zoetsappig?" vroeg Elínborg en ze trok een grimas.

"Het is krankzinnig", zei Sigurður Óli.

Elínborg keek naar Erlendur.

"Wat zei de Technische Recherche over het apparaat?" zei hij.

"Ze zijn nog bezig het te onderzoeken", zei Elínborg. "Ze proberen een of andere specialist bij de telefoondienst erbij te halen."

"Ik dacht aan al die apparaten die jaren geleden in het Kleifarvatn zijn gevonden", zei Sigurður Óli, "in verband met dat ding dat aan het skelet was vastgebonden. Moeten we niet met een of ander oudje bij Buitenlandse Zaken gaan praten?"

"Ja, zoek jij maar iemand met wie we kunnen praten", zei Erlendur. "Iemand die zich de Koude Oorlog nog herinnert toen hij op zijn hevigst was."

"Hebben we het nu over spionnen in IJsland?" vroeg Elínborg.

"Ik weet het niet", zei Erlendur.

"Is dat niet belachelijk?" zei Elínborg.

"Niet belachelijker dan 'waar het gezin elke dag bijeenkomt en met elkaar de tijd doorbrengt'", bauwde Sigurður Óli haar na.

"Ach, hou je mond", zei Elínborg en ze wiste alles wat ze geschreven had van het scherm.

Er werkte één man bij de autosloperij in Kópavogur, de eigenaar zelf, en het bedrijfje was alleen 's middags open. De autowrakken lagen achter hoge hekken, soms op stapels van zes hoog, boven op elkaar. Sommige waren zwaar beschadigd na een harde botsing, andere gewoon oud en uit elkaar gevallen. Met de eigenaar leek hetzelfde aan de hand. Hij was een vermoeide man die tegen de zeventig liep, in een besmeurde en gescheurde overall die vroeger lichtblauw moest zijn geweest. De man was bezig de bumper af te trekken van een nieuwe Japanse auto die over de kop was geslagen en was samengeperst als een trekharmonica.

Erlendur stond het wrak te bekijken tot de man opkeek.

"Er is een vrachtauto achterop gereden", zei hij. "Nog een geluk dat er niemand op de achterbank zat."

"Zo'n gloednieuwe auto", zei Erlendur.

"Wat wil je?"

"Ik ben op zoek naar een zwarte Ford Falcon", zei Erlendur. "Hij is hier voor 1980 terechtgekomen."

"Een Ford Falcon?"

"Dat is natuurlijk niet meer na te gaan, ik weet het", zei Erlendur.

"Hij moet al oud zijn geweest toen hij hier kwam", zei de man en hij pakte een zakdoek om zijn handen schoon te vegen. "Ze hebben de Falcon rond 1970 of misschien nog wel eerder uit de productie genomen."

"Jullie konden hem dus niet gebruiken, bedoel je?"

"De meeste Falcons waren lang voor 1980 van de straat verdwenen. Waarom ben je ernaar op zoek? Mis je een onderdeel? Ben je een Ford Falcon aan het opknappen?"

Erlendur vertelde de man hoe het zat, dat hij van de politie was en dat de auto te maken had met een oude verdwijningszaak. De interesse van de man werd gewekt. Hij zei dat hij de autosloperij halverwege de jaren negentig had gekocht van een zekere Haukur en dat hij zich geen Ford Falcon op het auto-

78

kerkhof kon herinneren. Hij zei dat de vroegere eigenaar, die al heel wat jaren dood was, een administratie had bijgehouden van de wrakken die hij kocht. Hij nam Erlendur mee naar een kleine ruimte achter het kantoortje, waar mappen en archiefdozen tot het plafond lagen opgestapeld.

"Dit is onze boekhouding", zei de man en hij glimlachte verontschuldigend. "Wij zijn hier niet gewend iets weg te gooien. Ga er gerust in zoeken. Ik heb me er nooit aan gewaagd een administratie bij te houden van de wrakken, zag de zin er niet van in, maar hij was daar heel trouw in, die oude Haukur."

Erlendur bedankte hem en begon de mappen door te nemen, die allemaal waren voorzien van jaartallen. Hij zag een stapel uit de jaren tachtig en begon daar. Hij wist eigenlijk niet waarom hij naar die auto zocht. Hij had geen idee hoe die auto hem zou kunnen helpen als hij nog bestond. Sigurður Óli had gevraagd waarom hij speciaal in deze vermissing was geïnteresseerd en niet in de andere waarover hij de afgelopen dagen had gehoord. Erlendur had daar eigenlijk geen antwoord op. Sigurður Óli zou nooit begrijpen als hij hem vertelde dat hij die eenzame vrouw niet uit zijn hoofd kon zetten die eindelijk het geluk gevonden lijkt te hebben, voor de melkwinkel staat, op haar horloge kijkt en wacht op de man van wie ze houdt.

Drie uur later, toen Erlendur op het punt stond het op te geven en de eigenaar al drie keer had gevraagd of hij al iets gevonden had, zag hij eindelijk wat hij zocht, een rekening van de verkoop van de auto. De sloperij had op 21 oktober 1979 een zwarte Ford Falcon verkocht met een kapotte motor, vanbinnen nog in redelijke staat en goed in de lak. Zonder nummerbord. Aan het blad met de beschrijving was een met potlood geschreven rekening gehecht. Daarop stond: Falcon, bouwjaar 1967. 35.000 kronen. Koper: Hermann Albertsson.

11

De eerste secretaris van de Russische ambassade in Reykjavík
was van dezelfde leeftijd als Erlendur, maar slanker en veel
gezonder om te zien. Hij heette hen welkom en leek het heel
belangrijk te vinden dat hij informeel overkwam. Hij droeg een
kaki broek en een trui en zei lachend dat hij op weg was naar
de golfbaan. Hij wees Erlendur en Elínborg een stoel en nam
zelf plaats achter een groot bureau. Hij glimlachte breed. Hij
wist waarvoor ze kwamen. Het bezoek was ruim van tevoren
aangekondigd, dus het excuus van die golfbaan bevreemdde
Erlendur. Het was of ze hun ontmoeting kort moesten houden
en snel weer weg moesten wezen. Ze spraken Engels en hoewel
de secretaris wist waarover het ging, vertelde Elínborg toch in
enkele woorden waarom deze ontmoeting nodig was. Er was
een Russisch afluisterapparaat gevonden, vastgemaakt aan het
skelet van een man die waarschijnlijk ergens na 1961 was vermoord en afgezonken in het Kleifarvatn. De vondst van het
Russische apparaat was nog niet uitgelekt naar de media.

"Er zijn sinds 1960 verscheidene Sovjet- en later Russische
ambassadeurs op IJsland geweest", zei de secretaris. Hij glimlachte zelfverzekerd alsof niets wat er gezegd werd hem iets
aanging. "Zij die hier in de jaren zestig en het begin van de
jaren zeventig waren, zijn allang dood. Ik betwijfel of ze iets
geweten hebben van een Russisch apparaat in dat meer. Of ze
meer wisten dan ik."

Hij glimlachte. Erlendur glimlachte terug.

"Maar jullie hebben tijdens de Koude Oorlog toch wel gespioneerd in IJsland? Of dat geprobeerd?"

"Dat was voor mijn tijd", zei de secretaris. "Ik kan daar niets over zeggen."

"Bedoelt u dat jullie niet meer spioneren?"

"Waarom zouden we hier moeten spioneren? We gaan gewoon het internet op, net als iedereen. Daarbij komt dat jullie basis nu niet zoveel meer om het lijf heeft, voorzover ze überhaupt nog wat voorstelt. De conflictgebieden in de wereld hebben zich verplaatst. Amerika heeft niet langer een vliegdekschip als IJsland nodig. Niemand begrijpt wat die peperdure militaire basis hier nog doet. Als het Turkije was, dan was het nog te begrijpen."

"Het is niet onze basis", zei Elínborg.

"We weten dat medewerkers van de Russische ambassade het land zijn uitgewezen omdat ze verdacht werden van spionage", zei Erlendur. "Toen de Koude Oorlog op zijn hevigst was."

"Dan weet u veel meer dan ik", zei de secretaris. "En het was wel degelijk uw basis", voegde hij eraan toe en hij keek naar Elínborg. "Maak uzelf niets wijs." Hij keek weer naar Erlendur: "Als er spionnen op deze ambassade rondliepen, dan waren het zeker de helft minder dan de CIA-mannen op de Amerikaanse ambassade. Hebt u daar al geïnformeerd? Ik begrijp uit de berichten over dat skelet dat het zo'n, hoe zeg je dat, zo'n maffiamoord is geweest. Hebt u daar al aan gedacht? Een blok beton en diep water. Het lijkt wel een Amerikaanse gangsterfilm."

"Het apparaat is Russisch", zei Erlendur. "Het apparaat dat aan het lijk was gebonden. Het skelet ..."

"Dat zegt ons niets", zei de secretaris. "Er waren hier ambassades uit Oostbloklanden die ook apparatuur uit de voormalige Sovjet-Unie gebruikten. Het hoeft helemaal niets met onze ambassade te maken te hebben."

"We hebben nadere gegevens van het apparaat en foto's bij ons", zei Elínborg en ze gaf hem de afbeeldingen en de documenten. "Kunt u ons iets vertellen over het gebruik ervan? Wie gebruikte zo'n apparaat?"

"Ik ken het apparaat niet", zei de secretaris en hij keek naar de foto's. "Helaas. Ik zal navraag doen. Maar ook als we het kennen, kunnen we bijzonder weinig voor u doen."

"Kunnen we het niet laten testen?" vroeg Erlendur.

De secretaris glimlachte.

"U moet me toch echt geloven. Het skelet in het meer heeft niets met deze ambassade of met onze medewerkers te maken. Niet in het heden en niet in het verleden."

"We denken dat het een afluisterapparaat is", zei Elínborg. "Het was afgesteld op de golflengte van de Amerikaanse basis in Miðnesheiði."

"Ik kan daar niets over zeggen", zei de secretaris en hij keek op zijn horloge. De golfbaan wachtte.

"Als jullie vroeger zouden hebben gespioneerd, wat jullie niet hebben gedaan", zei Erlendur, "wat zou dan jullie interesse hebben gewekt?"

De secretaris aarzelde even.

"Als we iets in die richting gedaan hadden, dan zouden we natuurlijk geïnteresseerd zijn geweest in de militaire basis, de bewegingen van materieel, reizen van oorlogsschepen, vliegtuigen, onderzeeërs. We zouden elke keer willen weten hoeveel troepen er gelegerd waren. Dat spreekt vanzelf. We zouden hebben willen weten wat er gaande was op de basis en wat er verder op militair gebied in IJsland gebeurde. Ze zaten overal. Niet alleen in Keflavík. Overal in het land was sprake van militaire activiteit. We zouden ons ook op de hoogte willen stellen van het werk van andere ambassades, de binnenlandse politiek, de politieke partijen en dergelijke."

"Er zijn in 1973 een heleboel apparaten in het Kleifarvatn gevonden", zei Erlendur. "Zendapparaten, versterkers, bandrecorders, zelfs radio's. Allemaal uit Oostbloklanden. De meeste uit de Sovjet-Unie."

"Ik weet daar niets van", zei de secretaris.

"Nee, natuurlijk niet", zei Erlendur. "Maar wat kan de reden zijn geweest dat al die apparaten in het meer zijn gegooid? Is er een speciale methode gebruikt om zich van die oude apparatuur te ontdoen?"

"Ik ben bang dat ik u daarmee niet kan helpen", zei de secretaris en hij glimlachte niet meer. "Ik heb geprobeerd u naar mijn beste kunnen te antwoorden, maar sommige dingen weet ik eenvoudig niet."

Erlendur en Elínborg stonden op. De man had een zelfinge-nomenheid die Erlendur niet beviel. Uw basis! Wat wist hij nou van de militaire-basis-kwestie in IJsland?

"Waren het stokoude apparaten waarvoor geen reden be-stond om ze terug te sturen naar de diplomatieke post in het vaderland?" vroeg hij. "Ze konden natuurlijk niet gewoon bij het vuilnis worden gezet, net als ander afval. Dit zijn apparaten die duidelijk aantonen dat er spionage werd bedreven in IJs-land. In een tijd waarin de wereld eenvoudiger was en de scheidslijnen duidelijker."

"U kunt daarover zeggen wat u wilt", zei de secretaris en hij stond op. "Ik heb een andere afspraak."

"Zou de man in het Kleifarvatn afkomstig kunnen zijn van deze ambassade?"

"Nee."

"Of van de ambassade van een ander Oostblokland?"

"Ik houd dat voor zeer onwaarschijnlijk. En nu moet ik u verzoeken om ..."

"Mist u iemand uit die periode?"

"Nee."

"Weet u dat zo uit uw hoofd? Hoeft u dat niet na te kijken?"

"Ik heb het nagekeken. We missen niemand."

"Niemand die bij u is verdwenen en van wie u niet weet wat er van hem geworden is?"

"Gegroet", zei de secretaris en hij glimlachte. Hij opende de deur voor hen.

"Dus er is met zekerheid niemand verdwenen?" probeerde Erlendur nog en hij liep de gang op.

"Niemand", zei de secretaris en hij sloot de deur voor hun neus.

Een ontmoeting met de Amerikaanse ambassadeur of een van zijn medewerkers werd Sigurður Óli geweigerd. In plaats daar-van ontving hij een verklaring, die als vertrouwelijk was gekenmerkt, dat er geen Amerikaan werd vermist uit de periode waarvan sprake was. Sigurður Óli wilde verdergaan en een gesprek eisen, maar dat werd tegengehouden op de vergadering van de hoofden van de recherche. De politie moest iets meer in handen hebben wat het skelet in het meer in verband bracht met de Amerikaanse ambassade, de militaire basis of de Amerikaanse burgers in IJsland.

De belangrijkste hypothese was nu dat het geraamte met spionage in IJsland te maken had en dat het om een buitenlander ging. Sigurður Óli belde een vriend, die werkte op de afdeling defensie van het ministerie van Buitenlandse Zaken, en vroeg hem of er misschien oudere medewerkers waren die de politie iets konden vertellen over buitenlandse ambassademedewerkers uit de jaren zeventig of tachtig. Hij probeerde zo weinig mogelijk te vertellen over het onderzoek, maar genoeg om de interesse van zijn vriend te wekken en hij beloofde later contact op te nemen.

Erlendur stond als een misplaatst voorwerp met een glas witte wijn in zijn hand en keek naar de menigte op het uitgeversfeestje van Elínborg. Hij had zich in allerlei bochten gewrongen om niet te hoeven gaan, maar was uiteindelijk gezwicht. Hij had een hekel aan feestjes en ging er dan ook vrijwel nooit heen. Hij nam een slok van zijn witte wijn en trok een grimas. Hij was zuur. Hij dacht verlangend aan zijn Chartreuse-likeur thuis.

Hij lachte naar Elínborg, die tussen de mensen stond en naar hem zwaaide. Ze stond met de pers te praten. Het trok nogal de aandacht dat een vrouwelijke agent bij de recherche in Reykjavík een kookboek schreef, en Erlendur had er plezier in Elínborg zo van alle aandacht te zien genieten. Ze had hem, Sigurður Óli en Bergþóra, de vrouw van Sigurður, een keer bij haar thuis te eten gevraagd en een nieuw Indiaas kipgerecht op hen uitgeprobeerd, waarvan ze zei dat het recept in haar boek zou komen. Het gerecht was bijzonder pikant en lekker, en ze prezen Elínborg net zolang tot ze helemaal rood uitsloeg. Erlendur kende niet veel mensen, behalve mensen van de politie, en was blij toen Sigurður Óli en Bergþóra op hem af kwamen lopen.

"Probeer nu eens een keer te lachen als je ons ziet", zei Bergþóra en ze kuste hem op de wang. Hij proostte met hen met de witte wijn en daarna dronken ze op Elínborg.

"Wanneer mogen we die vrouw nu eens ontmoeten met wie jij omgaat?" vroeg Bergþóra, en Erlendur zag dat Sigurður Óli verstijfde. Het was algemeen bekend bij de recherche dat Erlendur een relatie had met een vrouw, maar er waren maar weinig mensen die ernaar durfden te vragen.

"Misschien ooit", zei Erlendur. "Als jij tachtig wordt."

"Is ze dan niet allang dood?" zei Bergþóra.

Erlendur glimlachte.

"Wat zijn dat voor mensen?" zei Bergþóra en ze keek naar het gezelschap.

"Ik ken alleen de politiemensen", zei Sigurður Óli. "Dus ik denk dat al die andere mensen bij Elínborg horen."

"Daar is Teddi", zei Bergþóra en ze zwaaide naar de man van Elínborg.

Iemand tikte tegen een glas en het geroezemoes nam af. Een man nam het woord in een verre hoek van de zaal. Ze verstonden er geen woord van, maar de mensen lachten. Ze zagen dat Elínborg zich een weg naar hem toe baande en aan de toespraak begon die ze had voorbereid. Ze drongen wat naar voren om haar te kunnen verstaan, maar hoorden alleen het eind, waarin ze haar familie en haar collega's bij de politie bedankte voor hun geduld en steun. Gevolgd door applaus.

"Zijn jullie van plan lang te blijven?" vroeg Erlendur, en hij klonk alsof hij van plan was de bijeenkomst al te verlaten.

"Wees toch niet altijd zo saai", zei Bergþóra. "Laat je gaan. Geniet eens een keer van het leven. Word dronken."

Ze pakte nog een glas witte wijn van het dichtstbijzijnde blad.

"Sla dit eens achterover!"

Elínborg dook op uit de menigte, begroette hen met een kus en vroeg of ze zich een beetje vermaakten. Ze keek naar Erlendur, die net een grote slok zure witte wijn nam. Bergþóra en zij begonnen te praten over een bekende televisieregisseur die net langsliep met een of andere vrouwelijke hooggeplaatste. Sigurður Óli schudde iemand de hand die Erlendur niet kende, en Erlendur trok zich terug en was op weg de zaal te verlaten toen hij tegen een vroegere collega bij de politie op botste. Hij was met pensioen en Erlendur wist dat hij terugverlangde naar zijn werk.

"Je hebt het zeker wel gehoord van Marion", zei de man en hij nam een slok witte wijn. "Ik heb begrepen dat haar longen het niet meer doen. Zit thuis en kwijnt weg."

"Dat klopt", zei Erlendur. "En kijkt naar westerns."

"Was jij niet geïnteresseerd in een Falcon?" vroeg de man. Hij dronk zijn glas leeg en pakte een ander van het blad dat langskwam.

"Een Falcon?"

"Ze hadden het erover. Je doet onderzoek naar vermissingen naar aanleiding van dat skelet in het Kleifarvatn."

"Herinner je je iets over die Falcon?" vroeg Erlendur.

"Nee, niet precies meer. We vonden hem voor het busstation. Níels leidde het onderzoek. Ik zag hem hier ook rondlopen. Dat is een mooi boek van dat meisje", voegde de man eraan toe. "Ik bladerde het net even door. Prachtige foto's."

"Volgens mij is dat meisje al veertig geweest", zei Erlendur. "Maar het is inderdaad een mooi boek."

Hij ging op zoek naar Níels en vond hem zittend op een brede vensterbank. Erlendur ging naast hem zitten en herinnerde zich hoe hij soms jaloers was geweest op die man. Níels had een lange carrière bij de politie achter de rug en een gezin waar elke man trots op zou zijn. Zijn vrouw was een bekende kunstschilderes, ze hadden vier veelbelovende kinderen die allemaal gestudeerd hadden en voor kleinkinderen hadden gezorgd. Het echtpaar bezat een prachtig gebouwd, groot vrijstaand huis in Grafarvogur dat door henzelf ontworpen was, met twee auto's voor de oprit. Er was niets wat een schaduw over hun levensgeluk zou kunnen werpen. Soms vroeg Erlendur zich af of er iemand was die een gelukkiger en voorspoediger leven had gekend dan Níels. Grote vrienden waren ze niet. Erlendur had Níels altijd een luiwammes gevonden die geen enkel gevoel had voor het werk van een rechercheur. De voorspoed in zijn privéleven droeg er ook niet aan bij dat Erlendurs sympathie groter werd.

"Die Marion is echt doodziek", zei Níels toen Erlendur naast hem ging zitten.

"Ze heeft vast nog wel even te gaan", zei Erlendur tegen beter weten in. "Hoe gaat het met jou?"

Hij vroeg er alleen naar om beleefd te zijn. Hij wist toch al wel hoe het met Níels ging.

"Ik begrijp er helemaal niks meer van", zei Níels. "We pakten in één weekend tot vijf keer toe dezelfde man op voor inbraak. Elke keer bekent hij de misdaad en elke keer wordt hij vrijgelaten omdat de zaak als afgerond wordt beschouwd. Hij breekt weer in, bekent, wordt vrijgelaten, breekt weer in. Wat is dat voor een domkopperij? Waarom is er hier geen systeem dat dat tuig direct het cachot in stuurt? Ze moeten eerst twintig van die misdaden hebben begaan voor ze eindelijk tot een taakstraf worden veroordeeld en dan komen ze weer op straat en pakken we ze weer op. Dat is toch je reinste idioterie? Waarom worden die mannen niet gewoon veroordeeld?"

"Er bestaat geen slechter systeem dan het IJslandse juridische stelsel", zei Erlendur.

"Die misdadigers houden de rechters aan het lijntje", zei Níels. "En zijn niet de minsten: kinderverkrachters! Mishandelaars!"

Ze zwegen. De discussie over het zachte optreden van de rechters in criminele zaken leefde onder de politieagenten die inbrekers, verkrachters en kindermishandelaars oppakten, maar later te horen kregen over milde straffen, vaak ook nog voorwaardelijk.

"Iets anders", zei Erlendur. "Herinner jij je nog die man die landbouwmachines verkocht? Hij had een zwarte Ford Falcon. En was opeens van de aardbodem verdwenen."

"Bedoel je die auto die voor het busstation stond?"

"Ja."

"Hij had een lieve vrouw, die man. Wat zou er van haar geworden zijn?"

"Ze is nog geen stap verder", zei Erlendur. "Er ontbrak een wieldop aan die auto. Weet je dat nog?"

"We veronderstelden dat hij daar voor het busstation was gestolen. Niets in die zaak wees op diefstal, behalve misschien dan die wieldop. Als dat al een diefstal was. Het kan ook heel goed zijn dat hij te dicht langs de stoep is gereden en de wieldop eraf is gebroken. Hij is in elk geval niet teruggevonden. Net zomin als de eigenaar."

"Waarom zou hij zich uit de voeten gemaakt hebben?" zei Erlendur. "Het ging hem goed. Had een mooie vrouw. De toekomst lachte hem toe. Net een Ford Falcon gekocht."

"Je weet toch dat dat geen enkele rol speelt als iemand met zelfmoordgedachten rondloopt?" zei Níels.

"Denk je dat hij een buskaartje heeft gekocht?"

"Dat leek ons waarschijnlijk, als ik het me goed herinner. We hebben met de buschauffeurs gesproken, maar zij konden zich hem niet herinneren. Dat betekent niet direct dat hij niet de bus de stad uit heeft genomen."

"Jij denkt dat hij zelfmoord heeft gepleegd?"

"Ja", zei Níels. "Maar ..."

Hij aarzelde.

"Wat?" zei Erlendur.

"Hij speelde een spelletje, die man", zei Níels.

"Hoe dan?"

"Zij vertelde dat hij Leopold heette, maar we vonden niemand met die naam en van die leeftijd, vonden niemand in onze archieven of in het bevolkingsregister. Geen geboortebewijs. Geen rijbewijs. Er bestond geen Leopold."

"Wat bedoel je?"

"Alle documenten die hem betroffen, waren verloren gegaan of ..."

"Of hij hield die vrouw voor de gek?"

"Hij kon in elk geval geen Leopold hebben geheten", zei Níels.

"Wat zei zij daarover? Hoe reageerde de vrouw toen jullie haar daarnaar vroegen?"

"We kregen het idee dat hij haar voor de gek hield", zei Níels ten slotte. "We hadden medelijden met haar. Ze had niet eens een foto van hem. Wat zegt dat ons? Zij wist niets over die man."

"En?"

"We hebben haar er niets over gezegd."

"Waarover niet?"

"Dat er geen papieren van die Leopold van haar bestonden", zei Níels. "Ons leek dat zo duidelijk als wat. Hij loog tegen haar en ging ervandoor."

Erlendur zweeg terwijl hij tot zich liet doordringen wat Níels had gezegd.

"We wilden haar sparen", zei Níels.

"En zij weet het nog steeds niet?"

"Ik denk het niet."

"Waarom hield je dat voor haar verborgen?"

"Waarschijnlijk alleen uit menslievendheid."

"Zij zit nog steeds op hem te wachten", zei Erlendur. "Ze gingen trouwen."

"Dat was wat hij haar vertelde, voordat hij ervandoor ging."

"En als hij nou vermoord is?"

"Dat leek ons zeer onwaarschijnlijk. Het is zeldzaam, maar niet uitgesloten. Mannen liegen tegen vrouwen om iets gedaan te krijgen, wat zullen we eens zeggen, zekere gunsten, en dan verdwijnen ze weer. Ik denk dat ze het diep vanbinnen wel wist. We hoefden haar helemaal niets te vertellen."

"En de auto?"

"Hij stond op naam van de vrouw. Er was geld geleend op haar naam. Zij was eigenaar van de auto."

"Jullie hadden het haar moeten vertellen."

"Misschien. Maar was ze beter af geweest? Ze had te horen gekregen dat de man die ze liefhad een oplichter was die haar voor de gek hield. Hij vertelde haar nooit iets over zijn familie. Ze wist niets over die man. Hij had geen enkele vriend. Was vaak op zakenreis naar het buitenland. Wat kun je daaruit concluderen?"

"Ze wist dat ze van hem hield", zei Erlendur.

"En dit was haar loon."

"Wat zei de boer met wie hij een afspraak had?"

"Dat staat allemaal in de processen-verbaal", zei Níels en hij knikte en glimlachte naar de plaats waar Elínborg in druk gesprek verwikkeld was met haar uitgever. Elínborg had een keer verteld dat hij Anton heette.

"Je weet dat niet altijd alles in de processen-verbaal terechtkomt."

"Die man is nooit bij die boer geweest", zei Níels, en Erlendur zag dat hij probeerde zich de details van de zaak te herinneren. De grote zaken bleven hen altijd bij, de moorden en de vermissingen, elke belangrijke arrestatie, elke ernstige mishandeling of verkrachting.

"Kon de Falcon jullie niet vertellen of hij wel of niet bij die boer was geweest?"

"We hebben niets in de auto aangetroffen wat erop wees dat hij naar die boerderij is gereden."

"Hebben jullie sporen onderzocht?"

"Ik dacht van wel, maar we waren natuurlijk nog niet zo ver als nu in die dingen. We hebben dat zo goed als we toen konden onderzocht."

"Hebben jullie de bodem van de auto onderzocht? Onder de pedalen?"

"Dat staat in het proces-verbaal."

"Ik heb dat niet gezien. Jullie hadden kunnen zien of hij de boer heeft bezocht. Er waren grondresten aan zijn zolen blijven hangen."

"Het was een simpele zaak, Erlendur. Niemand wilde er iets groots van maken. De man liet zichzelf verdwijnen. Misschien sloeg hij de hand aan zichzelf. We hebben nooit een lijk gevonden. Dat weet je. Ook als we iets onder de pedalen hadden gevonden, hoefde dat nog niets te betekenen. Hij reisde veel door het land. Verkocht landbouwmachines."

"Wat zeiden ze op zijn werk?"

Níels dacht na.

"Het is langgeleden, Erlendur."

"Probeer het je te herinneren."

"Hij was niet in vaste dienst, weet ik nog, wat zeldzaam was in die dagen. Hij werkte voor een percentage en werd betaald per machine."

"Wat betekent dat hij zelf bepaalde hoeveel hij verdiende."

"Precies zoals ik het zeg, er kwam in de administratie nergens iemand voor onder de naam Leopold. Nergens."

"Jij denkt dus dat hij toen hij in Reykjavík was, die vrouw gebruikt heeft en daarna naar het platteland is vertrokken?"

"Misschien had hij daar wel een gezin", zei Níels. "Zulke kerels bestaan."

Erlendur nam een slok van zijn witte wijn en keek naar de volmaakt geknoopte stropdas op het witte overhemd van Níels. Hij was geen goede rechercheur. In zijn ogen waren alle zaken simpel.

"Je had haar de waarheid moeten vertellen."

"Kan zijn, maar nu heeft ze goede herinneringen aan die man. We moeten niet vergeten dat het niet om een misdaad ging. Een vermissing werd nooit onderzocht als een moordzaak en er zijn geen aanwijzingen geweest die een dergelijk onderzoek rechtvaardigden."

Ze zwegen. Het geroezemoes was aangezwollen tot een voortdurend lawaai.

"Jij zit nog steeds in die vermissingszaken", zei Níels. "Hoe komt dat toch? Waarom blijf je maar zoeken?"

"Dat weet ik niet", zei Erlendur.

"Het was een gewone vermissing", zei Níels. "Er was wel iets meer voor nodig om er een moordzaak van te maken, maar er waren geen aanwijzingen die daartoe aanleiding gaven."

"Nee, waarschijnlijk niet."

"Word je er nooit moe van?" vroeg Níels.

"Soms."

"En je dochter, zit ze nog steeds in dezelfde rotzooi?" vroeg Níels, met zijn vier afgestudeerde kinderen die allemaal voorbeeldige gezinnen hadden gesticht en gelukkige, vlekkeloze levens leidden, net als hij.

Erlendur wist dat zijn collega's wisten van de arrestatie van Eva Lind en hoe ze Sigurður Óli had aangevallen. Ze kwam soms met de politie in aanraking en kreeg geen voorkeursbehandeling omdat ze zijn dochter was. Níels had duidelijk iets gehoord over Eva. Erlendur keek naar hem, zijn stijlvolle kle-

ding en zijn gemanicuurde nagels, en vroeg zich af of levensgeluk mensen onverdraaglijk saai maakte.

"Ja", zei hij, "nog steeds dezelfde shit."

12

Toen Erlendur die avond thuiskwam, was er geen Sindri om hem te ontvangen. Tegen middernacht, toen Erlendur aanstalten maakte om naar bed te gaan, was hij er nog altijd niet. Hij had ook geen briefje achtergelaten of een telefoonnummer waarop hij hem kon bellen. Erlendur miste zijn gezelschap. Hij belde Inlichtingen, maar het nummer van Sindri's mobiel was geheim.

Hij was bijna in slaap gevallen toen de telefoon ging. Het was Eva Lind.

"Je weet toch dat ze de mensen hierbinnen platspuiten?" zei ze met onvaste stem.

"Ik sliep", loog Erlendur.

"Ze houden je eronder met pillen", zei Eva. "Ik ben nog nooit van mijn leven zo stoned geweest. Wat ben je aan het doen?"

"Ik probeer te slapen", zei Erlendur. "Is er iets gebeurd?"

"Sindri kwam vandaag", zei Eva zonder te antwoorden. "Hij zei dat jullie hebben gepraat."

"Weet je waar hij is?"

"Is hij niet bij jou?"

"Ik denk dat hij vertrokken is", zei Erlendur. "Misschien is hij bij jullie moeder. Mogen jullie zomaar bellen in die inrichting?"

"Ook leuk om iets van jou te horen", zei Eva cynisch. "En er is verdomme niets gebeurd." Ze gooide de hoorn op de haak.

Erlendur lag op zijn rug en staarde in het duister. Hij dacht aan zijn twee kinderen, Eva Lind en Sindri Snær, en hun moeder die hem haatte. Hij dacht aan zijn broer, die hij al die jaren had gezocht en nooit gevonden. Ergens lagen zijn botten. Misschien in een diepe kloof, misschien hoog in de bergen, maar daar was hij eerder verdwaald geraakt. Toch was hij hoog de bergen in gegaan en had hij geprobeerd te beredeneren hoe een achtjarige jongen in een sneeuwstorm zich zou gedragen.

Word je er nooit moe van?

Moe van die eeuwige zoektocht.

Hermann Albertsson begroette hem de dag erna kort voor de middag in de deuropening. Hij was een lange man van rond de zestig jaar, met snelle bewegingen, gekleed in een tot op de draad versleten broek en een rood geruit, katoenen overhemd en hij had een brede glimlach, waar hij niet zuinig mee was. Uit de keuken kwam de geur van gekookte schelvis. Hij woonde alleen en had dat ook altijd gedaan, vertelde hij Erlendur ongevraagd. Er hing een smeerolielucht om hem heen.

"Wil je ook wat vis?" zei hij toen Erlendur hem de keuken in was gevolgd.

Erlendur bedankte vastberaden, maar Hermann luisterde niet naar hem en zette een bord voor hem op tafel. Voordat hij het wist, zat hij met een man aan tafel die hij helemaal niet kende en at tot pulp gekookte schelvis en aardappels met boter. Ze aten allebei het vel van de vis en de dikke schillen van de aardappels en Erlendur dacht even aan Elínborg en haar kookboek. Toen ze bezig was met haar boek, had ze op hem een gloednieuw recept uitgeprobeerd van rog met limoensaus die geel was van het halve pond boter dat erin was verwerkt. Het kostte Elínborg een hele dag om de visbouillon te trekken. Er waren maar vier stukken vis over op de bodem, de kracht van het visgerecht; ze was de hele nacht opgebleven om het schuim van de bouillon te scheppen. De saus is alles, waren gevleugelde woorden van Elínborg. Erlendur lachte bij zichzelf. Hij vond de schelvis van die Hermann heerlijk.

"Ik heb die Falcon opgeknapt", zei Hermann en hij nam een grote hap aardappels. Hij was monteur en in zijn vrije tijd knapte hij oude auto's op en probeerde ze te verkopen. Hij vertelde Erlendur dat dat steeds moeilijker werd. Niemand had meer interesse in oude auto's, alleen in nieuwe terreinauto's en die kregen nooit moeilijker terrein onder hun wielen dan het kruispunt op Miklubraut.

"Heb je hem nog?" vroeg Erlendur.

"Heb hem in 1987 verkocht", zei Hermann. "Ik heb nu een Chrysler uit 1979, een halve limousine. Ik lig er nu al zo'n zes jaar onder."

"Kreeg je er nog wat voor?"

"Niks", zei Hermann en hij bood hem een kop koffie aan. "Ik wilde hem eigenlijk niet verkopen."

"Heb je die Falcon nooit laten registreren toen hij van jou was?"

"Nee", zei Hermann. "Hij heeft nooit op mijn naam gestaan. Ik heb er een paar jaar mee geklooid; ik had daar plezier in. Reed er hier mee door de buurt en als ik ermee naar Þingvellir wilde rijden of zo, haalde ik het kenteken van mijn auto en bevestigde het erop. Ik vond het niet nodig er belasting voor te betalen."

"We hebben hem nergens in de archieven kunnen vinden", zei Erlendur, "dus de nieuwe eigenaar heeft hem ook niet laten registreren."

Hermann schonk koffie in twee mokken.

"Dat hoeft ook helemaal niet. Misschien heeft hij hem weg-gedaan."

"Zeg eens. De wieldoppen van die Falcon, waren die heel bij-zonder of een verzamelobject?"

Erlendur had Elínborg gevraagd eens op internet te zoeken en op de site ford.com vonden ze een heleboel foto's van oude Ford Falcons. Een ervan was zwart en toen Elínborg de foto uitprintte, vielen de wieldoppen nogal op.

"Ze waren erg mooi", zei Hermann dromerig, "zoals alle wiel-doppen op Amerikaanse auto's."

"Er ontbrak een wieldop", zei Erlendur. "Destijds."

"Wat?"

"Heb je een nieuwe wieldop gekocht toen jij hem had?"

"Nee, een van de eerdere eigenaars had lang geleden een

95

nieuwe set gekocht. De originele wieldoppen zaten er niet meer op toen ik hem kreeg."

"Was het een opvallende auto, die Falcon?"

"Het opvallende eraan was dat hij niet groot was", zei Hermann. "Het was niet zo'n Amerikaanse draak of slee zoals ze die reusachtige Amerikaanse gezinsauto's noemen. Net als mijn Chevrolet. De Falcon was klein en mooi, en trok goed op. Helemaal geen luxeauto. Verre van."

De tegenwoordige eigenaar van de Falcon bleek een weduwe te zijn, iets ouder dan Erlendur. Ze woonde in Kópavogur. Haar man, een aannemer met een passie voor auto's, was een paar jaar geleden gestorven aan een hartaanval.

"Hij was in goede staat", zei ze en ze opende de garage voor Erlendur, die niet precies begreep of ze het over de auto had of over haar man. Een zwaar tentzeil lag over de auto en Erlendur vroeg of hij het eraf mocht halen. De vrouw knikte.

"Mijn man was gek op die auto", zei ze afwezig. "Hij was hier altijd bezig. Kocht peperdure onderdelen. Ging de halve wereld over om ze te achterhalen."

"Reed hij nog wel eens in die auto?" vroeg Erlendur en hij probeerde een knoop van het zeil los te maken.

"Alleen hier rond het huis", zei de vrouw. "De auto ziet er goed uit, maar mijn jongens hebben er geen belangstelling voor en het is ze niet gelukt hem te verkopen. Het lijkt wel of niemand meer oog heeft voor zulke oude auto's. Mijn man was van plan hem te laten registreren toen hij stierf. Hij stierf in zijn werkplaats. Hij werkte alleen en toen hij 's avonds niet thuiskwam en de telefoon niet opnam, stuurde ik mijn zoon naar hem toe en hij vond hem liggend op de grond."

"Dat moet moeilijk zijn geweest", zei Erlendur.

"Er komen hartkwalen voor in zijn familie", zei de vrouw. "Zijn moeder stierf net zo en een neef van hem ook."

Ze keek toe hoe Erlendur met het zeil worstelde. Het was niet aan haar te merken dat ze haar man erg miste. Misschien was ze al over haar verdriet heen en probeerde ze opnieuw te beginnen.

"Wat is er eigenlijk met die auto?" vroeg ze.

Ze had daar ook al naar gevraagd toen Erlendur haar door de telefoon sprak en hij had niet geweten hoe hij moest zeggen dat hij belangstelling voor de auto had zonder los te laten waarom. Hij wilde niet in details treden. Wilde die voorlopig nog voor zich houden. Hij wist zelf nauwelijks waarom hij achter die auto aanzat of hoe hij van pas zou kunnen komen.

"Hij kwam een keer naar voren in een politieonderzoek", zei Erlendur aarzelend. "Ik wilde gewoon weten of hij nog bestond."

"Was het een beroemde zaak?" vroeg ze.

"Nee, helemaal niet. Helemaal geen beroemde zaak", zei Erlendur.

"Wil je hem kopen of ..." vroeg de vrouw.

"Nee", zei Erlendur. "Ik wil hem niet kopen. Ik ben niet zo geïnteresseerd in oude auto's."

"Zoals ik al zei, hij verkeert in uitstekende staat. Valdi, mijn man, zei dat het grootste probleem het chassis was. Het was verroest en hij probeerde het te repareren. Verder was alles in orde. Valdi heeft de motor helemaal uit elkaar gehaald en elk onderdeel schoongekrabd en nieuwe gekocht als dat niet meer lukte."

Ze zweeg.

"Hij stopte veel geld in die auto", zei ze toen. "Kocht nooit iets voor mij. Maar zo zijn die mannen."

Erlendur trok aan het zeil, dat van de auto gleed en op de grond viel. Hij keek even zwijgend naar de glanzende lijnen van de Ford Falcon die ooit het bezit was geweest van een man die voor het busstation was verdwenen. Hij knielde bij een van de voorwielen en zag de wieldop voor zich die ontbrak toen hij werd gevonden. Hij vroeg zich af waar deze gebleven zou kunnen zijn.

Zijn mobiel ging over in zijn zak. Het was de Technische Recherche met informatie over het Russische apparaat in het Kleifarvatn. De chef van de afdeling vertelde hem zonder omhaal van woorden dat het apparaat niet meer bruikbaar was geweest toen het te water raakte.

"Wat?" zei Erlendur.

"Ja", zei de chef. "Het apparaat was duidelijk al kapot voordat het in het water terechtkwam. De zandbodem daar is zacht en het binnenste van het apparaat is zo beschadigd dat dat niet alleen door het water kan zijn veroorzaakt. Het was al kapot voor het in het water werd gegooid."

"Wat zou dat kunnen betekenen?" vroeg Erlendur.

"Geen idee", zei de chef van de Technische Recherche.

13

Het echtpaar liep over de stoep, de man voorop en de vrouw erachter. Het was een mooie voorjaarsavond. Zonnestralen vielen op het zeeoppervlak en in de verte hingen dreigende regenwolken. Het echtpaar leek niet op te merken hoe mooi de avond was. Ze namen grote passen en de man leek nogal opgewonden. Hij praatte aan één stuk door. De vrouw liep zwijgend achter hem aan en probeerde hem bij te houden.

Hij keek door het raam naar hen, zag de avondzon en dacht terug aan de tijd toen hij jong was en de wereld zo oneindig gecompliceerd en moeilijk begon te worden.

Toen de ellende begon.

Hij sloot zijn eerste winter aan de universiteit succesvol af en voer voor de zomer naar huis. In de zomermaanden werkte hij voor het partijorgaan en schreef artikelen over de wederopbouw in Leipzig. Hij sprak op bijeenkomsten over zijn studieverblijf daar en over historische en culturele banden tussen IJsland en de stad. Hij ontmoette partijleiders. Ze hadden grote plannen met hem. Hij verheugde zich erop om weer te vertrekken. Hij vond dat hij een taak had, misschien wel een grotere dan andere mensen. Men zei dat de toekomst voor hem openlag.

In de herfst voer hij weer naar Leipzig en zijn tweede kerstfeest in het studentenhuis stond voor de deur. De IJslanders keken ernaar uit omdat sommigen van hen voedselpakketten van thuis kregen, traditionele IJslandse kerstlekkernijen, zoals gerookt vlees, stokvis en gezouten vis, en soms nog cadeautjes, zelfs boeken. Karl had zijn pakket al ontvangen en de geur van gerookt vlees hing door het hele huis toen hij de lamsbout uit Húnavatnssýslu, waar zijn oom boer was, begon te koken. In de kast stond ook een fles IJslandse *brennivín*, waar Emil af en toe een slokje uit nam.

Alleen Rut kon het zich veroorloven om met de feestdagen terug naar IJsland te gaan. Zij was ook de enige van hen die werkelijk heimwee had gekregen toen ze na de zomervakantie was teruggekomen, en toen ze in de kerstvakantie naar huis was vertrokken, had ze het erover dat ze misschien wel helemaal niet meer terug zou komen. Het was stiller geworden in de oude villa omdat de meeste Duitse studenten die er woonden naar huis waren gegaan; enkelen van degenen uit de naburige landen hadden een pas gekregen waarmee ze goedkoop met de trein konden reizen.

Het was daarom geen grote groep die rond de lamsbout in de keuken ging zitten met de fles *brennivín* die Emil midden op de tafel had gezet, een ereplaats volgens hem. Twee Zweden uit het studentenhuis hadden aardappels meegebracht en een paar anderen rodekool en het was Karl op de een of andere manier gelukt een heel behoorlijk maal te bereiden van het vlees. Lothar Weiser, de mentor die vooral met de IJslanders optrok, keek om de hoek en werd gevraagd mee te eten. Ze konden het goed met hem vinden. Hij praatte graag en je kon met hem lachen. Hij leek veel interesse in politiek te hebben. Soms probeerde hij erachter te komen hoe ze aankeken tegen de universiteit, Leipzig, de Duitse Democratische Republiek, secretaris-generaal Walter Ulbricht en zijn planeconomie. Hij wilde weten of ze Ulbricht te veel naar de Sovjet-Unie vonden overhellen en vroeg hen uit over de gebeurtenissen in Hongarije, waar de Amerikaanse overheid met radio-uitzendingen en allerlei anticommunistische propaganda probeerde de vriendschappelijke betrekkingen van de Sovjet-Unie en Hongarije te verstoren. Hij vond dat vooral jonge mensen ontvankelijk waren voor de propaganda en blind voor de werkelijke bedoelingen van de westerse grootmacht.

"Kunnen we niet gewoon een beetje lol maken?" zei Karl toen Lothar over Ulbricht begon te praten, en hij sloeg een glas achterover. Hij trok een vies gezicht en mopperde dat hij nooit van *brennivín* gehouden had.

"*Ja ja, natürlich*", zei Lothar en hij lachte. "Genoeg politiek."

Hij sprak IJslands en zei dat hij dat in Duitsland geleerd had. Ze dachten dat hij wel een talenwonder moest zijn, omdat hij nooit in IJsland was geweest en zijn IJslands bijna net zo goed was als dat van hen. Ze vroegen hem hoe hij de taal zo goed onder de knie had gekregen en hij zei dat hij naar opnames had geluisterd, onder andere op de radio. Er waren twee brieven bij de post voor Karl met nieuws over de belangrijkste gebeurtenissen in IJsland in de herfstmaanden en krantenknipsels. Ze bespraken het nieuws van thuis en iemand merkte op dat Hannes er weer eens niet bij was.

"Ja, Hannes", zei Lothar en hij snoof sarcastisch.

"Ik heb hem wel uitgenodigd", zei Emil en hij schonk nog eens in.

"Waarom is hij toch zo saai?" vroeg Hrafnhildur.

"Ja, saai", zei Lothar.

"Ik vind het gek", zei Emil. "Hij komt niet naar bijeenkomsten van de FDJ en niet naar lezingen bij hen. Ik heb hem nog nooit bij het vrijwilligerswerk gezien. Voelt hij zich te goed om in de ruïnes te werken? Zijn wij misschien minder belangrijk dan hij? Vindt hij zichzelf beter dan ons? Tómas, jij hebt met hem gesproken."

"Volgens mij wil Hannes gewoon zijn studie afmaken", zei hij en hij haalde zijn schouders op. "Hij heeft alleen nog maar dit semester."

"Er werd altijd over hem gesproken als een soort ster binnen de partij", zei Karl. "Je hoorde ze altijd over Hannes de grote leider. Hier is hij niet zo opvallend. Ik denk dat ik hem van de winter maar twee keer heb gezien en hij heeft nauwelijks een woord tegen me gesproken."

"Ja, je ziet hem nauwelijks", zei Lothar. "Hij is wat zwaar op de hand", zei hij toen. Hij schudde zijn hoofd, nam een slok *brennivín* en trok een vies gezicht.

Ze hoorden de buitendeur beneden opengaan, gevolgd door snelle voetstappen op de trap, waarna twee mannen en een vrouw opdoken uit het duister aan het eind van de gang. Het waren studenten die Karl vaag kende.

"We hoorden dat jullie een IJslands kerstfeest vierden", zei de vrouw toen ze in de keukendeur stonden en de feesttafel zagen. Er was nog genoeg van de lamsbout over en ze maakten plaats voor hen aan tafel. Een van de mannen haalde onder veel gejoel twee flessen wodka tevoorschijn. Ze stelden zich voor: de twee mannen kwamen uit Tsjecho-Slowakije en de vrouw was Hongaarse.

Ze ging naast hem zitten en het was alsof alle kracht uit hem wegtrok. Hij probeerde haar niet aan te staren toen ze uit de donkere gang was gekomen, maar toen hij haar voor het eerst zag, werd hij bevangen door gevoelens waarvan hij niet wist dat hij ze had, en hij had er zijn handen vol aan om ze te begrijpen. Er gebeurde iets wonderlijks en angstaanjagends, hij voelde opeens een grote blijdschap en een groot geluk, maar ook verlegenheid. Geen vrouw had ooit zo'n uitwerking op hem gehad.

"Kom jij ook uit IJsland?" vroeg ze in een prettig soort Duits aan hem.

"Ja, ik kom uit IJsland", stamelde hij in het Duits, dat hij heel goed sprak. Hij wendde zijn blik snel af toen hij merkte dat hij de hele tijd naar haar had gestaard, vanaf het moment dat ze naast hem was komen zitten.

"Wat is dat voor griezeligs?" vroeg ze en ze wees naar de resten van de schaapskop die nog op de tafel lagen.

"Een schaapskop die in stukken is gezaagd en boven het vuur is geroosterd", zei hij en hij zag dat ze een vies gezicht trok.

"Wie doet zoiets nou?" vroeg ze.

"IJslanders", zei hij. "Maar het is best lekker, hoor", voegde hij er aarzelend aan toe. "De tong en de wang ..." Hij zweeg toen hij besefte dat dat niet zo smakelijk klonk.

"Enne, eten jullie ook de ogen en de lippen?" vroeg ze en ze verborg haar afkeer niet.

"De lippen? Ja, die ook. En de ogen."

"Jullie hadden vast heel weinig te eten dat jullie zover kwamen", zei ze.

"We waren een erg arm volk", zei hij en hij knikte.

"Ik heet Ilona", zei ze en ze gaf hem een hand. Ze begroetten elkaar en hij zei dat hij Tómas heette.

Een van de mannen die met haar was binnengekomen, riep haar. Hij had een bord volgeschept met *hangikjöt* en aardappels en zijn metgezel ook en hij wenkte haar dat ze ook moest nemen, het was heel lekker. Ze stond op, pakte een bord en sneed een stukje van het vlees.

"We krijgen nooit genoeg van vlees", zei ze en ze ging weer naast hem zitten.

"Zo is het", zei hij om maar iets te zeggen.

"Hmm, dat is heel lekker", zei ze met haar mond vol *hangikjöt*.

"Beter dan een schapenoog", zei hij.

Ze hadden tot vroeg in de ochtend plezier met elkaar. Steeds meer studenten hoorden van de bijeenkomst en het huis werd voller en voller. De oude grammofoon werd tevoorschijn gehaald en iemand kwam met Sinatra. Toen het al diep in de nacht was, wisselden de vertegenwoordigers van de verschillende volken elkaar af in het zingen van patriottische liederen. Het begon ermee dat Karl en Emil een gedragen lied van Jónas Hallgrímsson zongen, beiden zwaar onder invloed van de goede gaven van thuis. Toen namen de Hongaren het over, de Tsjechen, de Zweden en ten slotte de Duitsers en de student uit Senegal, die opwindende Afrikaanse liederen ten gehore bracht. Hrafnhildur wilde weten wat het mooiste gedicht was in ieders moedertaal en het werd nog een heel gedoe voor men het eens was en een vertegenwoordiger van elke nationaliteit opstond en het mooiste wat er geschreven was in zijn moedertaal voordroeg. Onder de IJslanders was men het snel eens. Hrafnhildur stond op en droeg het gedicht voor. Het mooiste wat ooit in de IJslandse taal geschreven was, was van de hand van Jónas Hallgrímsson:

De liefdesster
boven de Hraundrangi

wordt door nachtelijke wolken versluierd;
ze lachte van de hemel
naar de jongen, verdrietig
diep in het donkere dal.

De voordracht was heel gevoelig en hoewel de meeste toehoorders geen IJslands verstonden, was het even doodstil in de groep, waarna een luid applaus losbarstte en Hrafnhildur een diepe buiging maakte.

Ilona en hij zaten nog steeds naast elkaar aan tafel in de keuken en ze keek hem met vragende ogen aan. Hij vertelde haar over de man in het gedicht die terugdacht aan een lange reis door de binnenlanden van IJsland met een jong meisje dat hij liefhad. Hij wist dat ze elkaar nooit konden krijgen en met die sombere gedachten in zijn hoofd keert hij alleen terug naar zijn dal, diepbedroefd, *hryggur*. Boven hem schitterde de liefdesster, die hem eerder de weg had gewezen, maar nu achter de wolken was verdwenen, en hij dacht eraan dat hoewel ze elkaar niet konden liefhebben, hun liefde toch eeuwig zou bestaan.

Ze keek naar hem terwijl hij sprak en of het nu kwam door het verhaal over de diepbedroefde jongen of hoe hij het vertelde of alleen door de IJslandse *brennivín*, ze kuste hem plotseling vol op de mond, zo zacht dat hij zich weer net een kleine jongen voelde.

Rut kwam niet meer terug na de kerstvakantie. Ze stuurde al haar vrienden in Leipzig een brief en in de brief aan hem noemde ze de woonomstandigheden en dit en dat en hij begreep dat ze er gewoon genoeg van had. Of misschien was de heimwee te groot. Ze praatten erover in de keuken van het studentenhuis. Karl zei dat hij haar miste en Emil knikte. Hrafnhildur vond haar een zielenpoot.

De volgende keer dat hij Hannes tegenkwam, vroeg hij hem waarom hij niet naar het studentenhuis had willen komen en bij hen had willen zijn. Het was na een ongewoon verlopen college statistiek dat Hannes ook bezocht. Zo'n twintig minuten nadat het begonnen was, gingen de deuren open en kwamen er drie studenten binnen die zeiden dat ze vertegenwoordigers van de FDJ waren en iets tegen hen wilden zeggen. Een van hen was een student die hij een paar maal in de bibliotheek had gezien. Hij dacht dat hij Duitse letterkunde studeerde. Hij keek naar de grond. Degene die de leiding had, zei dat hij de secretaris van de FDJ was en begon te vertellen over de solidariteit onder de studenten. Hij herinnerde hen aan het eerste doel van de studie: het onderwijzen van de marxistische leer aan de studenten, socialistische doelen bereiken, sociaal werk doen, wat de plicht was van jonge communisten, en een nieuwe generatie ontwikkelde mensen vormen die later ieder op hun gebied specialisten zouden zijn.

Hij wendde zich tot de student en zei over hem dat hij had toegegeven dat hij had geluisterd naar westerse radio-uitzendingen en beloofd had dat nooit meer te doen. De student keek op, deed een stap naar voren en bekende zijn misdaad; hij zei dat hij nooit meer naar westerse radio-uitzendingen zou luisteren. Zei dat ze waren geïnfiltreerd door de imperialisten en het winstbejag van het kapitalistische systeem en hij riep iedereen in het college op om voortaan alleen naar uitzendingen van de Oost-Europese radio te luisteren.

De secretaris bedankte hem en vroeg de klas om zijn raad op te volgen en te zweren dat niemand van hen naar de westerse radio zou luisteren. De klas herhaalde de eed en vervolgens richtte de secretaris zich tot de docent en verontschuldigde zich voor de verstoring van zijn les. Het groepje verliet het lokaal weer.

Hannes, die twee rijen voor hem zat, draaide zich naar hem om en keek hem aan. Op zijn gezicht was een uitdrukking van diep verdriet en woede te zien.

Toen het college was afgelopen, was Hannes voor hem het lokaal uitgelopen en hij rende achter hem aan, haalde hem in en vroeg hem nogal haastig of alles in orde was.

"In orde?" herhaalde Hannes. "Vond jij het in orde wat daar zojuist gebeurde? Zag je die arme kerel?"

"Wat daar zojuist gebeurde, nee, ik … toch, er moet natuurlijk … we moeten …"

"Laat me met rust", onderbrak Hannes hem. "Laat me gewoon met rust."

"Waarom kwam je niet naar het kerstfeest? Ze denken dat jij je te goed voor ons voelt", zei hij.

"Dat is kletspraat", zei Hannes en hij versnelde zijn pas alsof hij hem van zich af wilde schudden.

"Wat is er toch?" vroeg hij. "Waarom doe je zo? Wat is er gebeurd? Wat hebben we je misdaan?"

Hannes hield zijn pas in.

"Niks, jullie hebben me niks misdaan", zei hij. "Ik wil gewoon met rust gelaten worden. Ik rond in het voorjaar mijn studie af en dat is het. Niks anders. Dan ga ik naar huis en is het afgelopen. Deze hele vertoning. Zag je het niet? Zag je niet hoe ze met die jongen omgingen?! Is dat wat je thuis ook wilt?!"

En hij liep met grote passen weg.

"Tómas", hoorde hij achter zich roepen. Hij draaide zich om en zag Ilona naar hem zwaaien. Hij lachte naar haar. Ze hadden na college een afspraakje. Ze was de dag na het *hangikjöt*feest naar het studentenhuis gekomen en had naar hem gevraagd. Daarna hadden ze elkaar regelmatig gezien. Die dag maakten ze een lange wandeling door de stad en gingen voor de Thomaskirche zitten. Hij vertelde haar het verhaal over de twee bevriende IJslandse schrijvers die vroeger in de stad gewoond hadden en ook op de plaats hadden gezeten waar zij nu zaten. De ene stierf aan tuberculose. De ander werd een wereldberoemd schrijver.

"Je bent altijd zo somber als je over die IJslanders van jou vertelt", zei ze en ze glimlachte.

"Ik vind dat gewoon een heel mooi verhaal. Dat ze door dezelfde straten als ik zijn gelopen in deze stad. Twee IJslandse schrijvers."

Hij had daar bij de kerk gemerkt dat ze onrustig was, alsof ze zich ergens zorgen over maakte. Ze keek om zich heen en het leek of ze iemand zocht.

"Is er iets niet in orde?" vroeg hij.

"Het is die man ..."

Ze zweeg.

"Welke man?"

"Die man daar", zei Ilona. "Niet kijken, draai je hoofd niet om, ik zag hem gisteren ook al. Ik weet alleen niet meer waar."

"Wat is dat voor man? Ken je hem?"

"Ik heb hem nooit eerder gezien, maar nu zie ik hem twee keer binnen twee dagen."

"Zit hij op de universiteit?"

"Nee, ik geloof het niet. Hij is ouder."

"Wat wil je doen?"

"Niets", zei Ilona.

"Denk je dat hij je aan het volgen is?"

"Nee, het is niets. Kom."

Ilona woonde niet op het terrein van de universiteit, maar huurde een kamer in de stad en daar gingen ze heen. Hij probeerde te zien of de man bij de Thomaskirche hen volgde, maar hij zag hem nergens.

De kamer was in een kleine woning van een weduwe die bij een drukkerij werkte. Ilona vertelde dat ze ontzettend aardig was en dat ze zich door het hele huis vrij mocht bewegen. De vrouw had haar man en twee zonen verloren in de oorlog. Hij zag foto's van hen aan de muren. De zonen droegen het uniform van het Duitse leger.

In de kamer van Ilona lagen overal stapels boeken en Duitse en Hongaarse kranten en tijdschriften, op het bureau stond een versleten schrijfmachine en er was een bed. Ze liep de keuken in en hij bladerde in haar boeken en sloeg enkele toetsen aan op haar schrijfmachine. Aan de muur boven haar bed hingen foto's van mensen van wie hij dacht dat het familie was.

Ilona kwam binnen met twee koppen thee en schopte met haar voet tegen de deur zodat hij dichtviel. Ze zette de koppen voorzichtig op de tafel bij de schrijfmachine. De thee was duidelijk gloeiend heet.

"Hij is vast wel te drinken als we klaar zijn", zei ze, ze liep naar hem toe en kuste hem lang en innig. Hij werd erdoor verrast, maar omhelsde haar en kuste haar heftig tot ze achterover op bed vielen en zij begon hem zijn trui uit te trekken en zijn broek los te maken. Hij was nog vreselijk onervaren. Hij was wel eens eerder met een meisje naar bed geweest, de eerste keer na zijn eindexamen en nog een keer daarna toen er een nieuwjaarsfeest was van het partijorgaan, maar dat waren nogal onhandige aangelegenheden geweest. Hij was niet zo vaardig, maar hij kreeg de indruk dat zij dat wel was en hij liet haar maar al te graag haar gang gaan.

Ze had gelijk. Toen hij van haar afgleed op het bed en zij een diepe zucht slaakte, was de thee heel goed te drinken.

In de Auerbachkeller, twee dagen later, wilde ze over niets anders praten dan politiek en ze kregen voor het eerst ruzie. Zij begon over de Russische Revolutie en hoe die was uitgelopen op een dictatuur en dat een dictatuur altijd gevaarlijk was, in welke vorm dan ook.

Hij wilde geen ruzie met haar, maar hij vond dat ze ongelijk had.

"Het kwam door de industriële wederopbouw van Stalin dat de Duitse nazi's konden worden verslagen", zei hij.

"Hij sloot ook een verbond met Hitler", zei ze. "Dictatuur is gebouwd op angst en slavernij. Wij ondervinden dat nu in Hongarije. Wij zijn geen vrij volk. Ze hebben de communistische landen systematisch onder toezicht van de Sovjet-Unie geplaatst. Niemand heeft ons, het volk, gevraagd wat we eigenlijk wilden. Wij willen onszelf besturen, maar dat mogen we niet. Jonge mensen worden in de gevangenis gegooid. Sommigen verdwijnen. Er wordt gezegd dat mensen naar de Sovjet-Unie worden gestuurd. Jullie hebben een leger op jullie grondgebied. Hoe zou jij het vinden als dat met wapengeweld de macht in het land zou overnemen?"

Hij schudde zijn hoofd.

"Kijk nou eens naar de verkiezingen hier", zei ze. "Ze noemen het vrije verkiezingen, maar er is maar één partij. Wat is daar vrij aan? Als je een andere mening hebt, kom je in de gevangenis terecht. Wat is dat? Is dat socialisme? Waar moet het volk anders voor kiezen bij deze vrije verkiezingen? Wie herinnert zich niet de opstand twee jaar terug die de Sovjet-Unie neersloeg? Er werd toen op de mensen in de straten geschoten. Op mensen die veranderingen wilden!"

"Ilona."

"En zich verzetten tegen de controle", zei Ilona, die nu pas goed boos werd. "Ze zeggen dat die bedoeld is om ons te helpen. We moeten onze vrienden en familie bespioneren en aangifte doen van antisocialistische ideeën. Als jij weet dat iemand in jouw jaar naar westerse radiostations luistert, moet je dat melden en wordt hij van lokaal naar lokaal gestuurd om zijn misdaad te bekennen. Kinderen worden opgehitst om hun ouders aan te geven."

"De partij heeft tijd nodig om zich aan te passen", zei hij.

Toen de eerste nieuwigheid van het verblijf in Leipzig eraf was en de werkelijkheid zich begon af te tekenen, hadden de IJslanders de toestand besproken. Het kwam erop neer dat er een bepaalde conclusie was bereikt over de controlemaatschappij, ofwel de 'controle van het verzet', die luidde dat elke burger de ander in de gaten hield en aangifte deed van antisocialistische ideeën of gedrag. Ook de dictatuur van de communistische partij, het verbod op vrijheid van meningsuiting en de verplichte ontmoetingen op vergaderingen en in de wandelgangen kwamen aan bod. Hij vond dat de partij geen geheim moest maken van de methoden die ze toepaste, maar moest toegeven dat er in deze fase nu eenmaal bepaalde maatregelen nodig waren om het doel te bereiken en een socialistische staat te realiseren. Ze waren te verdedigen als ze tenminste tijdelijk waren. Naarmate de tijd vorderde, zouden dergelijke maatregelen niet meer nodig zijn. Het volk zou inzien dat het socialisme het systeem was dat het beste voor hen was.

"Het volk is bang", zei Ilona.

Hij schudde zijn hoofd en ze maakten ruzie. Hij had niet veel gehoord over wat er gaande was in Hongarije en het stak haar dat hij haar woorden in twijfel trok. Hij probeerde de argumenten van de bijeenkomsten in Reykjavík op haar af te vuren, van de partijleiding en de jongerenbeweging en uit de geschriften van Marx en Engels, maar niets deugde. Ze keek alleen maar naar hem en herhaalde steeds dezelfde woorden: "Je mag je ogen daar niet voor sluiten."

"Jullie laten je door de propaganda van de westerse grootmachten opzetten tegen de Sovjet-Unie", zei hij. "Zij willen de eenheid van de communistische landen breken, omdat ze er bang voor zijn."

"Dat is niet waar", zei ze.

Ze zwegen. Hun bierglazen waren leeg. Hij was boos op haar. Hij had nog nooit iemand zo hard over de Sovjet-Unie en de Oost-Europese landen horen oordelen, behalve in de conservatieve pers thuis. Hij wist van de sterke propagandamachine van de westerse machten – die werkte thuis uitstekend – en hij zag in dat mede daarom de vrijheid van meningsuiting in de Oost-Europese landen moest worden beperkt. Hij vond dat begrijpelijk in een periode waarin de socialistische staat werd opgebouwd na de Tweede Wereldoorlog. Hij had dat nooit als een onderdrukking van de vrije meningsuiting opgevat.

"We moeten geen ruziemaken", zei ze.

"Nee", zei hij en hij legde geld op tafel. "We moesten maar eens gaan."

Onderweg naar buiten stootte Ilona hem licht aan en hij keek naar haar. Ze probeerde hem met haar ogen iets duidelijk te maken en ze knikte met haar hoofd in de richting van de bar.

"Daar is hij", zei ze.

Hij keek in de richting die ze aangaf en zag de man van wie Ilona zei dat hij haar achtervolgde. Hij had zijn jas nog aan, nam een slok bier en deed alsof ze niet bestonden. Het was dezelfde man als die voor de Thomaskirche.

"Ik moet eens met die man praten", zei hij.

"Nee", zei Ilona. "Nee. Laten we gaan."

Een paar dagen later zag hij Hannes zitten aan zijn tafel in de bibliotheek en hij ging naast hem zitten. Hannes keek niet op en schreef onverstoorbaar door in zijn blocnote.

"Gaat ze de strijd met je aan?" vroeg Hannes en hij schreef iets in zijn boek.

"Wie?"

"Ilona."

"Ken je Ilona?"

"Ik weet wie ze is", zei Hannes en hij keek op. Hij had een dikke sjaal om en handschoenen aan.

"Weet je over ons?" vroeg hij.

"Niets blijft geheim", zei Hannes. "Ilona komt uit Hongarije en dus is ze niet zo naïef als wij."

"Naïef als wij?"

"Vergeet het", zei Hannes en hij boog zich weer over zijn boek.

Tómas rekte zich uit over de tafel en trok het boek naar zich toe. Hannes keek verwonderd op en probeerde het boek terug te trekken, maar kon er niet bij.

"Wat is er aan de hand?" vroeg hij. "Waarom praat je zo?"

Hannes keek naar het boek in Tómas' uitgestrekte hand en toen weer naar hem.

"Ik wil me niet bemoeien met wat er hier aan de hand is, ik wil gewoon naar huis en dit allemaal vergeten", zei hij. "Dit is zo'n nonsens. Ik was nog maar net zo kort als jij hier toen ik er al genoeg van kreeg."

"Maar je bent hier nog steeds."

"Het is een goede universiteit. En het duurde even voor ik alle leugens doorhad en me eraan kon onttrekken."

"Wat zie je dat ik niet zie?" vroeg hij en hij wachtte het antwoord niet af. "Wat heb jij doorzien? Wat gaat er hier langs me heen?"

Hannes keek hem aan, keek de bibliotheek rond, naar het boek dat Tómas nog steeds vasthield en keek hem toen weer recht in zijn gezicht aan.

"Ga gewoon zo verder", zei hij. "Behoud je overtuiging. Verlaat het spoor niet. Geloof me, je hebt er niets aan. Als je dat goed afgaat, is alles oké. Zoek niet verder. Je weet niet wat je wel eens zou kunnen vinden."

Hannes stak zijn hand uit naar het boek.

"Geloof me", zei hij. "Vergeet het."

Hij gaf hem het boek.

"En Ilona?" zei hij.

"Vergeet haar ook", zei Hannes.

"Wat bedoel je?"

"Niks."

"Waarom praat je zo?"

"Laat me met rust", zei Hannes. "Laat me gewoon met rust."

Drie dagen later was hij in het bos buiten de stad. Emil en hij hadden zich ingeschreven bij het Gesellschaft für Sport und Technik. Dat was een algemene sportvereniging die paardrijden en autoraces aanbood, naast allerlei andere sporten. De studenten werd gevraagd verenigingswerk te doen, net als het vrijwilligerswerk dat de FDJ oplegde. Dat bestond uit een week lang snoeiwerk in de herfst, een dag per halfjaar of in de vakanties ruïnes ruimen, industriearbeid, bruinkoolwinning en dergelijke. Het stond eenieder vrij om zich te drukken, maar wie niet meedeed aan het vrijwilligerswerk, hing wel een straf boven het hoofd.

Hij dacht over het systeem na toen hij met Emil en andere studievrienden de stad uitreed het bos in; voor hen lag een week die voor het grootste deel uit exercities zou bestaan, zoals was gebleken.

Zo was het leven in Leipzig. Weinig was precies wat het leek. De buitenlandse studenten werden goed in de gaten gehouden, en pasten er wel voor op om iets in het openbaar te zeggen wat hun gastheren zou kunnen kwetsen. Ze moesten verplicht lid worden van socialistische verenigingen en vrijwilligerswerk was alleen in naam vrijwilligerswerk.

Ze wenden geleidelijk aan al die dingen en noemden het waanzin. Tómas geloofde dat het om een tijdelijke situatie ging. Anderen waren minder optimistisch. Hij had gelachen toen hij ontdekte dat de technische sportvereniging niets anders was dan een verkapt legeronderdeel. Emil daarentegen nam alles heel serieus op en nam het woord 'waanzin' nooit in de mond. Hij vond Leipzig helemaal niet zo grappig. Ze lagen die eerste avond in hun tent met hun medestudenten. Emil had de hele avond gesproken over het grote enthousiasme voor een socialistische staat in IJsland.

"Al die ongelijkheid in zo'n klein land waar iedereen zo gemakkelijk gelijk zou kunnen zijn", zei hij. "Ik wil dat veranderen."

"Zou je een socialistische staat willen zoals hier?"

"Waarom niet?"

"Met alles erop en eraan? De controle? De paranoia? De beperkte vrijheid van meningsuiting? De waanzin?"

"Is ze je al aan het bewerken?"

"Wie?"

"Ilona?"

"Wat bedoel je, me bewerken?"

"Niks."

"Ken je Ilona dan?"

"Helemaal niet", zei Emil.

"Je loopt zelf achter de meiden aan. Hrafnhildur vertelde me over iemand in het Rode Klooster."

"Dat is niks."

"Nee, natuurlijk niet."

"Je kunt me misschien beter eens wat over die Ilona vertellen", zei Emil.

"Ze is niet zo goedgelovig als wij. Ze heeft dingen aan te merken op dit systeem en die wil ze verbeteren. Het gaat hier over dezelfde dingen als in Hongarije, maar daar doen de jonge mensen er iets aan. Ze vechten tegen de waanzin."

"Vechten tegen de waanzin!" riep Emil uit. "Wat een onzin! Kijk eens hoe de mensen bij ons thuis wonen. Ze lijden kou in een Amerikaanse legerbasis. Hun kinderen hebben honger. Ze kunnen ze niet eens fatsoenlijk aankleden. En ondertussen wordt een moddervette elite rijker en rijker. Is dat geen waanzin? Wat geeft het nou of er controle nodig is en dat de meningsuiting tijdelijk beperkt is? Dat is nodig om het onrecht uit te roeien. Dat kost offers. En wat geeft dat?"

Ze zwegen. Er was een stilte neergedaald over de tenten en het was pikdonker geworden.

"Ik zal alles doen voor een IJslandse revolutie", zei Emil. "Alles om het onrecht uit te roeien."

Hij stond bij het raam en keek naar de zonnestralen en de regenboog in de verte en glimlachte toen hij terugdacht aan de sportvereniging. Hij zag een vrolijk lachende Ilona voor zich bij het *hangikjöt*-feest en dacht aan de zachte kus die hij nog altijd op zijn lippen voelde, de liefdesster en de diepbedroefde jongen in het dal.

14

De medewerkers van het ministerie van Buitenlandse Zaken waren allemaal bereid de politie ter wille te zijn. Sigurður Óli en Elínborg hadden een afspraak met de secretaris, een vriendelijke man van dezelfde leeftijd als Sigurður Óli. Ze kenden elkaar nog van hun studiejaren in de Verenigde Staten en haalden herinneringen op uit die tijd. De secretaris zei dat de boodschap van de politie niet helemaal duidelijk was overgekomen en dat hij graag zou willen weten waarom ze inlichtingen wilden hebben over voormalige medewerkers van de buitenlandse ambassades in Reykjavík. Ze zwegen als het graf. "Gewoon een onderzoek als elk ander", zei Elínborg en ze glimlachte.

"En we hebben het niet over alle buitenlandse ambassades", zei Sigurður Óli en hij glimlachte ook. "Alleen de ambassades van de voormalige Oostbloklanden."

De secretaris keek hen om beurten aan.

"Bedoelen jullie de oude communistische staten?" vroeg hij en het was duidelijk dat zijn nieuwsgierigheid er niet minder op werd. "Waarom alleen die? Wat is daarmee aan de hand?"

"Gewoon een onderzoek als elk ander", herhaalde Elínborg.

Ze was vrolijker dan ze meestal was. De presentatie van haar boek was een succes geweest en ze was nog helemaal in de wolken over de recensies die in de grootste kranten waren verschenen; er werd vol lof over het boek, de recepten en de foto's geschreven en de hoop werd uitgesproken dat dit niet het laatste zou zijn wat we van Elínborg, de rechercheur en fijnproever, zouden horen.

"De communistische staten", zei de secretaris nadenkend. "Wat hebben jullie daar in dat meer gevonden?"

"We weten niet of het met de ambassades te maken heeft", zei Sigurður Óli.

'Misschien is 't het beste als jullie met me meelopen", zei de secretaris en hij stond op. "We moeten dit even opnemen met de secretaris-generaal, als hij aanwezig is."

De secretaris-generaal nodigde hen uit in zijn kantoor en luisterde naar hun verzoek. Hij probeerde erachter te komen waarom ze die bijzondere inlichtingen nodig hadden, maar ze lieten niets los.

"Hebben we archieven over deze medewerkers?" vroeg de secretaris-generaal. Hij was een bijzonder lange en magere man met een zorgelijke uitdrukking op zijn gezicht en grote kringen onder zijn vermoeide ogen.

"Jazeker", zei de secretaris. "Het zal enige tijd kosten om die gegevens te verzamelen, maar dat is geen punt."

"Dan zullen we dat doen", zei de secretaris-generaal.

"Werd er tijdens de Koude Oorlog hier op IJsland op een ministerie gespioneerd?" vroeg Sigurður Óli.

"Denken jullie dat het een spion is die daar in het water ligt?" vroeg de secretaris-generaal.

"We kunnen geen mededelingen doen over het onderzoek, maar er zijn aanwijzingen dat het geraamte al vóór 1970 in het water lag", zei Elínborg.

"Het zou naïef zijn om te denken dat er niet werd gespioneerd", zei de secretaris-generaal. "Het gebeurde in alle landen om ons heen en IJsland was toen in militair opzicht een heel belangrijk land, veel belangrijker dan nu. Er was hier een groot aantal ambassades, zowel van staten achter het IJzeren Gordijn als van westerse landen, Engeland, de Verenigde Staten en West-Duitsland."

"Als we het over spionage hebben", zei Sigurður Óli, "waar hebben we het dan precies over?"

"Ik denk dat het er meestal om ging te achterhalen wat de anderen aan het doen waren", zei de secretaris-generaal. "In sommige gevallen werd geprobeerd tot een soort samenwerking te komen. Geprobeerd om iemand van het tegenkamp voor zich te winnen of iets dergelijks. Het ging natuurlijk meestal om de legerbasis, de omvang ervan en de troepenbewegingen. Ik denk persoonlijk dat er nauwelijks IJslanders bij betrokken zijn geweest. Er bestaan wel verhalen dat geprobeerd is om hen tot samenwerking te bewegen."

De secretaris-generaal dacht na.

"Zoeken jullie naar IJslandse spionnen?" vroeg hij.

"Nee", zei Sigurður Óli, al had hij daar geen idee van. "Bestonden die? IJslandse spionnen? Is dat niet wat vergezocht?"

"Jullie zouden misschien eens met Ómar moeten praten", zei de secretaris.

"Ómar?" zei Elínborg.

"Hij was hier secretaris-generaal gedurende het grootste deel van de Koude Oorlog", zei de secretaris. "Een hoogbejaarde man, maar nog goed bij", voegde hij eraan toe en hij tikte met zijn wijsvinger tegen zijn hoofd. "Hij komt nog altijd op de nieuwjaarsreceptie en is een graag geziene gast. Hij kende al die kerels van de ambassades. Hij kan jullie misschien verder helpen."

Sigurður Óli noteerde de naam.

"Verder is het misschien niet correct om over ambassades te spreken", zei de secretaris-generaal. "Enkele van die staten hadden hier in die tijd alleen een vertegenwoordiger, een handelsvertegenwoordiger of een handelskantoor of hoe je het ook zou willen noemen."

Ze kwamen rond het middaguur met zijn drieën bij elkaar in het kantoortje van Erlendur. Erlendur had de ochtend besteed aan het opsporen van de boer die op de man met de Falcon had gewacht en tegen de politie had gezegd dat hij niet op de afspraak was komen opdagen. Zijn naam stond in het procesverbaal. Erlendur kwam erachter dat zijn land gedeeltelijk was opgegaan in een nieuwbouwwijk in Mosfellsbæ. De man was met zijn boerenbedrijf gestopt in 1980. Nu stond hij geregistreerd in een bejaardenhuis in Reykjavík.

Erlendur haalde er een technicus bij die met zijn apparatuur naar de garage ging waar de Falcon stond en elk stofje van de vloer van de auto opzoog en naar bloedvlekken zocht.

"Jij bent je zeker een beetje aan het vermaken", zei Sigurður Óli en hij nam een grote hap van zijn broodje. Hij kauwde snel en was duidelijk nog niet uitgesproken. Hij was rood aangelopen toen hij eindelijk slikte. "Wat probeer je te vinden?" vroeg hij. "Wat ben je van plan met die zaak? Ben je van plan het onderzoek over te doen? Denk je dat we niets beters te doen hebben dan ons in oude vermissingen te verdiepen? Er zijn wel een miljoen andere dingen die we zouden kunnen doen."

Erlendur keek naar Sigurður Óli.

"Een jonge vrouw", zei hij, "staat voor de melkwinkel waar ze werkt en wacht op haar man. Hij komt niet. Ze willen gaan trouwen. Het gaat ze goed. De toekomst lacht ze toe, zoals men zegt. Niets wijst op iets anders dan dat ze nog lang en gelukkig leven."

Sigurður Óli en Elínborg zwegen.

"Niets in hun leven wijst erop dat er iets mis is", vervolgde Erlendur. "Niets wijst erop dat het niet goed met hem gaat. Hij is van plan haar na het werk op te halen. Dat doet hij altijd als hij in de stad is. Maar hij komt niet. Hij vertrekt van zijn werk naar een afspraak, maar komt daar niet aan en verdwijnt voorgoed. Er zijn aanwijzingen die doen vermoeden dat hij de bus heeft genomen en de stad heeft verlaten. Andere vermoedens zijn dat hij zichzelf heeft omgebracht. Dat zijn de meest voor de hand liggende verklaringen voor een verdwijning. Sommige IJslanders zijn nu eenmaal nogal zwaarmoedig, al gaat het de meeste uitstekend. En dan is er nog de mogelijkheid dat iemand hem heeft omgelegd."

"Is het niet gewoon zelfmoord?" zei Elínborg.

"In de openbare archieven zijn geen gegevens te vinden over een man die Leopold heette en die in die periode verdween", zei Erlendur. "Het lijkt erop dat hij tegen zijn vrouw heeft gelogen. Níels, die op de zaak zat, heeft niets met zijn verdwijning gedaan. Dacht ook dat hij naar de stad was gegaan en daarna het land in is getrokken. Als het niet gewoon een simpele zelfmoord was."

"Denk je dat hij een gezin in het binnenland had en dat hij die vrouw in Reykjavík erbij had?" zei Elínborg. "Is dat niet te veel gezegd, alleen omdat zijn auto voor het busstation werd teruggevonden?"

"Bedoel je dat hij misschien naar het oosten is gegaan, naar Vopnafjörður of zo, waar hij eigenlijk woonde en het wippen in Reykjavík eraan heeft gegeven?" zei Sigurður Óli.

"Het wippen in Reykjavík!" zei Elínborg. "Hoe houdt die arme Bergþóra het met je uit?"

"Dat hoeft helemaal niet zo gek te zijn", zei Erlendur.

"Is het gemakkelijk om weg te komen met bigamie in IJsland?" vroeg Sigurður Óli.

"Nee", zei Elínborg beslist. "We zijn met te weinig."

"In Amerika worden de gegevens van dat soort kerels vrijgegeven", zei Sigurður Óli. "Er zijn hele dossiers over precies zulke vermissingen, precies zulke misdadigers en bigamisten. Sommigen vermoorden hun hele gezin, verdwijnen en stichten een nieuw gezin."

"Het is natuurlijk gemakkelijker om je in Amerika te verstoppen", zei Elínborg.

"Dat kan allemaal wel zijn", zei Erlendur. "Maar is het soms niet juist gemakkelijk om een dubbelleven te leiden ondanks dat er weinig mensen zijn? Hij was veel op reis, die vent, soms weken achtereen. Hij leert een vrouw kennen in Reykjavík en misschien wordt hij verliefd of misschien ziet hij haar meer als iets tijdelijks. Als de relatie serieuze vormen begint aan te nemen, besluit hij er een punt achter te zetten."

"Een kleine, romantische *lovestory* uit de stad", zei Sigurður Óli.

"Zou de vrouw in de melkwinkel die mogelijkheid hebben overwogen?" zei Erlendur nadenkend.

"Is er geen opsporingsbericht geweest voor die Leopold?" vroeg Sigurður Óli.

Erlendur had daaraan gedacht en haalde een kort berichtje uit de krant tevoorschijn waarin de vermissing van de man werd bekendgemaakt en mensen die hem gezien hadden, werd gevraagd contact op te nemen met de politie. Er stond in wat voor kleding hij had gedragen, wat zijn lengte was en zijn haar-kleur.

"Het leverde niets op", zei Erlendur. "Er bestond geen foto van hem. Níels vertelde me dat ze de vrouw niet hadden gezegd dat ze hem niet in het bevolkingsregister konden terugvinden."

"Hebben ze haar dat niet gezegd?" zei Elínborg.

"Ze was natuurlijk gewoon zijn liefje", zei Sigurður Óli.

"Je weet hoe Níels is", zei Erlendur. "Als hij moeilijkheden kan vermijden, dan doet hij dat. Hij kreeg het gevoel dat die vrouw voor de gek was gehouden en hij vond natuurlijk dat hij al genoeg gedaan had. Ik weet het niet. Hij is niet zo …"

Erlendur maakte zijn zin niet af.

"Misschien heeft die kerel een andere vrouw ontmoet", zei Elínborg nadenkend, "en durfde hij dat niet te zeggen. Niemand is meedogenlozer dan een man die zijn vrouw bedriegt."

"Nou, nou", zei Sigurður Óli.

"Reisde hij niet door het land als verkoper van, eh, landbouwmachines?" zei Elínborg. "Was hij niet voortdurend op pad op het platteland en in de steden? Het is misschien niet vergezocht om je voor te stellen dat hij iemand heeft ontmoet en een nieuw leven is begonnen. Dat hij zijn geliefde daar niet over durfde te vertellen."

"En vervolgens altijd verborgen is gebleven?" viel Sigurður Óli haar in de rede.

"Het was natuurlijk een heel andere situatie hier in de jaren zeventig", zei Erlendur. "Het kostte een hele dag om naar Akureyri te rijden, de ringweg bestond nog niet. De communicatie was veel slechter en plaatsen op het land waren veel geïsoleerder."

"Je bedoelt dat er allerlei schuilplaatsen waren waar niemand ooit kwam?" zei Sigurður Óli.

"Ik hoorde eens een verhaal over een vrouw", zei Elínborg, "die heel gelukkig was met haar vriend en alles was koek en ei tot hij haar op een dag opbelde en zei dat het over was. Na wat geharrewar gaf hij toe dat hij binnenkort met een andere vrouw ging trouwen. Zijn vriendin wist daar niets van. Zoals ik al zei: mannen kunnen heel harteloos zijn."

"Maar waarom was die Leopold dan in Reykjavík onder een valse naam?" vroeg Erlendur. "Als hij niet gedurfd heeft zijn vrouw hier te vertellen dat hij iemand anders had ontmoet op het platteland en een nieuw leven is begonnen? Waarom dan dat bedrog?"

"Wat weet een mens nu van zulke kerels?" zei Elínborg en ze gaf het op.

Ze zwegen.

"En het lijk in het water?" vroeg Erlendur.

"Volgens mij zijn we op zoek naar een buitenlander", zei Elínborg. "Ik vind het te vergezocht dat het een IJslander zou zijn met een Russisch afluisterapparaat om zijn lijf. Ik kan me gewoon niet voorstellen dat zoiets hier is gebeurd."

"De Koude Oorlog", zei Sigurður Óli. "Een rare tijd."

"Ja, een rare tijd", zei Erlendur.

"De Koude Oorlog was een en al angst voor het einde van de wereld", zei Elínborg. "Ik kan het me niet anders herinneren. Je kon je daar gewoon niet van losmaken. Het einde van de wereld hing altijd als een dreiging in de lucht. Dat is de enige Koude Oorlog die ik ken."

"Een druk op de knop en boem!" zei Sigurður Óli.

"Ergens moet die angst aan de oppervlakte komen", zei Erlendur. "In wat we doen. In wie we zijn."

"Bedoel je zoals in een zelfmoord, zoals die man van die Falcon?" zei Elínborg.

"Als hij niet gewoon gelukkig getrouwd is in het dichtbevolkte Hvammstangi", zei Sigurður Óli, hij verfrommelde het zakje van zijn broodje en gooide het op de grond naast de prullenmand.

Toen Sigurður Óli en Elínborg vertrokken waren, ging de telefoon bij Erlendur. Hij hoorde de stem van een man die hij niet kende.

"Spreek ik met Erlendur?" vroeg de stem, hees en boos.

"Ja, met wie spreek ik?" zei Erlendur.

"Ik wil je vragen om mijn vrouw met rust te laten", zei de stem.

"Je vrouw?"

De woorden vielen Erlendur nogal rauw op zijn dak. Het kwam niet in hem op dat de man aan de telefoon het over Valgerður had.

"Begrepen?" zei de stem. "Ik weet wat je aan het doen bent en wil dat je daarmee ophoudt."

"Ze bepaalt zelf wat ze doet", zei Erlendur toen het tot hem doordrong dat het de man van Valgerður moest zijn. Hij herinnerde zich wat Valgerður had gezegd over dat hij was vreemdgegaan en dat haar contact met Erlendur in het begin een poging was geweest om zich op haar man te wreken.

"Je moet haar met rust laten", zei de stem, en hij klonk nu dreigender.

"Goedemiddag", zei Erlendur en hij legde neer.

15

Ómar, de voormalige secretaris-generaal, was een man van rond de tachtig, groot en statig, vrijwel kaal, nog kwiek en hij was duidelijk blij om gasten te ontvangen. Hij had een breed gezicht met een grote mond en een vooruitstekende kin. Hij klaagde zijn nood bij Erlendur en Elínborg dat hij met zijn werk had moeten stoppen toen hij tegen de zeventig liep, een man in de kracht van zijn leven en met een onverminderde werklust. Hij woonde in een groot appartement in Kringlumýri. Hij zei dat hij zijn eengezinswoning had verkocht toen zijn vrouw overleden was.

Het was nu enkele weken geleden dat de waterspecialiste van het Energie-instituut het skelet had gevonden. Het was inmiddels juni en het was ongewoon warm en zonnig. Het was vrolijker in de stad na de sombere winter, de mensen waren luchtiger gekleed en tot op zekere hoogte gelukkiger. De cafés hadden stoelen en tafels op de stoep gezet, naar buitenlandse gewoonte, en de mensen zaten in de zon en dronken bier. Sigurður Óli had vrij genomen en greep elke gelegenheid aan voor een barbecue. Hij nodigde Erlendur en Elínborg uit om te komen barbecueën. Erlendur had niet zo'n zin. Hij had van Eva Lind niets meer gehoord, maar ze zou intussen waarschijnlijk uit de kliniek zijn ontslagen. Hij ging er in elk geval wel van uit dat ze de behandeling had afgesloten. Ook Sindri Snær had geen contact meer opgenomen.

Ómar wilde maar al te graag praten, vooral over zichzelf, en Erlendur probeerde direct de woordenstroom in te dammen.

"Zoals ik al door de telefoon zei ..." begon Erlendur.

"Ja, ja, precies, heb het allemaal op het nieuws gezien, over dat skelet in het Kleifarvatn. Jullie denken dat het om een moord gaat en ..."

"Ja", greep Erlendur in, "maar wat niet in het nieuws is gezegd en niemand nog weet en jij ook niet verder mag vertellen, is dat aan het skelet een Russisch afluisterapparaat uit de jaren zeventig was vastgebonden. Er is geprobeerd de herkomst van het apparaat onherkenbaar te maken, maar toch is nog duidelijk te zien dat het uit de Sovjet-Unie komt."

Ómar keek hen om beurten aan en ze zagen hoe zijn interesse werd gewekt terwijl hij nadacht over deze informatie. Het was alsof hij ineens voorzichtiger werd en hij zette zijn oude ambassadegezicht weer op.

"Hoe kan ik jullie daarbij helpen?" vroeg hij.

"De vragen die wij ons stellen, gaan er vooral om of er in die jaren op IJsland is gespioneerd en of het waarschijnlijk is dat het om een IJslander gaat of om een buitenlandse ambassademedewerker."

"Hebben jullie naar de vermissingen uit die jaren gekeken?" vroeg Ómar.

"Ja", zei Elínborg. "Geen enkele lijkt met Russische afluisterapparatuur te maken te hebben."

"Ik denk niet dat IJslanders serieus bij spionage betrokken zijn geweest", zei Ómar na lang nadenken, en ze kregen allebei het gevoel dat hij zijn woorden heel voorzichtig koos. "We kennen gevallen waarbij werd geprobeerd ze zover te krijgen, zowel door Oost-Europese als NAVO-landen, en we weten dat er in de landen om ons heen wel sprake was van enige spionage."

"In de Scandinavische landen bijvoorbeeld?" zei Erlendur.

"Ja", zei Ómar. "Maar daar ligt natuurlijk een probleem. Als er al IJslanders voor een van beide partijen hebben gespioneerd, dan weten wij daar niets van. Er is nooit iets aan het licht gekomen over serieuze IJslandse spionnen."

"Is er een andere verklaring denkbaar waarom dat Russische afluisterapparaat daar bij dat skelet ligt?" vroeg Elínborg.

"Vanzelfsprekend", zei Ómar. "Dat hoeft helemaal niets met

spionage te maken te hebben. Maar waarschijnlijk is het wel een juiste conclusie. Het is een voor de hand liggende verklaring dat een zo ongewone vondst van lichamelijke resten tenminste iets te maken heeft met de ambassades van Oostbloklanden."

"Zou een dergelijke spion afkomstig kunnen zijn geweest uit, laten we zeggen, het ministerie van Buitenlandse Zaken?" vroeg Erlendur.

"Er is naar mijn weten geen enkele medewerker van het ministerie verdwenen", zei Ómar en hij glimlachte.

"Ik bedoel, waar zouden de Russen het liefst spionnen hebben gehad?"

"Waarschijnlijk overal in het regeringsapparaat", zei Ómar. "De kring van ambassadepersoneel is hier maar klein, men kent elkaar goed en er zijn nauwelijks geheimen binnen die groep. De contacten met het Amerikaanse garnizoen verliepen grotendeels via Buitenlandse Zaken en het zou dus handig zijn geweest daar een mannetje te hebben. Ik kan me echter voorstellen dat het voor buitenlandse spionnen of ambassadepersoneel genoeg was om de IJslandse kranten te lezen en dat deden ze natuurlijk. Daar stond alles in. In een democratische maatschappij als de onze is altijd veel discussie en is het moeilijk om iets geheim te houden."

"En dan had je de cocktailparty's", zei Erlendur.

"Ja, die mag je niet vergeten. De ambassades deden altijd nogal moeilijk over het samenstellen van de gastenlijsten. Hier wonen weinig mensen en iedereen kent elkaar en is familie van elkaar en de mogelijkheden die dat gaf, werden zeker benut."

"Kregen jullie wel eens het gevoel dat er informatie uitlekte?" vroeg Erlendur.

"Niet dat ik weet", zei Ómar. "En als er hier ooit op enige schaal gespioneerd is, zou dat nu toch aan het licht zijn gekomen, na de val van het Sovjetsysteem en nadat de geheime dienst is opgeheven in de vorm waarin deze vroeger in Oostbloklanden actief was. Oude spionnen van die landen zijn nu druk met het schrijven van hun biografieën, maar IJsland wordt nergens genoemd. De archieven in die landen zijn voor een groot deel openbaar geworden en de mensen konden de informatie die er over hen verzameld was inzien. In de vroegere communistische staten zijn mensen op grote schaal bespioneerd en dergelijke informatie is vernietigd voor de muur viel. Door de papierversnipperaar gehaald."

"Enkele westerse spionnen zijn na de val van de muur bekend geworden", zei Elínborg.

"Zeker", zei Ómar. "Ik kan me voorstellen dat de hele spionagewereld in rep en roer is geweest."

"Maar het is een feit dat niet alle archiefgeheimen toen zijn openbaar gemaakt", zei Erlendur. "Het ligt niet allemaal voor het oprapen."

"Nee, natuurlijk niet, er zijn nog steeds staatsgeheimen in die landen, net als hier trouwens. Maar ik ben niet gespecialiseerd in spionage, in het buitenland of hier. Ik weet daar nauwelijks meer van dan jullie, neem ik aan. Ik heb het altijd een beetje belachelijk gevonden om over spionage op IJsland te praten. Dat staat op de een of andere manier zo ver van ons af."

"Kun je je herinneren dat die duikers die apparaten in het Kleifarvatn vonden?" vroeg Erlendur. "Het is een behoorlijk eind van de plaats waar we het skelet hebben gevonden, maar de apparaten wijzen wel op een samenhang tussen beide voorvallen."

"Ik kan me die vondst nog heel goed herinneren", zei Ómar. "De Russen ontkenden natuurlijk alles en de andere ambassades van Oostbloklanden in Reykjavík deden hetzelfde. Ze deden alsof ze die apparaten niet kenden, maar het was waarschijnlijk zo dat ze gewoon oude zend- en afluisterapparatuur wegdeden, als ik het me goed herinner. Het was natuurlijk veel te duur om ze terug naar huis te sturen met de diplomatieke post en het was ook niet mogelijk om ze bij het vuilnis te zetten, dus ..."

"Probeerden ze ze in het water te verstoppen."

"Zo herinner ik me dat het gegaan is, maar zoals ik zeg, ik ben geen specialist. De apparaten bewezen dat er hier werd gespioneerd, dat leed geen twijfel. Maar niemand stond daar echt van te kijken."

Ze zwegen. Erlendur keek om zich heen. De kamer stond

boordevol souvenirs uit de hele wereld die herinnerden aan zijn lange carrière bij het ministerie. Hij en zijn vrouw hadden veel gereisd naar de verste uithoeken van de wereld. Er waren boeddhabeelden en foto's van Ómar bij de Chinese Muur en op Cape Canaveral met de spaceshuttle op de achtergrond. Erlendur zag ook foto's van hem met ministers van allerlei landen door de jaren heen.

Ómar schraapte zijn keel. Het was net alsof hij bij zichzelf had overwogen of hij ze verder zou helpen of ze het zelf zou laten uitzoeken. Vanaf het moment dat ze de Russische apparaten in het water noemden, voelden ze een voorzichtigheid in zijn gedrag en kregen ze de indruk dat hij elk woord dat hij zei zorgvuldig woog.

"Het is, ik weet het niet, misschien geen gek idee als jullie eens met Bob gaan praten", zei hij ten slotte aarzelend.

"Bob?" herhaalde Elínborg.

"Robert Christie. Bob. Hij was in de jaren zeventig en tachtig hoofd Veiligheidszaken bij de Amerikaanse ambassade. Een bijzonder respectabel man. We waren goed bevriend en hebben contact gehouden. Ik bezoek hem altijd als ik naar het westen ga. Hij woont in Washington, is allang met pensioen, net als ik. Hij heeft een ijzeren geheugen en is prettig gezelschap."

"Hoe zou hij ons kunnen helpen?" vroeg Erlendur.

"De ambassades spioneerden onderling", zei Ómar. "Hij vertelde me dat een keer. In welk verband weet ik niet meer en ik geloof niet dat er IJslanders bij betrokken waren, maar medewerkers van de ambassade, zowel van de NAVO-landen als van de landen achter het IJzeren Gordijn, hadden spionnen in dienst. Hij vertelde het mij toen de Koude Oorlog was afgelopen en dat heeft de geschiedenis ons ook geleerd. Een van de taken van de ambassades was zich te informeren over buitenlandse reizen van ambassademedewerkers van vijandelijke landen. Ze wisten precies wie er aankwamen en wie er vertrokken, bij wie ze in dienst waren, waar ze vandaan kwamen en waar ze heen gingen, wisten hun namen, kenden hun persoonlijke omstandigheden en familiesituatie. Het meeste werk zat hem in het verwerken van deze gegevens."

"Wat was de bedoeling daarvan?" vroeg Elínborg.

"Sommigen van die medewerkers waren ervaren spionnen", zei Ómar. "Ze kwamen hierheen, bleven een tijdje en vertrokken weer. Ze waren ongewoon hooggeplaatst, dus als er een bepaalde man van een zekere rang het land binnenkwam, dan kon je je gemakkelijk voorstellen dat er iets aan de hand was. Jullie weten vast nog wel dat er vroeger steeds weer ambassademedewerkers het land werden uitgewezen. Dat gebeurde hier ook en het gebeurde regelmatig in de landen om ons heen. De Amerikanen wezen een paar Russen het land uit wegens spionage. De Russen ontkenden alle beschuldigingen en zwoeren direct dat ze een paar Amerikanen zouden uitwijzen. Zo ging dat in de hele wereld. Iedereen kende de spelregels. Iedereen wist alles van iedereen. Ze hielden elkaars reizen in de gaten. Ze hielden een nauwkeurige boekhouding bij van wie er de ambassade binnenkwam en wie daaruit weer vertrok."

Ómar zweeg.

"Een van de dingen waar veel belang aan werd gehecht, was het werven van medewerkers", vervolgde hij. "Het werven van nieuwe spionnen."

"Bedoel je dat ambassademedewerkers werden getraind als spionnen?" zei Erlendur.

"Nee, het werven van nieuwe spionnen bij de vijand", zei Ómar en hij glimlachte. "Medewerkers van de ambassades zover zien te krijgen dat ze voor je gingen spioneren. Ze probeerden overal personeel van hoog tot laag te overreden om te spioneren en inlichtingen te verzamelen, maar medewerkers van de ambassade waren vooral populair."

"En?" zei Erlendur.

"Bob zou jullie daar verder mee kunnen helpen."

"Met wat?" vroeg Elínborg.

"Het ambassadepersoneel", zei Ómar.

"Ik begrijp niet wat …" zei Elínborg.

"Je bedoelt dat hij het zou weten als er iets binnen dit hele systeem was gebeurd wat ongewoon of niet voor de hand liggend was?" zei Erlendur.

"Hij zal jullie natuurlijk niet tot in detail kunnen vertellen wat er zich afspeelde. Dat vertelt hij aan niemand. Niet aan mij en zeker niet aan jullie. Ik heb hem er vaak genoeg naar gevraagd, maar dan lacht hij alleen maar en maakt er een grap van. Maar hij zou jullie iets onschuldigs kunnen vertellen wat de aandacht trok en moeilijk te verklaren was, iets wonderlijks."

Erlendur en Elínborg staarden Ómar aan en snapten er niets meer van.

"Bijvoorbeeld dat een man het land binnenkomt en niet meer vertrekt", zei Ómar. "Bob zou jullie dat kunnen vertellen."

"Je denkt nu aan de Russische afluisterapparatuur", zei Erlendur.

Ómar knikte.

"Ja maar hoe zat het dan bij het ministerie van Buitenlandse Zaken? Jullie zouden toch zelf hebben moeten uitzoeken wie er hier op de ambassades werkten en wat voor soort mensen dat waren?"

"Dat hebben we gedaan. We werden altijd op de hoogte gesteld van wijzigingen in het personeelsbestand, de nieuwe werknemers en dergelijke. Maar we kregen nooit mogelijkheden of medewerking van de ambassades om na te gaan hoe dat precies zat."

"Dus als bijvoorbeeld iemand van de ambassade van een communistisch land hier in Reykjavík was gekomen", zei Erlendur, "en daar enige tijd had gewerkt, maar ze op de Amerikaanse ambassade nooit hadden geregistreerd dat hij het land weer had verlaten, dan zou Bob dat weten?"

"Klopt", zei Ómar. "Ik denk dat Bob jullie met dergelijke vragen wel zou kunnen helpen."

Marion Briem sleepte het zuurstofmasker achter zich aan door de kamer, nadat ze Erlendur had binnengelaten. Erlendur liep achter haar aan en vroeg zich af of dit ook zijn lot zou zijn als hij oud zou zijn, om alleen thuis weg te kwijnen, van God en iedereen verlaten, met een zuurstofmasker in zijn kielzog. Hij wist niet of Marion nog familie had en er waren niet veel vrienden op wie ze kon terugvallen. Hij wist alleen dat ze er nooit aan toe was gekomen een gezin te stichten.

"Waarvoor?" had Marion ooit, jaren geleden, gevraagd. "Gezinnen leiden alleen maar tot ellende en verdriet."

Het gezin van Erlendur was ter sprake gekomen, wat niet vaak gebeurde, omdat Erlendur haast nooit over zichzelf praatte. Marion had hem naar zijn kinderen gevraagd, of hij contact met ze had. Het was vele jaren geleden.

"Zijn het er niet twee?" had Marion gevraagd.

Erlendur zat in zijn kantoor en was een rapport aan het schrijven over een fraudezaak die hij aan het onderzoeken was toen Marion opeens verscheen en hem begon uit te vragen over zijn gezin. De fraudezaak ging over twee zusters die hun moeder hadden opgelicht en tot de bedelstaf hadden gebracht. Daarom had Marion gezegd dat gezinnen alleen maar tot ellende en verdriet leidden.

"Ja, het zijn er twee", zei Erlendur. "Kunnen we het even over deze zaak hebben? Ik denk dat …"

"En wanneer heb je ze voor het laatst gezien?" vroeg Marion.

"Ik vind dat jij daar niks …"

"Nee, daar heb ik niks mee te maken, maar jij hebt ermee te maken, toch? Heb jij daar niks mee te maken? Dat je twee kinderen hebt?"

Erlendur verdrong de herinnering toen hij op de bank ging zitten tegenover Marion, die neerzeeg op haar stoel. Er was een reden dat Erlendur zijn voormalige chef bij de recherche niet kon uitstaan. Hij dacht dat het dezelfde reden was waarom zo weinig mensen haar tijdens haar ziekte kwamen bezoeken. Marion verzamelde nu eenmaal geen vrienden om zich heen. Integendeel. Zelfs Erlendur, die af en toe langskwam, was niet echt een vriend.

Marion keek naar Erlendur en zette het zuurstofmasker op haar gezicht. Zo ging er een flinke tijd voorbij zonder dat er iets werd gezegd. Eindelijk zette Marion het zuurstofmasker weer af. Erlendur schraapte zijn keel.

"Hoe gaat het met je?" vroeg hij.

"Ik ben zo verschrikkelijk moe", zei Marion. "Ik sukkel steeds maar weg. Misschien is het de zuurstof."

"Waarschijnlijk te gezond voor je", zei Erlendur.

"Wat kom je hier toch steeds doen?" vroeg Marion met een zwakke stem.

"Dat weet ik ook niet", zei Erlendur. "Hoe was de western?"

"Je zou hem ook eens moeten zien", zei Marion. "Hij gaat over koppigheid. Hoe gaat het met die Kleifarvatn-zaak?"

"Z'n gangetje", zei Erlendur.

"En die man van die Falcon? Heb je hem al gevonden?"

Erlendur schudde zijn hoofd en zei dat hij zijn auto wel gevonden had. De huidige eigenaar was een weduwe die niet veel van de Ford Falcon afwist en hem wilde verkopen. Hij vertelde Marion dat de man, Leopold, een soort sprookjesfiguur was. Met andere woorden, dat zijn geliefde niet veel over hem geweten had. Er bestond geen foto van hem en hij was niet terug te vinden in het bevolkingsregister. Het was net of hij nooit bestaan had, alsof hij een verzinsel was geweest in de geest van de vrouw die in de melkwinkel werkte.

"Waarom ben je eigenlijk naar die man op zoek?" vroeg Marion.

"Ik weet het niet", zei Erlendur. "Ik kan me er op de een of andere manier niet van losmaken. Ik heb geen idee waarom. Door die vrouw die ooit in die melkwinkel werkte. Door de wieldop die ontbrak aan de auto. Door die nieuwe auto die werd achtergelaten bij het busstation. Er is iets aan die zaak dat niet klopt."

Marion sloot haar ogen weer en zakte nog dieper weg in haar stoel.

"We hebben dezelfde naam", zei Marion zo zacht dat Erlendur het nauwelijks kon horen.

"Wat?" zei hij en hij leunde voorover. "Wat zeg je?"

"Ik en John Wayne", zei Marion. "Dezelfde naam."

"Wat ben je nu aan het raaskallen?" zei Erlendur.

"Niks geen geraaskal. Vind je dat niet gek? John Wayne."

Erlendur wilde antwoord geven, maar hij zag dat Marion in slaap was gevallen. Hij pakte de hoes van de videoband en las de titel van de film. *The Searchers*. Een film over koppigheid, dacht hij.

Hij keek naar Marion en toen weer naar de hoes, waarop

John Wayne te zien was, te paard en gewapend met een geweer. Hij keek naar de televisie in de hoek van de kamer, deed de band in de videorecorder, zette de televisie aan, ging weer op de bank zitten en keek naar *The Searchers,* terwijl Marion de slaap der rechtvaardigen sliep.

16

Sigurður Óli wilde net de deur van zijn kantoor uit lopen toen de telefoon ging. Hij aarzelde. Het liefst wilde hij de deur achter zich dichtslaan. Hij slaakte een diepe zucht en nam op.

"Stoor ik?" zei de man aan de andere kant van de lijn.

"Inderdaad", zei Sigurður Óli. "Ik ging net naar huis. Dus …"

"Neem me niet kwalijk", zei de man.

"Verontschuldig je niet altijd voor alles en bel me niet meer. Ik kan niets voor je doen."

"Er zijn niet veel mensen met wie ik kan praten", zei de man.

"En ik ben niet een van hen. Ik ben gewoon de politie die op de plaats van het ongeluk aanwezig was. Niets anders. Ik ben geen zielzorger. Bel een dominee."

"Vind jij dat ik schuld heb?" vroeg de man. "Als ik niet had gebeld, dan …"

Ze hadden het daar in hun vorige gesprek uitentreuren over gehad. Geen van beiden geloofde in een God die achter een of ander onbegrijpelijk wereldbeeld stond en offers vroeg in de vorm van de vrouw en het kind van de man. Geen van beiden geloofde in het lot. Geen van beiden geloofde dat alle dingen voorbestemd waren en dat niemand daar invloed op had. Beiden geloofden in het zuivere toeval. Beiden waren echter realistisch en moesten onder ogen zien dat als de man niet had gebeld en zijn vrouw had opgehouden, ze niet precies op dat moment op dat kruispunt was geweest waar een dronken bestuurder in een jeep door rood reed. Maar Sigurður Óli gaf de man niet de schuld van wat er gebeurd was en hij vond zijn redenatie bespottelijk.

"Je hebt geen schuld aan het ongeluk", zei Sigurður Óli. "Dat weet je; hou nou eens op jezelf daarmee te kwellen. Jíj zit niet in de gevangenis wegens dood door onvoorzichtig rijden, maar die idioot in die jeep."

"Dat maakt niets uit", zuchtte de man.

"Wat zegt je therapeut?"

"Ze praat over niets anders dan over pillen en bijwerkingen. Als ik dit medicijn neem, dan word ik dik. Als ik dat neem, heb ik geen eetlust meer. Als ik weer een ander neem, moet ik voortdurend overgeven."

"Mag ik je één voorbeeld geven?" zei Sigurður. "Een groep mensen gaat al vijfentwintig jaar naar Þórsmörk met vakantie. Een van hen had dat idee ooit opgevat. Op een keer gebeurt er een dodelijk ongeluk en een van de deelnemers aan de reis verongelukt. Is dat de persoon aan te rekenen die ooit met dat idee was gekomen? Dat is natuurlijk belachelijk. Waar eindigen die gedachtekronkels van jou? Toeval is toeval. Daar doe je niets tegen."

De man antwoordde niet.

"Begrijp je wat ik bedoel?" zei Sigurður.

"Ik weet wat je bedoelt, maar het helpt niet."

"Ja, jaja. Ik moet naar huis", zei Sigurður Óli.

"Dankjewel", zei de man en hij legde neer.

Erlendur zat thuis in zijn stoel te lezen. Hij bevond zich juist in het licht van een kleine lantaarn met een groep reizigers aan de voet van de Óshlíð, aan het begin van de twintigste eeuw. Zeven man waren langs de Steinófærugil onderweg vanuit Ísafjörður. Aan de ene kant was een steile helling en dichte sneeuw en aan de andere de koude zee. Ze liepen dicht op elkaar om zo veel mogelijk profijt te hebben van die ene lantaarn die ze bij zich hadden. Sommigen waren die avond naar een toneelvoorstelling in Ísafjörður geweest, over de moord op sheriff Lénharð. Het was midden in de winter en toen ze langs de Steinófæra liepen, merkte iemand op dat er een geul in de sneeuw boven hen was, alsof er een steen omlaag was gerold. Ze hadden het erover dat dit kon betekenen dat er beweging kon ontstaan in de sneeuw op de berg. Ze hielden stil en op hetzelfde moment stortte een lawine over hen heen die ze de zee in sleurde. Eén bracht het er levend van af, zwaargewond. Van de anderen werd niets teruggevonden, behalve een pakje dat iemand bij zich had en de lantaarn die hen had bijgelicht.

De telefoon begon te rinkelen en Erlendur keek op uit zijn boek. Hij overwoog even hem gewoon te laten overgaan, maar het kon Valgerður zijn of zelfs Eva Lind, al had hij daar minder behoefte aan.

"Sliep je?" vroeg Sigurður Óli toen hij eindelijk opnam.

"Wat is er?" vroeg Erlendur.

"Ben je van plan die vrouw mee te nemen naar de barbecue morgen? Bergþóra wil dat graag weten. Ze moet weten op hoeveel mensen ze kan rekenen."

"Over welke vrouw heb je het?" zei Erlendur.

"Die je met Kerstmis hebt leren kennen", zei Sigurður Óli. "Zie je haar dan niet meer?"

"Wat heb jij daarmee te maken?" zei Erlendur. "En welke barbecue bedoel je eigenlijk? Wanneer heb ik gezegd dat ik van plan was bij jou te komen barbecueën?"

Er werd op de deur geklopt en hij keek op. Sigurður Óli begon net te mopperen dat Erlendur had gezegd dat hij bij hem en Bergþóra zou komen barbecueën en dat Elínborg voor het eten zou zorgen, maar Erlendur verbrak de verbinding en ging naar de deur. Valgerður glimlachte kort toen hij opendeed en vroeg of ze mocht binnenkomen. Hij aarzelde even, maar zei toen "Natuurlijk." Ze liep de kamer in en ging op de versleten bank zitten. Hij zei dat hij koffie zou zetten, maar zij vroeg of hij wilde wachten.

"Ik ben bij hem weggegaan", zei ze.

Hij ging op de stoel tegenover haar zitten en dacht terug aan het telefoongesprek met haar man, waarin hij zei dat hij haar met rust moest laten. Ze keek naar hem en zag de bezorgde uitdrukking op zijn gezicht.

"Ik had dat al veel eerder moeten doen", zei ze. "Je had gelijk. Ik had al veel eerder bij hem weg moeten gaan."

"Waarom nu?" vroeg hij.

"Hij zei dat hij jou had gebeld", zei Valgerður. "Ik wil niet dat jij betrokken raakt in onze problemen. Ik wil niet dat hij jou belt. Dit is iets tussen mij en hem. Het gaat niet om jou."

Erlendur glimlachte. Hij dacht aan de groene Chartreuse in de kast, stond op en pakte de fles en twee glazen. Hij schonk in en gaf haar een glas.

"Ik bedoel het niet zo, maar je begrijpt wel wat ik wil zeggen", zei ze en ze namen een slok van de likeur. "Wij hebben nooit iets anders gedaan dan met elkaar praten. Dat kun je van hem niet zeggen."

"Maar je hebt nooit eerder bij hem weg willen gaan", zei Erlendur.

"Het is moeilijk na al die jaren. Na al die tijd. Onze jongens en … het is gewoon erg moeilijk."

Erlendur zweeg.

"Ik zag vanavond dat het morsdood is tussen ons", vervolgde Valgerður. "En ik zag plotseling in dat ik wil dat het afgelopen is. Ik heb met mijn jongens gepraat. Ze moeten precies weten wat er aan de hand is, weten waarom ik bij hem wegga. Ik heb morgen met ze afgesproken. Ik heb ze ook willen sparen. Ze zijn dol op hem."

"Ik heb het gesprek met hem onmiddellijk verbroken", zei Erlendur.

"Ik weet het. Dat heeft hij me verteld. Opeens zag ik het volkomen helder. Hij heeft niet langer te bepalen wat ik doe en wil. Dat is voorbij. Wie denkt hij wel dat hij is?"

Valgerður had nooit veel willen zeggen over haar man, behalve dat hij twee jaar lang was vreemdgegaan met een verpleegster in het ziekenhuis en daarvoor ook al eens iemand anders had gehad. Hij was een arts in het Landspítali waar zij ook werkte en Erlendur had zich soms afgevraagd, als hij aan Valgerður dacht, hoe het was om in dat ziekenhuis te werken waar natuurlijk iedereen behalve zij wist dat haar man vreemdging.

"En je werk?" vroeg hij.

"Ik red me wel", zei ze.

"Wil je vannacht hier slapen?"

"Nee", zei Valgerður. "Ik heb net met mijn zus gesproken en trek eerst bij haar in. Zij staat helemaal achter me."

"En je zegt dat het niets met mij te maken heeft …?"

"Het is niet om jou dat ik hem heb verlaten, maar om mezelf", zei Valgerður. "Ik wil niet dat hij nog langer bepaalt wat ik doe en denk en wil. En het is juist wat mijn zus en jij zeggen, ik had al veel eerder bij hem weg moeten gaan. Meteen toen ik ontdekte dat hij vreemdging."

Ze zweeg en keek naar Erlendur.

"Hij is ermee doorgegaan, ondanks dat ik hem gesmeekt heb te stoppen", zei ze. "Omdat ik niet genoeg … genoeg … seksueel niet opwindend genoeg was."

"Dat zeggen ze allemaal", zei Erlendur. "Dat is het eerste wat ze zeggen. Je moet daar niet naar luisteren."

"Hij gaf me daar al heel snel de schuld van", zei Valgerður.

"Wat moest hij anders zeggen? Hij probeert het voor zichzelf te rechtvaardigen."

Ze zwegen en dronken hun glas leeg.

"Jij bent …" zei ze en ze stopte midden in de zin. "Ik weet niet wat jij bent", zei ze toen. "Of wie je bent. Ik heb er geen idee van."

"Ik ook niet", zei Erlendur.

Valgerður glimlachte.

"Ga je morgen met me mee naar een barbecue?" vroeg Erlendur opeens. "Vrienden van me hebben me uitgenodigd. Elínborg heeft net een kookboek uitgebracht, misschien heb je er wel van gehoord. Zij zorgt voor het eten. Dat kun je haar wel toevertrouwen", voegde Erlendur eraan toe en hij keek naar zijn bureau waar nog de verpakking lag van een pak gehaktballen voor in de magnetron.

"Ik wil niet te hard van stapel lopen", zei ze.

"Ik ook niet", zei hij.

Er klonk gerammel van borden uit de eetzaal van het bejaardenhuis toen Erlendur door de gang liep naar de kamer van de oude boer. Het personeel was het ontbijt aan het afruimen en de kamers aan het schoonmaken. De meeste stonden open en de zon scheen door de ramen naar binnen. De deur van de kamer van de boer was echter dicht en Erlendur klopte aan.

"Laat me met rust", hoorde hij een krachtige, hese stem in de kamer zeggen. "Wat een klereherrie is het hier ook altijd!"

Erlendur deed de deur behoedzaam open. Hij stapte naar binnen. Hij wist bar weinig over de bewoner. Alleen dat hij Haraldur heette en zo'n twintig jaar geleden van zijn land was vertrokken. Toen hij met de boerderij was gestopt. Hij had eerder in een flat aan de Hlíða gewoond, maar was inmiddels verhuisd naar een bejaardenhuis. Erlendur had naar hem geïnformeerd bij het personeel en te horen gekregen dat Haraldur snel geïrriteerd was en graag ruzie zocht. Onlangs had hij een andere bewoner met zijn wandelstok op het hoofd geslagen en hij was onbeschoft tegen de verzorgenden, die hem het liefst uit de weg gingen.

"Wie ben jij nou weer?" vroeg Haraldur toen hij Erlendur in de deuropening zag. Hij was 84 jaar oud, had spierwit haar en grote handen van het werken. Hij zat op de rand van zijn bed, met wollen sokken aan zijn voeten, voorovergebogen en met zijn hoofd diep tussen zijn schouderbladen. Een warrige baard verborg de helft van zijn gezicht. Het stonk in de kamer en Erlendur vroeg zich af of deze Haraldur misschien snoof.

Hij stelde zich voor en zei dat hij van de politie was. Dat leek enige belangstelling bij Haraldur te wekken, want hij richtte zich op en keek Erlendur aan.

"Wat wil de politie van mij?" vroeg hij. "Is het omdat ik laatst voor het eten Þórður op zijn kop heb geslagen?"

"Waarom sloeg je Þórður?" vroeg Erlendur. Hij was nieuwsgierig.

" Þórður is een ezel", zei Haraldur. "Ik hoef je daar niets over te vertellen. Ga weg en doe de deur achter je dicht. Ze staan je hier de hele dag aan te staren. Bemoeien zich overal mee."

"Ik wil het helemaal niet met je over Þórður hebben", zei Erlendur, hij stapte de kamer binnen en sloot de deur achter zich.

"Hoor eens", zei Haraldur. "Het kan me geen donder schelen waarom je hierheen bent gekomen. Wat heeft dat te betekenen? Eruit met jou! Eruit en laat me met rust!"

De oude man rechtte zijn rug en hief zijn hoofd zo goed mogelijk tussen zijn schouders. Hij keek woedend naar Erlendur, die net deed of er niets aan de hand was en op het andere bed tegenover hem ging zitten. Dat bed was ongebruikt en Erlendur kon zich voorstellen dat niemand de kamer met die boosaardige Haraldur wilde delen. Er waren maar weinig persoonlijke bezittingen in de kamer aanwezig. Op het nachtkastje lagen twee stukgelezen dichtbundels van Einar Benediktsson.

"Heb je het hier niet naar je zin?" vroeg Erlendur.

"Niet naar mijn zin? Heeft de duivel je dat verteld? Wat moet je van me? Wie ben je? Waarom ga je niet gewoon weg, zoals ik je gevraagd heb?"

"Jouw naam kwam ter sprake in verband met een oude vermissingszaak", zei Erlendur en hij begon te vertellen over de man die landbouwmachines verkocht en een zwarte Ford Falcon bezat. Haraldur luisterde zwijgend naar Erlendur en viel hem geen enkele keer in de rede. Erlendur had geen idee wat hij zich herinnerde van wat hij vertelde. Hij vertelde dat de politie Haraldur had gevraagd of hij de man bij zijn boerderij had gezien, maar hij had altijd ontkend dat hij hem had ontmoet.

"Herinner je je het nog?" vroeg Erlendur.

Haraldur antwoordde hem niet. Erlendur herhaalde zijn vraag.

"Uhh", klonk het uit Haraldur. "Hij kwam nooit opdagen, die verdomde kerel. Dat is meer dan dertig jaar geleden. Ik herinner me daar niets meer van."

"Maar je weet nog wel dat hij niet verscheen?"

"Ja, wat is dat voor geks, dat zei ik toch? Nou, weg met jou! Ik hou er niet van om mensen bij me op de kamer te hebben!"

"Hield je schapen?" vroeg Erlendur.

"Schapen? Toen ik nog boer was? Ja, ik had een paar schapen, paarden en ook nog zo'n tien koeien. Voel je je beter nu je dat weet?"

"Je hebt je grond zeker goed kunnen verkopen", drong Erlendur aan. "Zo dicht bij de stad."

"Ben je soms van de belastingdienst?" riep Haraldur uit. Hij keek naar de grond. Het kostte hem moeite om zijn hoofd omhoog te houden, gebogen als hij was door slijtage en ouderdom.

"Nee, ik ben van de politie", zei Erlendur.

"Ze krijgen er nu meer voor", zei Haraldur. "De schoften. Nu de stad bijna zover komt als mijn land. Dat waren verdomde smeerlappen die mij mijn land hebben afgepakt. Verdomde smeerlappen, en nu kom jij hier zomaar binnen!" voegde hij er razend aan toe en zijn stem sloeg over. "Je zou eens met die verdomde smeerlappen moeten gaan praten!"

"Welke smeerlappen?" vroeg Erlendur.

"Die smeerlappen", zei Haraldur. "Die mijn land afpakten voor een appel en een ei."

"Wat wilde je van hem kopen? Van die verkoper met die zwarte auto."

"Kopen? Van die man? Ik wilde een tractor kopen. Ik had een goede tractor nodig. Ik ging naar Reykjavík en bekeek tractoren en ze bevielen me wel. Daar ontmoette ik die man. Hij schreef mijn telefoonnummer op en zat me voortdurend op te naaien. Ze zijn allemaal hetzelfde, die verkopers. Als ze denken dat je belangstelling hebt, laten ze je niet meer met rust. Ik zei hem dat ik wel met hem wilde praten als hij naar me toe zou komen. Hij zou brochures meenemen. En dus zat ik als een idioot op hem te wachten, maar hij liet zich nooit zien. Het volgende moment belt zo'n clown als jij me op en vraagt me of ik die man heb gezien. Ik vertelde hem precies wat ik jou nu vertel. Meer weet ik niet, dus je kunt pleite."

"Hij had een nieuwe Ford Falcon", zei Erlendur. "Die man die je die tractor wilde verkopen."

"Ik weet niet waar je het over hebt."

"Het gekke is dat die auto nog bestaat. Hij staat zelfs te koop als iemand er belangstelling voor heeft", zei Erlendur. "Toen die auto destijds werd gevonden, ontbrak er een wieldop aan. Weet jij wat er met die wieldop kan zijn gebeurd? Heb je een idee?"

"Wat zit je te bazelen, man?" zei Haraldur. Hij rukte zijn hoofd omhoog en keek Erlendur aan. "Ik weet niets van die man. En wat zeur je nou over die auto? Wat heb ik daarmee te maken?"

"Ik hoop dat die auto ons kan helpen", zei Erlendur. "Zulke auto's kunnen ontzettend lang bewijsmateriaal bewaren. Als die man bijvoorbeeld bij jou op de boerderij geweest is en over het erf heeft gelopen en binnen is geweest, dan kan hij iets van jou onder zijn schoenen hebben meegenomen en dat kan nu nog in de auto liggen. Na al die jaren. Het hoeft niets bijzonders te zijn. Een korrel zand is genoeg als dat hetzelfde zand is als op het erf bij jouw boerderij. Begrijp je wat ik zeg?"

De oude man keek naar de grond en antwoordde niet.

"Staat de boerderij er nog?" vroeg Erlendur.

"Zwijg", zei Haraldur.

Erlendur keek om zich heen in de kamer. Hij wist haast niets van de man die tegenover hem op de rand van het bed zat, behalve dat hij vervelend was en snel aangebrand en dat het stonk in zijn kamer. Hij las Einar Benediktsson en Erlendur dacht dat hij waarschijnlijk niet veel gelukkige dagen in zijn leven had gekend.

"Woonde je alleen op die boerderij?"

"Ga weg, zeg ik je!"

"Had je een huishoudster?"

"We waren alleen, mijn broer en ik. Jói is dood. Laat me nu met rust."

"Jói?" Erlendur kon zich niet herinneren dat er sprake was van iemand anders dan Haraldur in het proces-verbaal. "Wie was dat?" vroeg hij.

"Mijn broer", zei Haraldur. "Hij stierf twintig jaar geleden. Ga nu weg. Ga nu in godsnaam weg en laat me eindelijk met rust!"

17

Hij opende de kist met brieven en pakte ze een voor een, las van sommige de envelop en legde ze opzij, maar andere opende hij en las hij door. Hij had jarenlang niet meer naar die brieven gekeken. Het waren brieven van thuis, van zijn ouders, zijn zus en zijn vrienden in de jongerenbeweging van de partij, die wilden weten hoe het leven in Leipzig was. Hij herinnerde zich de brieven die hij terugschreef, waarin hij de stad beschreef en de wederopbouw en de geest die er heerste onder het volk en hoe die positief werd ingezet. Hij schreef over de internationale solidariteit, de socialistische gedachte, allemaal dode, clichématige woorden. Hij schreef nooit over de twijfels die in zijn hart waren opgekomen. Hij schreef nooit over Hannes.

Hij zocht dieper in de stapel brieven. Daar was een brief van Rut, met daaronder de boodschap van Hannes.

En daar, helemaal onder op de stapel, waren de brieven van de ouders van Ilona.

Hij dacht nauwelijks aan iets anders dan aan Ilona, die eerste weken en maanden dat ze samen waren. Hij had niet veel te besteden en leefde erg zuinig, maar wilde haar blij maken en bedacht allerlei kleinigheden om aan haar te geven. Op een dag, toen zijn verjaardag naderde, ontving hij een pakje van thuis met daarin onder andere een boekje in zakformaat met de gedichten van Jónas Hallgrímsson. Hij gaf haar het boekje en zei dat dat de teksten waren van de dichter die de mooiste woorden in de IJslandse taal had geschreven. Zij zei dat ze graag IJslands van hem wilde leren, zodat ze de gedichten kon lezen. Ze zei dat ze niets voor hem had. Hij glimlachte en schudde zijn hoofd. Hij had haar niet gezegd dat hij jarig was.

"Ik heb jou toch", zei hij.

"Nou, nou", zei ze.

"Wat?"

"Stoute jongen."

Ze legde het boek opzij, duwde hem achterover op het bed waar hij op zat en ging schrijlings boven op hem zitten. Ze kuste hem lang en innig. Het zou de fijnste verjaardag zijn die hij ooit in zijn leven gehad had.

De vriendschap tussen hem en Emil was die winter sterker geworden en ze waren veel samen. Hij voelde zich prettig bij Emil, die naarmate ze langer in Leipzig waren en ze de maatschappij beter leerden kennen, een overtuigder socialist werd. Emil toonde geen spoor van angst, ondanks de kritische woorden binnen de IJslandse gemeenschap over verklikkers en controle, tekorten aan basisvoorzieningen, verplichte bijeenkomsten van de FDJ en dergelijke dingen. Emil wuifde dat allemaal weg. Hij keek naar de doelen op langere termijn en in dat licht waren tijdelijke ongemakken niet belangrijk. Emil en hij konden het samen goed vinden en ze steunden elkaar.

"Maar waarom worden er niet meer spullen geproduceerd die mensen nodig hebben?" zei Karl toen ze een keer in de nieuwe mensa zaten en over het beleid van Ulbricht praatten. "Het ligt toch voor de hand dat de mensen hun situatie vergelijken met West-Duitsland, waar alles gericht is op de productie van consumptiegoederen en van alles te koop is. Waarom moeten Oost-Duitsers zoveel nadruk leggen op de opbouw van de industrie, terwijl de mensen niet genoeg te eten hebben? Het enige waar ze genoeg van hebben, is bruinkool en dat is niet eens een bruikbare brandstof."

"De planeconomie moet nog van de grond komen", zei Emil. "De wederopbouw is nog maar nauwelijks begonnen en ze hebben natuurlijk niet dezelfde dollartoevloed uit Amerika. Het kost allemaal tijd. Waar het om gaat, is dat de Socialistische Eenheidspartij op de goede weg is."

Behalve hij en Ilona werden er meer verliefd in Leipzig. Karl en Hrafnhildur gingen met Duitsers om die erg aardig waren en goed in de groep pasten. Karl werd steeds vaker gezien met een bruinogige, kleine studente uit Leipzig die Ulrike heette. Haar moeder was een vreselijk wijf, die hun relatie maar niets vond en ze brulden van het lachen toen Karl de relatie met Ulrikes moeder uitriep tot de moeilijkste van allemaal. Hij vertelde dat ze het erover hadden om bij elkaar in te trekken, misschien zelfs te trouwen. Ze hadden het goed samen, waren beiden erg vrolijke mensen en zij zei dat ze naar IJsland wilde komen, er zelfs wilde wonen. Hrafnhildur leerde een verlegen, onopvallende scheikundestudent kennen, die uit een klein dorpje buiten Leipzig kwam. Zij gingen er soms al heel vroeg op uit.

Het was inmiddels februari. Hij en Ilona zagen elkaar elke dag. Ze praatten niet meer zoveel over politiek, maar verder waren er geen problemen en ze hadden genoeg gespreksstof. Hij vertelde haar over het land van de verschroeide schaapskoppen en zij praatte over haar familie. Ze had twee oudere broers, die haar enorm verwenden. Haar ouders waren allebei arts. Zij studeerde literatuur en Duits. Een van haar lievelingsdichters was Friedrich Hölderlin. Ze las veel en vroeg hem uit over de IJslandse literatuur. Boeken waren een van hun gemeenschappelijke interesses.

Lothar mengde zich steeds meer onder de IJslanders. Ze vonden hem grappig met zijn mechanische, formele IJslands en zijn voortdurende vragen over alles wat met IJsland te maken had. Hij kon het goed met hem vinden. Ze waren allebei overtuigd communist en konden over politiek praten zonder ruzie te krijgen. Lothar oefende zijn IJslands op hem en hij praatte Duits met hem. Lothar kwam uit Berlijn, een prachtige stad volgens hem. Hij vertelde dat hij zijn vader in de oorlog had verloren, maar dat zijn moeder nog altijd in Berlijn woonde. Lothar vroeg hem een keer met hem mee te gaan, het was helemaal niet zo ver met de trein. Verder was de Duitser nogal gesloten over zichzelf; hij beweerde dat dat kwam omdat hij het als kleine jongen zo moeilijk had gehad in de oorlog. Hij vroeg hun steeds meer over IJsland, waarin hij een dwangmatige interesse leek te hebben. Hij vroeg naar de universiteitsstructuur daar, het politieke beleid, de regeringsleiders, het bedrijfsleven, hoe de mensen leefden, het leger op de Miðnesheiði. Hij legde Lothar uit dat de IJslanders enorm van de oorlog hadden geprofiteerd, dat Reykjavík was gegroeid en dat het land haast van het ene op het andere moment was veranderd van een arme boerensamenleving in een moderne, stedelijke maatschappij.

Soms praatte Tómas op de universiteit met Hannes. Meestal was dat in de bibliotheek of in de koffiekamer in het hoofdgebouw. Ze hadden ondanks alles vriendschap gesloten, ondanks het pessimisme van Hannes. Hij probeerde hem weer voor de zaak te interesseren, maar tevergeefs. Zijn belangstelling was verdwenen. Hij dacht alleen nog maar aan zichzelf, het afmaken van zijn studie en naar huis gaan.

Op een dag ging hij in de koffiekamer bij Hannes zitten. Het sneeuwde. Hij had met Kerstmis een nieuwe, warme winterjas van thuis gekregen. In een brief naar huis had hij de kou in Leipzig genoemd. Hannes vroeg hem van alles over die jas en hij hoorde een spoortje afgunst in zijn stem.

Hij wist toen nog niet dat het de laatste keer zou zijn dat ze elkaar in Leipzig spraken.

"Hoe gaat het met Ilona?" vroeg Hannes.

"Hoe ken jij Ilona?" vroeg hij.

"Ik ken haar helemaal niet", zei Hannes en hij keek om zich heen in de koffiekamer, alsof hij er zeker van wilde zijn dat niemand hen kon horen. "Ik weet alleen dat ze uit Hongarije komt. En dat ze je meisje is. Dat is toch zo? Jullie zijn toch samen?"

Tómas nam een slokje van de slappe koffie. Hij antwoordde niet. Er was iets in de toon die Hannes aansloeg. Harder en onredelijker dan hij gewend was.

"Praat ze wel eens met jou over wat er in Hongarije aan de hand is?" vroeg Hannes.

"Soms. We proberen het niet te veel over ..."

"Je weet toch wat er in Hongarije gebeurt?" viel Hannes hem in de rede. "De Sovjets gaan de militaire macht in het land overnemen. Het verbaast me dat het nog steeds niet gebeurd is. Ze ontkomen er niet aan. Als ze toestaan dat wat er in Honga-

rije gebeurt zich verder ontwikkelt, volgen andere Oost-Europese landen in hun kielzog en komt er een algehele opstand
tegen de Sovjetmacht. Praat ze daar nooit over?"

"We hebben het wel eens over Hongarije", zei hij. "We zijn het
alleen niet met elkaar eens."

"Nee, natuurlijk niet. Jij weet veel beter wat er aan de hand is
dan zij, een Hongaarse."

"Dat zeg ik niet."

"Nee, wat zeg je eigenlijk wel?" zei Hannes. "Heb je er wel
eens in alle ernst over nagedacht? Als je niet meer door een
gekleurde bril kijkt tenminste."

"Wat heb je, Hannes? Waarom ben je zo boos? Wat is er
gebeurd sinds je hierheen bent gekomen? Jij die thuis de grote
belofte was."

"Grote belofte", snoof Hannes. "Dat ben ik waarschijnlijk
niet meer", zei hij.

Ze zwegen.

"Ik doorzag die onzin gewoon", zei Hannes zacht. "Al die verdomde leugens. Ze hebben ons gek gemaakt met het paradijs
van het proletariaat, gelijkheid en broederschap tot we de
Internationale zongen als een kapotte speeldoos. Eén groot kri-
tiekloos hallelujakoor. Thuis hadden we discussiebijeenkom-
sten. Hier zijn alleen maar lofzangen te horen. Waar zie je nog
een debat? Leve de partij en niets anders! Heb je met mensen
gesproken die hier wonen? Weet je iets van wat ze denken? Heb
je met één inwoner van de stad gesproken die eerlijk durft te
zijn? Hebben zij gekozen voor Walter Ulbricht en de communistische partij? Willen zij het eenpartijstelsel en de planeconomie? Willen zij de vrijheid van meningsuiting en de politieke
partijen verbieden? Wilden zij zich laten neerschieten in de
straten bij de opstand van 1953? Thuis konden we tenminste
strijden met de oppositie en artikelen schrijven in de krant.
Hier is dat verboden. Er bestaat nog maar één lijn en daarmee
uit. Ze noemen het verkiezingen als het volk wordt opgetrom-
meld om voor de enige partij die in het land actief mag zijn te
kiezen! De mensen kijken ernaar als naar het eerste het beste
apenspel. Ze weten heus wel dat dat geen democratie is!"

Hannes zweeg. Zijn woede zakte weer.

"Het volk durft niet te zeggen wat het denkt, omdat hier iedereen onder controle staat. De hele verdomde maatschappij. Alles wat je zegt en wat je doet, kan tegen je gebruikt worden. Je wordt ter verantwoording geroepen, gearresteerd, van de universiteit geschopt. Praat maar eens met de mensen hier. De telefoons worden afgeluisterd. Er wordt gespioneerd onder het volk!"

Ze zwegen. Tómas wist dat Hannes en Ilona wel een beetje gelijk hadden. Hij dacht dat het beter zou zijn als de Partij er eerlijk voor uitkwam en zou toegeven dat er op dit moment geen ruimte was voor vrije verkiezingen en vrijheid van meningsuiting. Dat kwam later, als het doel, een socialistische maatschappij, was bereikt. Ze hadden er soms om gelachen dat de Duitsers overal mee instemden wat op een bijeenkomst ter sprake kwam; in persoonlijke gesprekken kwam er iets heel anders naar voren en hadden ze een heel andere mening over wat er op de vergaderingen besloten was. De mensen durfden niet open en eerlijk te zijn, durfden nauwelijks een eigen mening te formuleren uit vrees dat deze werd opgevat als volksvijandig en hun zou worden aangerekend.

"Het zijn gevaarlijke mensen, Tómas", zei Hannes na een lange stilte. "Ze spelen geen spelletjes."

"Waarom hebben jullie het toch steeds over vrijheid van meningsuiting?" zei hij geïrriteerd. "Jij en Ilona. Kijk eens naar de communistenjacht in Amerika. Kijk eens hoe de mensen het land worden uitgezet en hun baan kwijtraken. En hoe zit het daar met de controlemaatschappij? Heb je gelezen hoe die lafbekken hun vrienden verraadden voor de House Un-American Activities Committee? Daar is de communistische partij verboden. Daar is ook maar één mening toegestaan en dat is de mening van de kapitalisten, de imperialisten, de militaristen. Ze verbieden al het andere. Alles."

Hij stond op.

"Jij bent op uitnodiging van het volk, het gewone volk, in dit land", zei hij boos. "Het volk betaalt voor je opleiding en jij beschaamt hen door zo te praten. Je beschaamt hen gewoon. En je bent ook nog eens van plan om daarna naar huis af te druipen!"

Hij beende de koffiekamer uit.

"Tómas!" riep Hannes hem achterna, maar hij reageerde niet.

Hij liep met grote passen door de gang en botste tegen Lothar op, die vroeg wat er met hem aan de hand was. Hij keek achterom in de richting van de koffiekamer. "Niets", zei hij. Ze gingen samen naar buiten. Lothar drong erop aan dat ze een biertje zouden gaan drinken en hij liet het zich aanleunen. Ze gingen naar Baum bij de Thomaskirche en hij vertelde Lothar waarover Hannes en hij ruzie hadden gemaakt en hoe Hannes zich om de een of andere reden helemaal tegen het socialisme had gekeerd en hem probeerde te overtuigen. Hij zei tegen Lothar dat hij die dubbele moraal van Hannes niet kon uitstaan. Hij keerde zich tegen de socialistische maatschappij, maar wilde er toch van profiteren en zijn studie afmaken.

"Ik begrijp dat niet", zei hij tegen Lothar. "Ik begrijp niet hoe hij zo misbruik kan maken van de situatie. Dat zou ik nooit doen", zei hij. "Nooit."

's Avonds zag hij Ilona en hij vertelde haar over de woordenwisseling. Hij zei dat Hannes soms deed alsof hij haar kende, maar zij schudde haar hoofd. Had nooit van hem gehoord en nooit met hem gesproken.

"Ben je het met hem eens?" vroeg hij aarzelend.

"Ja", zei ze na lang stilzwijgen. "Ik ben het met hem eens. En ik ben niet de enige. Er zijn er veel, veel meer. Mensen van mijn leeftijd in Boedapest. Jonge mensen hier in Leipzig."

"Waarom merk je daar dan niets van?"

"We zijn ermee bezig in Boedapest", zei ze. "Maar er is een enorme tegenstand. Verschrikkelijk. En angst. Er heerst overal angst voor wat er zou kunnen gebeuren."

"Het leger?"

"Hongarije is na de oorlog door de Sovjet-Unie bezet. Ze laten het niet zonder strijd los. Als het ons lukt om ons van hen los te maken, weet je nooit wat er in andere Oost-Europese landen gaat gebeuren. Dat is een grote vraag. Of er een kettingreactie komt."

Twee dagen later was Hannes zonder waarschuwing vooraf van de universiteit geschorst en het land uitgezet.

Hij hoorde dat er twee politieagenten bij de kamer die Hannes huurde de wacht hielden en dat hij tot in het vliegtuig was begeleid door twee mannen van de geheime dienst. Hannes zou zijn studie niet aan een andere universiteit kunnen afmaken. Zijn examens waren ongeldig verklaard. Het was afgelopen met hem.

Tómas geloofde zijn oren niet toen Emil kwam aanrennen en hem het nieuws vertelde. Emil wist niet veel. Hij was Karl en Hrafnhildur tegengekomen, die hem vertelden over de politie bij zijn kamer en dat overal werd gezegd dat Hannes naar het vliegveld was begeleid. Emil moest het hem driemaal zeggen. Er werd met hun landgenoot omgegaan alsof hij iets afschuwelijks had misdaan. Alsof hij een onverbeterlijke crimineel was. 's Avonds werd er in het studentenhuis over niets anders gepraat. Niemand wist zeker wat er gebeurd was.

Een dag later, drie dagen na hun woordenwisseling in de koffiekamer, kreeg hij een bericht van Hannes. De kamergenoot van Hannes bracht het. Het zat in een gesloten envelop met alleen zijn naam erop. Tómas. Hij opende de envelop en ging met de brief op zijn bed zitten. Het was een kort bericht.

Je vroeg me wat er gebeurd was in Leipzig. Wat me overkomen was. Het is simpel. Ze vroegen me herhaaldelijk om onder mijn vrienden te spioneren, door te vertellen wat jullie zeiden over het socialisme, over Oost-Duitsland, over Ulbricht, naar welke zenders jullie luisterden. Niet alleen van jullie, maar van iedereen met wie ik omging. Ik weigerde hun verklikker te zijn. Ik zei dat ik niet van plan was te spioneren onder mijn vrienden. Ze dachten dat ik beïnvloedbaar was. Ze zeiden dat ze me anders van de universiteit zouden trappen. Ik weigerde en ze lieten me zitten. Tot nu. Waarom kon je me niet gewoon met rust laten?

Hannes

Hij herlas het briefje keer op keer en geloofde gewoon niet wat hij las. Er liep een rilling over zijn rug en zijn keel werd samengeknepen.

Waarom kon je me niet gewoon met rust laten?

Hannes verweet het hem dat hij van de universiteit geschorst was. Hannes dacht dat hij naar het bestuur van de universiteit was gestapt en verklikt had welke ideeën hij erop nahield, verteld had over zijn verzet tegen het communisme. Als hij hem met rust had gelaten, was het niet gebeurd. Hij staarde naar het briefje. Het was een misverstand. Wat dacht Hannes wel? Hij had helemaal niet met het bestuur gepraat, alleen met Ilona en Lothar en 's avonds had hij zich in de keuken over de ideeën van Hannes verwonderd in het bijzijn van Emil, Karl en Hrafnhildur. Dat was niets nieuws. Ze waren het met hem eens geweest. Ze vonden de redeneringen van Hannes in het beste geval te ver gaan en in het slechtste geval voorspelbaar.

Het moest toeval zijn dat Hannes was geschorst na hun ruzie en een misverstand dat Hannes het ermee in verband bracht. Hij kon toch niet echt denken dat hij er schuldig aan was dat hij zijn studie niet kon afmaken? Hij had helemaal niets gedaan. Hij had niemand iets verteld, behalve zijn vrienden. Leed hij niet aan een soort vervolgingswaanzin? Kon iemand zoiets serieus denken?

Emil was bij hem in de kamer en hij liet hem de brief zien. Emil vloekte en tierde. Hij had een grote hekel aan Hannes en aan alles waar hij voor stond en stak dat niet onder stoelen of banken.

"Hij is gek", zei Emil. "Trek het je niet aan."

"Maar waarom zegt hij dat?"

"Tómas", zei Emil. "Vergeet het. Hij probeert iemand anders de schuld te geven van zijn eigen fouten. Hij had hier allang weg moeten zijn."

Tómas sprong op en greep zijn jas, die hij al rennend op de gang aantrok; hij rende de hele weg naar het huis waar Ilona woonde en bonkte op de deur. De hospita liet hem binnen bij Ilona. Ze zette net een muts op haar hoofd en had haar jas en schoenen aan. Ze stond op het punt naar buiten te gaan. Ze schrok toen Tómas binnenkwam en zag dat hij erg overstuur was.

"Wat is er?" vroeg ze en ze liep naar hem toe.

Hij sloot de deur.

"Hannes denkt dat ik er een rol in heb gespeeld dat hij van de universiteit is geschorst en naar huis is gestuurd. Alsof ik hem bij iemand heb verklikt!"

"Wat bedoel je?"

"Hij geeft mij er de schuld van dat hij is geschorst!"

"Met wie heb je gesproken?" vroeg Ilona. "Nadat je Hannes had ontmoet?"

"Alleen met jou en de jongens. Ilona, wat bedoelde je laatst toen je het over de jonge mensen in Leipzig had? Die het met Hannes eens waren? Welke mensen zijn dat? Waar ken je ze van?"

"Heb je echt met niemand anders gepraat? Weet je het zeker?"

"Nee, alleen met Lothar. Wat weet je van de jongeren in Leipzig, Ilona?"

"Heb je Lothar verteld over de ideeën van Hannes?"

"Ja, wat bedoel je? Hij weet alles over Hannes."

Ilona staarde hem nadenkend aan.

"Wil je me alsjeblieft vertellen wat er hier aan de hand is?" vroeg hij.

"We weten niet precies wie Lothar is", zei Ilona. "Denk je dat iemand je hierheen gevolgd is?"

"Gevolgd? Wat bedoel je? Wie weten niet wie Lothar is?"

Ilona keek hem aan en hij had haar nog nooit zo ernstig, bijna angstig, zien kijken. Hij had geen idee wat er aan de hand was. Het enige wat hij wist was dat hij zich vreselijk rot voelde over Hannes. Omdat Hannes dacht dat hij de oorzaak was van hoe het met hem was afgelopen. Hij had niets gedaan. Helemaal niets.

"Je kent het systeem. Het is gevaarlijk om te veel te zeggen."

"Te veel! Ik ben geen kind, ik weet dat er controle is."

"Dat weet ik. Natuurlijk."

"Ik heb niets gezegd, alleen tegen mijn vrienden. Wat is er aan de hand, Ilona."

"Weet je zeker dat niemand je gevolgd is?"

"Niemand is me gevolgd", zei hij. "Wat bedoel je? Waarom

zou iemand me moeten volgen? Waar heb je het over?" Toen bedacht hij zich. "Ik weet niet of iemand me gevolgd is. Ik heb daar niet op gelet. Waarom zou iemand me volgen? Wie zou dat willen doen?"

"Ik weet het niet", zei ze. "Kom, we gaan door de achterdeur."

"Waarheen?" zei hij.

"Kom", zei ze.

Ilona pakte zijn hand en voerde hem door het keukentje, waar de oude vrouw zat te breien. Ze keek op en glimlachte, en zij glimlachten terug en groetten haar. Ze kwamen in een donker achtertuintje, klommen over de schutting en bereikten een smal gangetje. Hij wist niet wat er gebeurde. Waarom rende hij in de schemering achter Ilona aan, terwijl hij over zijn schouder keek om te zien of iemand hen volgde?

Ze bleef ver van de hoofdwegen; soms stopte ze, bleef doodstil staan en luisterde naar voetstappen. Ze liep maar door en hij volgde. Na een lange tocht kwamen ze in een nieuwbouwwijk die op een flinke afstand van de binnenstad in aanbouw was. Sommige gebouwen hadden nog geen ramen of deuren, maar andere waren al bewoond. Ze gingen een blok binnen dat gedeeltelijk in gebruik was genomen en daalden af naar de kelder. Daar klopte Ilona op de deur. Aan de andere kant van de deur hoorde hij stemmen, die onmiddellijk verstomden toen er werd geklopt. De deur ging open. Er stonden een man of tien in de kleine woning en ze keken naar hen in de deuropening. Ze staarden hem onderzoekend aan. Ilona ging naar binnen, groette hen en stelde hem aan hen voor.

"Hij is een vriend van Hannes", zei ze en ze keken naar hem en knikten.

Een vriend van Hannes, dacht hij verbijsterd. Hoe kenden zij Hannes? Hij wist niet hoe hij het had. Een vrouw stapte naar voren uit de groep, reikte hem de hand en heette hem welkom.

"Weet je wat er gebeurd is?" vroeg ze. "Weet je waarom hij geschorst is?"

Hij schudde zijn hoofd.

"Ik heb geen idee", zei hij. Hij keek de groep rond. "Wie zijn jullie?" vroeg hij. "Waar kennen jullie Hannes van?"

"Zijn jullie gevolgd?" vroeg de vrouw aan Ilona.

"Nee", zei Ilona. "Tómas weet niet wat er gebeurd is en ik wilde dat hij het van jullie hoorde."

"We weten dat ze Hannes in de gaten hielden", zei de vrouw. "Nadat hij had geweigerd om voor hen te werken. Ze wachtten gewoon op een aanleiding. Ze wachtten op een aanleiding om hem van de universiteit te trappen."

"Wat wilden ze dat hij deed?"

"Ze noemen het een dienst voor de communistische partij en het volk." Een man uit de groep stapte naar voren en liep op hem toe.

"Hij lette altijd zo goed op", zei de man. "Hij was op zijn hoede en zei nooit iets wat hem in moeilijkheden kon brengen."

"Vertel hem over Lothar", zei Ilona. De druk was er een beetje af. Sommige mensen namen weer plaats op hun stoel. "Lothar is de mentor van Tómas", voegde ze eraan toe.

"Heeft iemand jullie gevolgd?" herhaalde de man en hij keek bezorgd naar Ilona.

"Niemand", zei ze. "Dat zei ik net al. Ik ben voorzichtig geweest."

"Wat is er met Lothar?" vroeg hij en hij had er moeite mee te geloven wat hij hoorde en zag. Hij keek om zich heen in de kleine flat, naar de mensen die angstig en nieuwsgierig naar hem keken. Hij concludeerde dat hij op een vergadering van een verzetsgroep was beland, maar dan anders. Het was niet als een vergadering van de jonge socialisten thuis. Het was geen bijeenkomst waar voor het socialisme werd gestreden, maar een geheime vergadering van het verzet tégen het socialisme. Als hij het goed begreep, waren het mensen die elkaar in het geheim ontmoetten, omdat ze bang waren te worden gestraft voor hun antisocialistische houding.

Ze vertelden hem over Lothar. Hij was niet afkomstig uit Berlijn, maar uit Bonn en hij was opgeleid in Moskou, waar hij onder andere IJslands had geleerd. Zijn opdracht was jonge mensen op de universiteit te werven voor de communistische partij. Hij mengde zich vooral onder buitenlandse studenten die in steden als Leipzig kwamen studeren en daarna weer naar huis gingen en later dus van nut zouden kunnen zijn. Het was Lothar die had geprobeerd Hannes voor zich te laten werken. Het was waarschijnlijk Lothar die er uiteindelijk voor gezorgd had dat hij werd geschorst.

"Waarom heb je me niet gezegd dat je Hannes kende?" vroeg hij verward aan Ilona.

"We praten hier niet over", zei Ilona. "Met niemand. Hannes heeft het er met jou toch ook niet over gehad? Anders had je alles doorverteld aan Lothar."

"Lothar?" zei hij.

"Je vertelde hem alles over Hannes", zei Ilona.

"Ik wist niet ..."

"We moeten voorzichtig zijn met wat we zeggen, altijd. Je hebt Hannes in elk geval niet geholpen door met Lothar te praten."

"Ik wist het niet van Lothar, Ilona."

"Het hoeft Lothar niet geweest te zijn", zei Ilona. "Het kan iedereen geweest zijn. Je weet het nooit. Je weet nooit wie het is. Zo is het systeem. Zo behalen ze hun resultaten."

Tómas staarde naar Ilona en wist dat ze gelijk had. Lothar had hem gebruikt, had zijn woede gebruikt. Hannes had gelijk met wat hij in zijn briefje schreef. Hij had iets tegen iemand gezegd wat hij niet had mogen zeggen. Niemand had hem gewaarschuwd. Niemand had iets gezegd over geheime dingen. Maar hij wist ook diep vanbinnen dat het niet nodig was geweest dat iemand hem dat vertelde. Hij voelde zich afschuwelijk. Zijn geweten knaagde enorm aan hem. Hij wist heel goed hoe het systeem werkt. Hij wist alles over de controle. Hij had zich door zijn woede laten meeslepen. Zijn onvolwassenheid had hen iets in handen gegeven om Hannes op te pakken.

"Hannes had het contact met de andere IJslanders verbroken", zei hij.

"Ja", zei Ilona.

"Omdat hij ..." Hij maakte zijn zin niet af.

Ilona knikte.

"Wat gebeurt er hier?" vroeg hij. "Wat gebeurt er hier eigenlijk? Ilona?"

Zij keek de groep rond alsof ze op een reactie wachtte. De man die eerder al het voortouw had genomen, knikte naar haar en zij vertelde hem dat deze mensen uit eigen beweging contact met haar hadden gezocht. Een van hen – Ilona wees op de vrouw die hem met een handdruk had begroet – zat op de universiteit met haar bij de colleges Duits en wilde alles weten van wat er in Hongarije aan de hand was, over de oppositie tegen de communistische partij in het land en over de angst voor de Sovjet-Unie. De vrouw had haar eerst voorzichtig benaderd om erachter te komen wat haar mening was en toen ze er eenmaal van overtuigd was dat Ilona de opstand in Hongarije steunde, vroeg ze haar om mee te gaan en kennis te maken met haar vrienden. De groep kwam in het geheim samen. De controle op het volk nam toe en de mensen werden steeds meer aangemoedigd om de geheime dienst in te lichten als iemand verdacht werd van antisocialistische ideeën. Dat had met de opstand van 1953 te maken en was ook een reactie op de gebeurtenissen in Hongarije. Ilona had Hannes ontmoet op haar eerste bijeenkomst met jongeren in Leipzig. Ze wilden weten wat er in Hongarije speelde en of het mogelijk was een dergelijke oppositie in Oost-Duitsland van de grond te krijgen.

"Waarom zat Hannes in die groep?" vroeg hij. "Hoe raakte hij daarbij betrokken?"

"Hannes was werkelijk bekeerd, net als jij", zei Ilona. "Jullie moeten daar op IJsland heel sterke leiders hebben." Ze keek naar de man die eerder ook de leiding had genomen. "Martin en Hannes zijn bevriend geraakt tijdens hun studie techniek", zei ze. "Het kostte Martin lange tijd om Hannes te laten begrijpen waarover wij het hadden. Maar wij vertrouwden hem. We hebben nooit reden gehad dat niet te doen."

"Als jullie dat van Lothar weten, waarom hebben jullie dan niet iets gedaan?" vroeg hij.

"We kunnen niets doen, behalve hem uit de weg gaan, wat moeilijk genoeg is omdat hij erop getraind is met iedereen bevriend te zijn", zei een man. "Het enige wat we kunnen doen als hij te opdringerig wordt, is hem misleiden. De mensen zijn niet open tegen hem. Hij zegt wat wij willen horen en neemt onze ideeën over. Maar hij is vals. En hij is gevaarlijk."

"Maar wacht", zei hij en hij keek naar Ilona. "Als jullie van Lothar weten, weet Hannes dan niet wie hij is?"

"Jawel, Hannes wist dat ook", zei Ilona.

"Waarom zei hij dan niets? Waarom waarschuwde hij me dan niet voor hem? Waarom heeft hij niets gezegd?"

Ilona liep naar hem toe.

"Hij vertrouwde je niet", zei ze. "Hij wist niet waar hij jou moest plaatsen."

"Hij zei dat hij met rust gelaten wilde worden."

"Dat was ook zo. Hij wilde niet spioneren onder ons en onder zijn landgenoten."

"Hij riep nog iets naar me toen ik bij hem wegliep. Hij wilde nog iets tegen me zeggen, maar hij … ik was kwaad, ik liep naar buiten. Recht in de armen van Lothar."

Hij keek naar Ilona.

"Dat is dus geen toeval geweest?"

"Dat vraag ik me af", zei Ilona. "Maar het was natuurlijk vroeg of laat toch een keer gebeurd. Ze hielden Hannes heel scherp in de gaten."

"Zijn er nog meer mensen als Lothar op de universiteit?" vroeg hij.

"Ja", zei Ilona. "We weten niet wie het zijn. We kennen er maar een paar."

"Lothar is je mentor", zei een man die op een stoel zat en zwijgend had geluisterd naar wat er gezegd werd.

"Ja."

"Wat bedoel je?" zei Ilona tegen de man.

"Mentoren moeten buitenlanders in de gaten houden", zei de man en hij stond op. "Ze moeten alles over buitenlanders doorbrieven. We weten ook dat Lothar ze moet werven als medewerkers."

"Zeg wat je op je hart hebt", zei Ilona en ze zette een stap in zijn richting.

"Hoe weten we dat we die vriend van jou kunnen vertrouwen?"

"Ik vertrouw hem", zei Ilona. "Dat is genoeg."

"Hoe weten jullie dat Lothar gevaarlijk is?" vroeg hij. "Wie heeft jullie dat verteld?"

"Dat is onze zaak", zei de man.

"Dat is jullie goed recht", zei hij en hij keek naar de man die zijn betrouwbaarheid in twijfel had getrokken. "Waarom vertrouwen jullie mij eigenlijk?"

"We vertrouwen Ilona", was het antwoord.

Ilona lachte onhandig.

"Hannes zei dat je wel zou bijdraaien", zei ze.

Hij keek naar het vergeelde papier en las het oude briefje van Hannes nog eens. De avond viel snel en het echtpaar liep voor zijn raam langs. Hij dacht terug aan die avond in de kelderwoning in Leipzig en hoe die zijn hele leven een totaal andere wending had gegeven. Hij dacht aan Ilona, aan Hannes en Lothar. En hij dacht aan die angstige mensen in de kelder.

Het waren de kinderen van die mensen die de Nikolauskirche bezetten en de straten van Leipzig op gingen toen het tientallen jaren later tot een uitbarsting kwam.

18

Valgerður kwam niet met Erlendur mee naar de barbecue bij Sigurður Óli en haar naam werd niet genoemd. Elínborg had heerlijk malse lamskoteletjes klaargemaakt, die ze had gemarineerd in een speciale kruidensaus met geraspte citroenschil. Maar eerst aten ze een voorgerecht met garnalen dat Bergþóra had bereid en dat door Elínborg enorm werd bejubeld. Het nagerecht was een mousse van Elínborg. Erlendur kon niet uitmaken waar hij van gemaakt was, maar hij smaakte erg lekker. Hij was helemaal niet van plan geweest om naar de barbecue te gaan, maar had zich na herhaalde pogingen van Sigurður Óli en Bergþóra laten overhalen. Het was veel minder erg dan de receptie bij de uitgever van Elínborg. Bergþóra was zo blij dat hij gekomen was dat hij zelfs in de kamer mocht roken. Sigurður Óli wist niet wat hij zag toen zij een asbak voor hem ging halen. Erlendur keek naar hem en grijnsde. Hij had het gevoel dat hij beloond werd voor zijn gedrag.

Ze praatten niet over het werk, behalve die ene keer toen Sigurður Óli zich afvroeg hoe dat Russische apparaat was vernield voordat het met het lijk overboord werd gezet. Erlendur had hun verteld wat de Technische Recherche had geconcludeerd. Ze stonden met zijn drieën op het kleine terras. Elínborg was de barbecue aan het voorbereiden.

"Zegt jullie dat iets?" vroeg ze.

"Ik weet het niet", zei Erlendur. "Ik weet niet of het belangrijk is of het apparaat nog bruikbaar was of niet. Ik zie het verschil niet. Een afluisterapparaat is een afluisterapparaat. Russen zijn Russen."

"Ja, dat dacht ik al", zei Sigurður Óli. "Misschien is het beschadigd bij een of andere vechtpartij. Op de grond terechtgekomen en uit elkaar gevallen."

"Mogelijk", zei Erlendur. Hij keek omhoog naar de zon. Hij wist eigenlijk niet goed wat hij daar op dat terras aan het doen was. Hij was nog nooit bij Bergþóra en Sigurður Óli thuis geweest, al werkten ze al heel lang samen. Het verbaasde hem niets dat alles op zijn plaats stond en het huis smaakvol was ingericht met zorgvuldig uitgezochte meubels, kunstvoorwerpen en vloerbedekking. Nergens een stofje te vinden. Ook geen boeken trouwens.

Erlendur leefde op toen bleek dat Teddi, de man van Elínborg, belangstelling had voor de Ford Falcon. Teddi was automonteur, wiens liefde voor Elínborg vooral door de maag ging, net als bij de meesten die met haar in contact kwamen. Zijn vader had ooit een Falcon bezeten en was er erg dol op geweest. Teddi vertelde Erlendur dat de auto een automaat was, heel soepel in de besturing, voorin een bank had en een groot, ivoorwit stuur. Het was een gezinsauto die klein was vergeleken met andere Amerikaanse auto's uit de jaren zestig, die over het algemeen reusachtig waren.

"Hij was niet erg bestand tegen de IJslandse wegen", zei Teddi en hij bietste een sigaret van Erlendur. "Misschien was hij niet sterk genoeg voor de IJslandse omstandigheden. We raakten in grote problemen toen de as onder de auto brak tijdens een tochtje het binnenland in. Mijn vader moest hem door een sleepauto terug naar de stad laten slepen. Het waren niet zulke krachtige auto's, maar ze waren ideaal voor een klein gezin."

"Waren de wieldoppen bijzonder?" vroeg Erlendur en hij gaf Teddi een vuurtje.

"De wieldoppen van Amerikaanse auto's waren altijd iets bijzonders en dat gold ook voor de Falcon. Maar ze sprongen er niet echt uit. Die van de Chevrolet daarentegen ..."

Voor een klein gezin, dacht Erlendur en de stem van Teddi verdween naar de achtergrond. De verkoper die verdwenen was, had een mooie auto gekocht voor een klein gezin dat hij met de vrouw in de melkwinkel had willen stichten. Dat was de toekomst. Toen hij verdween, ontbrak er een wieldop aan zijn auto. Erlendur had met Sigurður Óli en Elínborg zitten bedenken hoe die wieldop losgeraakt kon zijn. Misschien had hij een te krappe bocht genomen of was hij te dicht langs de stoep gereden. Of misschien was de wieldop gewoon gestolen voor het busstation.

"… maar toen kwam de oliecrisis in de jaren zeventig en de auto's moesten zuiniger worden", ratelde Teddi onverdroten voort; hij nam een slok van zijn bier.

Erlendur knikte afwezig en doofde zijn sigaret. Hij zag dat Sigurður Óli een raam opende om de rook naar buiten te laten. Erlendur probeerde het roken te minderen, maar rookte altijd meer dan hij van plan was. Hij dacht er wel over te stoppen, maar dat was hem nog niet gelukt. Hij dacht aan Eva Lind, die niets van zich had laten horen sinds ze uit de kliniek was ontslagen. Ook zij had geen zin in een gezond leven. Hij keek naar het kleine terras bij het rijtjeshuis van Sigurður Óli en Bergþóra en naar Elínborg die aan het barbecueën was en hij hoorde haar zachtjes neuriën. Hij keek de keuken in waar Sigurður Óli in het voorbijgaan Bergþóra in de nek kuste. Hij wierp een blik op Teddi, die van zijn biertje stond te genieten. Misschien was dit hier levensgeluk. Misschien was alles heel eenvoudig als de zon scheen op een mooie zomerdag.

In plaats van naar huis te gaan, reed hij die avond de stad uit, langs Grafarholt in de richting van Mosfellsbæ. Hij reed over een afgelegen weg naar een mooie boerderij, maar maakte toen een bocht in de richting van de zee en verder naar het land van boer Haraldur en zijn broer Jói. Hij had een precieze routebeschrijving gekregen van Haraldur, die geprobeerd had zich zo onuitstaanbaar mogelijk te gedragen. Hij weigerde Erlendur te vertellen of de oude boerderij er nog stond; zei dat hij daar niets van wist. Hij zei dat zijn broer plotseling aan een hartstilstand was gestorven. "We zijn niet allemaal zo gelukkig als mijn broer Jóhann", had hij eraan toegevoegd.

Het huis stond er nog. Rondom de oude boerderij stonden

zomerhuisjes. Te oordelen aan de bomen rond enkele ervan, stonden ze er al een tijdje. Andere waren nieuw. Erlendur ontwaarde een golfbaan in de verte. Het was al laat in de avond, maar hij zag toch nog een paar figuren balletjes wegslaan en achter ze aan wandelen in de zwoelte van de zomer.

Van de boerderij stond niet veel meer overeind. Een klein woonhuis en daarachter een bijgebouw. Het huis was met ijzeren golfplaten bekleed. De platen waren ooit geel geschilderd, maar de kleur was er vrijwel overal af. Verroeste platen hingen tegen het huis aan. Andere hadden het moeten afleggen tegen regen en wind en lagen op de grond. De meeste dakplaten waren in zee geblazen, stelde Erlendur zich voor. Alle ruiten waren gebroken en de voordeur was verdwenen. Voor het huis waren de resten te zien van een kleine loods, die was vastgebouwd aan een koeienstal en een schuur.

Hij stond stil voor het vervallen gebouw. Het leek precies op zijn ouderlijk huis.

Hij stapte naar binnen en kwam in een klein halletje en een smalle gang. Links waren de keuken en de bijkeuken en een kleine voorraadkamer. In de keuken stond nog een aftands fornuis met drie branders en een kleine oven, verroest en zwart. Aan het eind van de gang lagen twee kleine kamers en een opkamer. De planken van de vloer kraakten in de avondstilte. Hij wist niet waar hij eigenlijk naar zocht. Hij wist niet waarom hij hierheen was gegaan.

Hij liep naar het bijgebouw. Hij keek naar de rij boxen in de koeienstal en wierp een blik in de schuur, die een aarden vloer had. Hij liep een hoek om en ontdekte sporen van de mesthoop achter de koeienstal. De deur van de loods hing in zijn hengsels. Toen hij hem aanraakte, viel hij eruit, raakte met een klap de grond en brak met een diepe zucht doormidden. In de loods stonden rekken met kleine vakjes voor schroeven, moeren en spijkers tegen de muur voor de machines. Die machines waren allemaal verdwenen. De broers hadden duidelijk alles wat bruikbaar was meegenomen toen ze naar Reykjavík verhuisden. Een kapotte werkbank stond scheef tegen de muur. Een onderdeel van een tractor lag op de grond, boven op een

onherkenbaar stuk ijzer. In de hoek lag de velg van het achter-
wiel van een tractor.

Erlendur liep verder de loods in. Was hij hier geweest, die
man met die Falcon? dacht hij. Of was hij met de bus het land
in getrokken? Als hij hier was geweest, wat ging er dan door
zijn hoofd? Het was al laat op de dag geweest toen hij Reykjavík
uit was gereden. Hij wist dat hij niet zoveel tijd had. Zij zou op
hem staan te wachten voor de melkwinkel en hij wilde niet te
laat komen. Maar hij mocht toch niet gehaast overkomen in
zijn onderhandelingen met de broers. Ze wilden misschien een
tractor van hem kopen, en er was niet veel voor nodig om de
koop te sluiten. Toch wilde hij niet te gretig lijken. Het zou de
verkoop niet ten goede komen als hij te gespannen was voor de
afspraak. Maar aan de andere kant moest hij zich haasten. Hij
wilde de koop snel sluiten.

Als hij hierheen was gekomen, waarom zeiden de broers dan
van niet? Waarom moesten ze liegen? Ze hadden daar geen
enkel belang bij. Ze kenden die man helemaal niet. En waarom
ontbrak die wieldop aan die auto? Viel hij eraf? Werd hij voor
het bedrijf waar hij werkte gestolen? Werd hij hier gestolen?

Als hij de man in het meer was met het gat in zijn schedel,
hoe was hij daar dan gekomen? Waar kwam het apparaat vandaan dat aan hem vastgebonden was? Had het iets te maken
met landbouwmachines uit Oostbloklanden die hij verkocht?
Zat daar de connectie?

In de zak van Erlendurs jasje ging zijn mobiel over.

"Ja", zei hij kortaf toen hij opnam.

"Je moet me met rust laten", zei een stem die hij goed kende.
Hij kende de stem vooral goed als ze in deze toestand verkeerde.

"Dat ben ik ook van plan", zei hij.

"Dat moet je doen", zei de stem. "Je moet me hierna met rust
laten. Bemoei je niet meer met mijn leven uit een soort …"

Hij verbrak de verbinding, maar het was moeilijker om de
stem het zwijgen op te leggen. Die bleef maar door zijn hoofd
malen, stoned, kwaad en naargeestig. Hij wist dat ze ergens in
een hok bivakkeerde met iemand die waarschijnlijk Eddi heette en twee keer zo oud was als zij. Hij probeerde zich niet al te

precies voor te stellen hoe ze leefde. Hij had vele malen gedaan wat in zijn macht lag om haar te helpen en wist niet wat hij nog meer kon doen. Hij stond machteloos tegenover zijn verslaafde dochter. Ooit had hij geprobeerd haar te zoeken. Was hij opgesprongen en had hij haar gevonden. Ooit had hij geloofd dat als zij "Laat me met rust" zei, ze eigenlijk bedoelde "Kom me alsjeblieft helpen". Maar nu niet meer. Hij wilde dat niet meer. Het liefst wilde hij tegen haar zeggen: Het is afgelopen. Doe wat je goeddunkt.

Afgelopen Kerstmis was ze bij hem ingetrokken. Toen was ze weer met de drugs begonnen, na een korte onderbreking nadat ze haar ongeboren kind had verloren en in het ziekenhuis had gelegen. Kort na de jaarwisseling merkte hij een rusteloosheid in haar en was ze steeds korte of langere perioden verdwenen. Hij ging achter haar aan en nam haar weer mee naar huis, maar de volgende ochtend was ze weer vertrokken. Zo ging het een tijdje door tot hij ophield haar te zoeken, ophield te doen alsof het hem kon schelen wat zij deed. Het was haar leven. Als zij ervoor koos om zo te leven, dan was dat haar zaak. Hij kon zich daar niet langer mee bezighouden. Hij had meer dan twee maanden niets van haar gehoord toen Sigurður Óli die klap met die hamer op zijn schouder kreeg.

Hij stond buiten de schuur en keek naar de resten van het leven dat hier ooit werd geleefd. Hij dacht aan de man met de Falcon. Aan de vrouw die nog altijd op hem wachtte. Hij dacht aan zijn dochter en zijn zoon. Hij keek op naar de avondzon en dacht aan zijn broer die was omgekomen. Waaraan zou hij hebben gedacht in de vrieskou?

Hoe koud het was?

Hoe fijn het zou zijn om thuis te komen in de warmte?

De volgende ochtend ging Erlendur nog eens naar de vrouw die haar man met die Falcon had verloren. Het was zaterdag en ze werkte niet. Hij had zijn komst aangekondigd en ze had koffiegezet, al had hij haar nadrukkelijk gezegd dat dat niet hoefde. Ze gingen in de kamer zitten, net als de vorige keer. Ze heette Ásta.

"Jullie werken natuurlijk elke dag", zei ze en ze vertelde dat ze zelf een baan had in de keuken van het Landspítali in Fossvogur.

"Ja, er is vaak veel te doen", zei hij en hij paste ervoor op dat hij haar niet te precies antwoord gaf. Hij had deze dag vrij genomen. De zaak met de Falcon had zijn belangstelling gewekt en hij voelde een vreemde, dwingende behoefte om die tot op de bodem uit te zoeken. Hij wist niet waarom. Misschien vanwege de vrouw die tegenover hem zat, die haar hele leven voor een hongerloontje had gewerkt en nog altijd alleen woonde. Haar vermoeide gezicht droeg de sporen van een leven dat aan haar voorbij was gegaan zonder op haar deur te kloppen. Het was niet waarschijnlijk dat ze dacht dat de man van wie ze ooit had gehouden nog bij haar zou terugkomen, net als vroeger, haar een kus zou geven en haar zou vertellen hoe zijn dag was geweest en haar zou vragen hoe zij het had gehad.

"Toen we hier de vorige keer waren, zei je dat je niet dacht dat er een andere vrouw in het spel was", zei hij voorzichtig. Hij had geaarzeld voor hij naar haar toe ging. Hij wilde de herinneringen die ze aan die man had niet kapotmaken. Hij wilde niets beschadigen. Hij had dat veel te vaak zien gebeuren. Als ze aan de deur kwamen van een crimineel en zijn vrouw hen aanstaarde en haar eigen ogen niet geloofde. De kinderen die achter haar stonden, en de wereld om haar heen die instortte. Mijn man! Aan het dealen?! Zijn jullie helemaal gek geworden?!

"Waarom vraag je dat?" vroeg de vrouw op de stoel. "Weten jullie meer dan ik? Hebben jullie iets gevonden? Hebben jullie iets nieuws ontdekt?"

"Nee, niets", zei Erlendur en hij had spijt toen hij de emotie in haar stem hoorde. Hij vertelde haar over zijn bezoek aan Haraldur en dat hij de Falcon had teruggevonden, die nog steeds bestond en in een garage in Kópavogur stond. Hij vertelde haar ook dat hij een bezoek had gebracht aan de vervallen boerderij bij Mosfellsbæ. De verdwijning van haar man was echter nog net zo'n groot raadsel als vroeger.

"Je zei dat je geen enkele foto van hem of van jullie samen had", zei hij.

"Nee, dat klopt", zei Ásta. "We kenden elkaar nog maar zo kort."

"Er is dus nooit een foto van hem op de televisie of in de kranten vertoond, toen er een opsporingsbericht verscheen?"

"Nee, maar het signalement was heel precies. Ze waren van plan dezelfde pasfoto te gebruiken als in zijn rijbewijs. Ze zeiden dat ze altijd een kopie bewaarden van het rijbewijs, maar die hebben ze niet gevonden, alsof hij hem nooit heeft ingeleverd of zij hem gewoon zijn kwijtgeraakt."

"Heb je zijn rijbewijs wel eens gezien?"

"Zijn rijbewijs? Nee, zover ik weet niet. Maar waarom vraag je naar een andere vrouw?"

De vraag werd op een hardere toon gesteld en kon niet worden ontweken. Erlendur aarzelde nog even voor hij de deur opende voor wat in haar ogen de hel moest zijn. Misschien was hij te snel. Er was nog van alles wat beter onderzocht moest worden. Misschien moest hij nog wachten.

"Er zijn gevallen bekend van mensen die zonder afscheid te nemen hun vrouw hebben verlaten en een nieuw leven zijn begonnen", zei hij.

"Een nieuw leven?" zei ze alsof ze deze woorden nog nooit had gehoord.

"Ja", zei hij. "Hier op IJsland zelfs. De mensen denken wel eens dat iedereen iedereen kent, maar dat is helemaal niet waar. Er zijn genoeg plaatsjes en dorpen waar niemand komt, behalve misschien in de zomer of zelfs dan niet eens. Vroeger waren ze nog geïsoleerder dan nu, sommige zelfs totaal geïsoleerd. De communicatie was veel slechter. De ringweg was er nog niet."

"Ik begrijp je niet", zei ze. "Waar wil je naartoe?"

"Ik wil alleen weten of je die mogelijkheid wel eens hebt overwogen."

"Welke mogelijkheid?"

"Dat hij in de bus is gestapt en naar huis is gereden", zei Erlendur.

Hij zag hoe ze probeerde te begrijpen wat onbegrijpelijk was.

"Waar heb je het over?" bracht ze uit. "Naar huis? Welk huis? Wat bedoel je?"

Hij begreep dat hij te ver was gegaan. Dat ondanks alle jaren die voorbij waren gegaan sinds haar man uit haar leven verdween, er nog altijd een open, verse wond was. Hij wenste dat hij zijn mond had gehouden. Hij had niet zo snel naar haar toe moeten gaan. Zonder iets in handen te hebben, behalve zijn eigen gedachtespinsels en een verlaten auto voor het busstation.

"Het is alleen maar een van de mogelijkheden", zei hij in een poging om direct af te zwakken wat hij zojuist gezegd had. "IJsland is natuurlijk te klein en te dunbevolkt", zei hij snel. "Het is maar een idee en eigenlijk ongegrond."

Erlendur had er veel over nagedacht wat er gebeurd zou kunnen zijn als de man geen zelfmoord had gepleegd. Hij kon er niet van slapen toen de gedachte aan een andere vrouw vastere vormen begon aan te nemen. In de eerste plaats was het de eenvoudigste oplossing: op zijn reizen door het land had de verkoper mensen van allerlei rangen en standen ontmoet: boeren, hotelpersoneel, stedelingen, vissers, vrouwen. Mogelijk had hij een geliefde in een van de plaatsen waar hij kwam en begon hij op den duur aan haar de voorkeur te geven boven de vrouw in Reykjavík, maar had hij de moed niet haar erover te vertellen.

Naarmate Erlendur langer over de zaak nadacht, neigde hij er steeds meer toe dat de man nog een betere reden moest hebben gehad om zich te laten verdwijnen, als het samenhing met een vrouw, en hij begon na te denken over een woord dat bij hem was opgekomen toen hij voor de vervallen woning in Mosfellssveit stond, die hem aan zijn ouderlijk huis in het oosten deed denken.

Thuis.

Ze hadden het erover gehad in zijn kantoor. Wat als het voorbeeld werd omgedraaid? Wat als de vrouw die tegenover hem zat Leopolds geliefde in de stad was, en dat hij een gezin op het land had? Wat als hij had besloten een eind te maken aan de problemen waarin hij verwikkeld was geraakt en ervoor had gekozen weer naar huis te gaan?

Hij vertelde de vrouw voorzichtig over deze mogelijkheid en zag hoe het haar langzamerhand begon te dagen.

"Hij had helemaal geen moeilijkheden", zei ze. "Dat is klinkklare nonsens. Hoe kom je erbij? Om zo over mijn man te praten."

"Zijn naam komt niet veel voor", zei Erlendur. "Er zijn maar een paar mensen met die naam in het hele land. Leopold. Je hebt geen sofinummer van hem of wat vroeger een identiteitsnummer heette. Je hebt zeer weinig persoonlijke spullen van hem."

Erlendur zweeg. Hij dacht eraan dat Níels haar niet had verteld dat veel erop wees dat Leopold niet zijn eigen naam had gebruikt. Dat hij haar had bedrogen en gezegd had dat hij een ander was dan hij was. Níels had Ásta niets over deze verdenkingen verteld omdat hij haar had willen sparen. Erlendur begreep nu wat hij bedoelde.

"Misschien gebruikte hij niet zijn echte naam", zei hij. "Heb je daar wel eens aan gedacht? Hij komt onder deze naam nergens voor in de burgerlijke stand. Hij is in geen enkel document terug te vinden."

"Iemand belde me van de politie", zei de vrouw boos. "Later. Veel later. Heette Briem of zoiets. Ze vertelde me van die vermoedens van jullie dat Leopold misschien iemand anders was dan voor wie hij zich uitgaf. Zei me dat ik dat direct had moeten horen, maar dat het vertraging had opgelopen. Ik ken die veronderstellingen van jullie en ze zijn idioot. Leopold heeft nooit onder een valse vlag gevaren. Nooit."

Erlendur zweeg.

"Je probeert me te zeggen dat er een mogelijkheid is dat hij een gezin had en daarnaar terug is gegaan? Dat ik gewoon zijn liefje in de stad ben geweest? Wat is dat eigenlijk voor onzin?"

"Wat weet je van die man?" vroeg Erlendur. "Wat weet je werkelijk van hem? Is dat zoveel?"

"Wil je niet zo praten?" zei ze. "Ik verzoek je niet met zoveel domme praat bij mij aan te komen! Hou je ideeën maar voor je. Ik heb er geen enkele belangstelling voor."

Ásta zweeg en staarde hem aan.

"Ik ben niet ..." begon Erlendur, maar zij kapte hem af.

"Denk je dat hij nog in leven is? Beweer je dat? Dat hij in leven is? Dat hij een huis heeft op het land?"

"Nee", zei Erlendur. "Dat zeg ik niet. Ik wil alleen die mogelijkheid nagaan. Alles wat ik heb gezegd, is puur giswerk. Er hoeft helemaal niets van te kloppen en misschien klopt er ook niets van. Ik wilde alleen weten of iets in zijn gedrag, voorzover je het je herinnert, aanleiding kan geven om te denken dat er iets dergelijks aan de hand was. Dat is het enige. Ik beweer niets, want ik weet niets."

"Het is gewoon onzin", zei ze. "Alsof hij een beetje met me gespeeld heeft. Dat ik naar dat soort dingen moet luisteren!"

Terwijl Erlendur haar probeerde te overtuigen, kwam er een wonderlijke gedachte in hem op. Vanaf het moment dat hij haar datgene had verteld wat hij niet meer kon terugnemen, zou het voor de vrouw een veel grotere troost zijn te weten dat haar man dood was dan dat hij levend gevonden zou worden. Dat zou een onmetelijk verdriet voor haar betekenen. Hij keek naar de vrouw en het was of zij iets dergelijks dacht.

"Leopold is dood", zei ze. "Wat je ook beweert. Voor mij is hij dood. Al vele jaren. Al een mensenleven lang."

Ze zwegen.

"Maar wat weet je van deze man?" herhaalde Erlendur na een poosje. "Echt?"

Ze keek hem aan alsof ze het liefst wilde zeggen dat hij moest ophouden of weggaan.

"Meen je serieus dat hij een andere naam had en niet zijn eigenlijke naam heeft gebruikt?" zei ze.

"Niets van wat ik gezegd heb, hoeft ook echt zo gebeurd te zijn", herhaalde Erlendur. "Het is helaas het waarschijnlijkst dat hij om de een of andere reden zelfmoord heeft gepleegd."

"Wat weet je van iemand?" zei ze plotseling. "Hij was zwijgzaam en praatte niet veel over zichzelf. Sommige mensen zijn heel vol van zichzelf. Ik weet niet wat beter is. Tegen mij zei hij allerlei lieve dingen die nooit eerder iemand tegen me had gezegd. Ik ben niet in zo'n gezin opgegroeid. Waar lieve dingen werden gezegd."

"Heb je nooit opnieuw willen beginnen? Een andere man vinden? Trouwen? Kinderen krijgen?"

"Ik was al over de dertig toen we elkaar leerden kennen. Ik

dacht dat ik zou overblijven. De tijd haalde me in. Het was nooit de bedoeling, maar op de een of andere manier liep het zo. En dan kom je op een zekere leeftijd en heb je niemand, behalve jezelf in een lege woning. Daarom was hij … hij veranderde dat. En ook al zei hij niet veel en was hij veel weg, hij was toch mijn man."

Ze keek naar Erlendur.

"We waren samen en toen hij verdwenen was, wachtte ik een paar jaar en kennelijk ben ik nog altijd aan het wachten. Wanneer hou je daarmee op? Is daar een regel voor?"

"Nee", zei Erlendur. "Daar is geen regel voor."

"Ik denk het ook niet", zei ze en het deed hem pijn toen hij zag dat ze begon te huilen.

19

Op een dag kwam er een bericht van de Amerikaanse ambassade in Reykjavík binnen op het kantoor van Sigurður Óli met de strekking dat de ambassade over inlichtingen beschikte die de politie van pas zouden kunnen komen bij hun onderzoek naar het skelet in het Kleifarvatn. Sigurður Óli kreeg de boodschap letterlijk op zijn bureau, want de chauffeur van de ambassade legde hem daar met een gehandschoende hand in een gesloten envelop voor hem neer en zei dat hij op antwoord moest wachten. Sigurður Óli had met hulp van Ómar, de voormalige secretaris-generaal, contact gezocht met Robert Christie in Washington en hij had beloofd hen te helpen als hij meer informatie had. Die Robert, of Bob, leek volgens Ómar bijzonder geïnteresseerd in de zaak en hij zei dat ze snel van de ambassade zouden horen.

Sigurður Óli keek naar de chauffeur met zijn zwarte leren handschoenen. Hij droeg een zwart jasje en had een pet op zijn hoofd, met een verguld randje. Eigenlijk zag hij eruit als een idioot. Sigurður las de boodschap en knikte. Hij zei de chauffeur dat hij die dag om een uur of twee naar de ambassadeur toe zou komen en dat er een vrouwelijke rechercheur genaamd Elínborg bij zou zijn. De chauffeur glimlachte en Sigurður Óli verwachtte dat hij zijn hand naar zijn pet zou brengen en als een militair zou salueren, maar dat gebeurde niet.

Elínborg ontmoette de chauffeur in de deur van het kantoor van Sigurður en botste bijna tegen hem op. Ze verontschuldigde zich en keek hem na in de gang.

"Wat was dat?" zei ze.

"De Amerikaanse ambassade", zei Sigurður Óli.

Klokslag twee uur waren ze op de ambassade. Twee IJslandse beveiligingsagenten stonden voor het gebouw en keken wantrouwig. Ze hielden hun brief omhoog. De deur ging open en ze werden binnengelaten. Twee andere bewakers, Amerikaanse deze keer, ontvingen hen aan de andere kant van de deur. Elínborg dacht dat ze hen wilden fouilleren, toen er een man in een deuropening verscheen en hen begroette. Hij schudde hen de hand, zei dat hij Christopher Melville heette en vroeg hun hem te volgen. Hij prees hen dat ze 'right on time' waren. Ze spraken Engels met elkaar.

Sigurður Óli en Elínborg volgden hem naar de tweede verdieping, door een gang en door een deur, die Melville opende. Op de deur stond: HOOFD VEILIGHEIDSZAKEN. Een man van rond de zestig vroeg hun binnen te komen. Hij had een kaal hoofd met een randje haar en was in burger. Hij stelde zich voor als het betreffende hoofd en zei dat hij Patrick Quinn heette. Melville verdween en ze namen plaats op een klein bankstel in zijn ruime kantoor. Hij zei dat hij met de mensen op de afdeling Defensie had gesproken en dat het vanzelfsprekend was dat ze de IJslandse politie zouden helpen, als ze dat konden. Ze wisselden enkele woorden over het weer en of het wel of niet een goede zomer zou worden in Reykjavík.

Quinn zei dat hij bij de ambassade werkte sinds het bezoek van Richard Nixon aan IJsland in 1973, toen op Kjarvalsstaðir een top was gehouden met de Franse president Georges Pompidou. Hij zei dat het hem heel goed beviel op IJsland, afgezien van de duisternis en de kou in de winter. Dan probeerde hij naar Florida te gaan met vakantie, zei hij en hij glimlachte. "Ik kom trouwens uit North Dakota en ben dergelijke winters wel gewend. Toch jammer dat de zomers niet warmer zijn."

Sigurður Óli glimlachte naar hem. Hij vond het wel weer genoeg loze praat, al wilde hij graag aan Quinn vertellen dat hij drie jaar lang in Amerika criminologie had gestudeerd en erg gecharmeerd was van het land en de mensen.

"Jij hebt toch in Amerika gestudeerd, is het niet?" vroeg

Quinn en hij keek hem breed glimlachend aan. "Criminologie? Drie jaar toch?"

De glimlach bevroor op Sigurðurs gezicht.

"Ik begreep dat je erg gecharmeerd bent van het land", voegde Quinn eraan toe. "We kunnen wel wat vrienden gebruiken in deze moeilijke tijden."

"Hebben … hebben jullie een dossier over mij of zo?" zei Sigurður Óli argwanend en aarzelend.

"Een dossier?" zei Quinn en hij lachte. "Ik heb alleen Bára van het Fullbright-fonds gebeld."

"Bára, ja, ik snap het", zei Sigurður Óli, die de voorzitter van het fonds goed kende.

"Je hebt toch een beurs gekregen?"

"Klopt", zei Sigurður Óli onhandig. "Ik dacht even dat …" Hij schudde zijn hoofd over zijn eigen domheid.

"Nee, ik heb hier een CIA-dossier over jou", zei Quinn en hij pakte een map van zijn bureau.

De lach verstarde weer op het gezicht van Sigurður Óli. Quinn zwaaide met de lege map en begon te schateren.

"Hij trapt ook overal in", zei hij tegen Elínborg, die glimlachend naast Sigurður zat.

"Wie is die Bob eigenlijk?" vroeg ze.

"Robert Christie bekleedde dezelfde positie die ik nu heb bij de ambassade", zei Quinn. "Toch is ons werk heel anders. Hij was hoofd Beveiliging tijdens de Koude Oorlog. Ik behartig de beveiligingszaken in een heel andere wereld, waarin het terrorisme de grootste dreiging is voor de Verenigde Staten en, zoals gebleken is, voor de hele wereld."

Hij keek naar Sigurður Óli, die blijkbaar nog in verwarring was.

"Neem me niet kwalijk", zei hij. "Ik wilde je niet van je stuk brengen."

"Nee, het geeft niet", zei Sigurður Óli. "Een grapje op zijn tijd doet niemand kwaad."

"Bob en ik zijn goede vrienden", vervolgde Quinn. "Hij vroeg me of ik jullie wilde helpen met die vondst van dat skelet in het, hoe noemen jullie het, Kláuffarvadn?"

"Klei-far-vatn", zei Elínborg.

"Ja", zei Quinn. "Jullie hebben geen vermissing die deze vondst zou kunnen verklaren?"

"Niets wat met de man in het Kleifarvatn overeen lijkt te komen."

"Er zijn slechts twee van de vierenveertig vermissingen in de afgelopen vijftig jaar als misdaad onderzocht", zei Sigurður Óli. "Deze zaak heeft zich zo ontwikkeld dat we hem nader willen bekijken."

"Ja", zei Quinn, "ik heb ook begrepen dat hij aan een Russisch zendapparaat was vastgebonden. We zouden dat apparaat voor jullie kunnen onderzoeken. Als jullie problemen hebben met de herkomst, de leeftijd en de gebruiksmogelijkheden. Dat spreekt vanzelf."

"Volgens mij werkt de Technische Recherche samen met de telefoondienst", zei Sigurður Óli en hij glimlachte. "De apparatuur komt misschien overeen."

"Maar, zoals ik al zei, een vermissing als deze hoeft geen IJslander te betreffen", zei Quinn en hij zette een leesbril op. Hij pakte een zwarte map van de tafel en bladerde door wat papieren. "Zoals jullie misschien weten, stond het personeel van de ambassade vroeger onder strenge controle. De commies hielden ons in de gaten en wij de commies. Zo ging dat nu eenmaal en niemand vond het gek of abnormaal."

"Misschien doen jullie dat nu nog wel", zei Sigurður Óli.

"Dat gaat jullie niets aan", zei Quinn en hij glimlachte niet meer. "We zijn in onze archieven gedoken. Bob kon het zich nog goed herinneren. Iedereen vond het toen vreemd, maar het is nooit duidelijk geworden wat er aan de hand was. Volgens onze inlichtingen, en ik heb het er met Bob regelmatig over gehad, is een Oost-Duitse gevolmachtigde op een bepaald moment het land binnengekomen, alleen hebben wij nooit gemerkt dat hij het land weer verlaten heeft."

Ze keken hem uitdrukkingloos aan.

"Misschien moet ik het nog eens zeggen", zei Quinn. "Een medewerker van de Oost-Duitse ambassade kwam het land binnen, maar ging niet meer weg. Volgens onze gegevens, die bijzonder betrouwbaar zijn, is hij ofwel nog altijd in het land en doet hij iets heel anders dan voor de ambassade werken, of hij is vermoord en het lijk is verborgen of het land uit gesmokkeld."

"Dus jullie zijn hem hier op IJsland kwijtgeraakt?" zei Elínborg.

"Het is het enige geval dat ons bekend is", zei Quinn. "Hier op IJsland tenminste", voegde hij eraan toe. "De man was een Oost-Duitse spion. Hij was ons als zodanig bekend. Geen van onze ambassades in andere landen heeft nog iets van hem vernomen nadat hij naar IJsland was gekomen. Er is een waarschuwing rondgestuurd vanwege hem. Hij dook nergens op. We lieten nog speciaal onderzoeken of hij was teruggekeerd naar Oost-Duitsland. Het was alsof hij van de aardbodem was verdwenen. De IJslandse aardbodem."

Elínborg en Sigurður lieten zijn woorden op zich inwerken.

"Kan hij zijn overgelopen naar de vijand, naar jullie, of naar de Engelsen of de Fransen?" vroeg Sigurður Óli en hij probeerde zich de spionagefilms en -boeken die hij had gezien en gelezen weer voor de geest te halen. "Dat hij daarom is ondergedoken?" voegde hij eraan toe, en wist zelf niet precies waar hij het eigenlijk over had. Hij was niet zo'n liefhebber van spionageverhalen.

"Uitgesloten", zei Quinn. "Dat zouden we geweten hebben."

"Of heeft hij een schuilnaam gebruikt toen hij het land verliet?" vroeg Elínborg, die net zo in het duister tastte als Sigurður Óli.

"We kenden de meesten", zei Quinn. "En we hadden een tamelijk goed inzicht in hun ambassade wat dat betreft. Wij zijn ervan overtuigd dat die man het land niet heeft verlaten."

"Of misschien op een andere manier dan jullie dachten?" zei Sigurður Óli. "Met de boot?"

"Dat is een mogelijkheid die we hebben onderzocht", zei Quinn. "En zonder dat ik te precies wil ingaan op onze werkwijze, kan ik jullie verzekeren dat deze man nergens meer in Oost-Duitsland, waar hij vandaan kwam, is gezien, noch in de Sovjet-Unie, noch in een ander land in Oost-Europa. Hij is in rook opgegaan."

"Wat denken jullie dat er gebeurd is? Of wat dachten jullie toen?"

"Ze hebben hem vermoord en in de tuin van de ambassade begraven", zei Quinn zonder met zijn ogen te knipperen. "Vermoordden hun eigen spion. Of, zoals nu aan het licht komt, verdronken hem in het Kleifarvatn, verzwaard met een van hun afluisterapparaten. Ik weet niet waarom. Het is duidelijk dat hij niet voor ons of een van de NAVO-landen werkte. Hij was geen dubbelspion. Als hij dat geweest was, dan was hij zo geraffineerd dat niemand ervan heeft geweten, hijzelf evenmin."

Quinn bladerde in het dossier en vertelde hun dat de man begin jaren zestig voor het eerst naar IJsland was gekomen en enkele maanden bij de ambassade had gewerkt. Hij was in de herfst van 1962 weer vertrokken, maar twee jaar later voor een kortere periode teruggekeerd. Daarna had hij in Noorwegen gewoond, in Oost-Duitsland, een winter in Moskou en het laatst had hij bij de Oost-Duitse ambassade in Argentinië gewerkt als handelsvertegenwoordiger, zoals de meesten van hen", zei Quinn en hij glimlachte. "Bij ons ging dat net zo. Hij werkte in 1967 korte tijd bij de ambassade in Reykjavík, maar ging toen terug naar Duitsland en vandaar naar Moskou. Hij keerde in 1968 naar IJsland terug, in de lente. In de herfst was hij verdwenen."

"De herfst van 1968?" zei Elínborg.

"Toen stelden we vast dat hij niet langer bij de ambassade werkte. We hebben er via bepaalde kanalen naar geïnformeerd en hij bleek nergens te vinden. De Oost-Duitsers hadden trouwens geen echte ambassade in Reykjavík, maar een zogenaamd handelskantoor, maar dat is een detail."

"Wat weten jullie van die man?" vroeg Sigurður Óli. "Had hij vrienden hier op IJsland? Of vijanden in zijn eigen land? Deed hij iets waarvan jullie wisten?"

"Nee, zoals ik al zei, ons is niets bekend over deze zaken. En we weten natuurlijk niet alles. We hebben vermoedens dat hem in 1968 hier op IJsland iets is overkomen. We weten niet wat. Hij kan net zo goed met het werk voor het land zijn gestopt en zich hebben laten verdwijnen. Hij wist hoe je dat deed, in de menigte verdwijnen. Jullie kunnen deze informatie interpreteren zoals jullie willen. Dit is alles wat we weten."

Hij aarzelde.

"Misschien is hij ons ontsnapt", zei hij toen. "Misschien heeft dit alles een heel normale verklaring. Dit is wat wij hebben. Nu moeten jullie me één ding vertellen. Bob vroeg ernaar. Hoe is hij gedood? Die man in het meer."

Elínborg en Sigurður Óli keken elkaar aan.

"Hij is op zijn hoofd geslagen, waardoor hij een gat in zijn schedel heeft opgelopen, vlak bij zijn oogkas", zei Sigurður Óli.

"Op zijn hoofd geslagen?" zei Quinn.

"Hij kan ook gevallen zijn, maar dan is het wel een behoorlijk zware val geweest", zei Elínborg.

"Het is dus niet een duidelijke afrekening geweest? Een nekschot?"

"Afrekening?" zei Elínborg. "We zijn hier in IJsland. De laatste afrekening was met een bijl."

"Ja, natuurlijk", zei Quinn. "Ik bedoel ook niet dat een IJslander hem vermoord heeft."

"Betekent het iets dat hij op die manier is omgebracht?" vroeg Sigurður Óli. "Als het die spion is die in het Kleifarvatn is gevonden?"

"Nee, niets", zei Quinn. "De man was een spion en er zit een zeker risico aan dat vak."

Hij stond op. Ze voelden dat het gesprek ten einde liep. Quinn legde het dossier op tafel en zweeg. Sigurður Óli keek naar Elínborg.

"Bedankt", zei hij. "We hopen alleen dat we jullie niet al te veel moeite hebben bezorgd. Jullie hebben ons erg geholpen." Hij probeerde nog meer dankwoorden te bedenken, maar dat lukte niet.

"Hebben jullie hier geen dossier over mij?" zei Elínborg toen ze opstonden.

"Helaas, net zomin als over hem", zei Quinn, hij knipoogde naar Sigurður Óli en lachte.

Ze bedankten hem nogmaals en liepen de gang in. Christopher Melville liep de trap op en kwam hen tegemoet. Hij wilde hen naar de voordeur begeleiden.

"Nog één ding", zei Quinn.

"Wat?" zei Sigurður Óli.

"Een kleinigheid die soms wordt vergeten", zei Quinn.

"Het zijn de kleinigheden die er het meest toe doen", zei Sigurður Óli gewichtig; hij had immers in de Verenigde Staten gestudeerd.

"Ik denk dat jullie wel willen weten hoe hij heette", zei Quinn rustig. "Die verdwenen spion."

"Hoe hij heette?" zei Sigurður Óli. "Dat had je ons toch al gezegd?"

"Ja, nee, volgens mij heb ik dat nog niet gedaan." Quinn glimlachte kort.

"En hoe heette hij dan?"

"Hij heette Lothar", zei Quinn.

"Lothar", zei Elínborg hem na.

"Ja", zei Quinn en hij keek op een papier dat hij in zijn hand hield. "Hij heette Lothar Weiser en was afkomstig uit Bonn. En het leuke was dat hij IJslands sprak alsof hij hier geboren was."

20

Later die dag maakten ze een afspraak op de Duitse ambassade; ze lieten weten waar ze voor kwamen, zodat de medewerkers daar alvast gegevens over Lothar Weiser konden verzamelen. De afspraak zou later die week plaatsvinden. Ze stelden Erlendur op de hoogte van wat er tijdens het gesprek met Quinn naar voren was gekomen en bespraken de mogelijkheid dat de man in het meer een Oost-Duitse spion was. Ze vonden dat er veel was dat in die richting wees, met name het Russische apparaat en de locatie. Ze waren het erover eens dat er iets buitenlands aan de moord zat. Er zat iets aan die zaak wat alle andere zaken overtrof, wat ze nooit eerder hadden gezien. Hij was gruwelijk, maar dat waren alle moorden. Waar het meer om ging was dat hij beraamd leek, weloverwogen leek uitgevoerd en dat het gelukt was de moord al die jaren verborgen te houden. IJslandse moorden werden doorgaans niet op die wijze uitgevoerd. Ze waren toevalliger, onhandiger, slordiger en de daders lieten bijna zonder uitzondering sporen na.

"Als hij niet gewoon op zijn hoofd is gevallen, die vent", zei Elínborg.

"Niemand valt op zijn hoofd en wordt dan vastgebonden aan een afluisterapparaat en in het Kleifarvatn gegooid", zei Erlendur.

"Ben jij nog verder gekomen met die Falcon?" vroeg Elínborg.

"Geen stap", zei Erlendur, "behalve dat ik de vrouw van die Leopold de stuipen op het lijf heb gejaagd; ze snapt geen hout van wat ik haar heb verteld." Erlendur had hun verteld over de twee broers in Mosfellssveit en zijn halfbakken theorie dat de man van de Falcon nog gewoon in leven was en op het platteland woonde. Ze hadden daar eerder over gesproken en waren niet zo verbijsterd als de vrouw, maar vonden toch dat ze niet veel in handen hadden wat die theorie ondersteunde. "Te vergezocht voor IJsland", zei Sigurður Óli. Elínborg was het met hem eens. "Misschien in een miljoenenstad."

"Toch gek dat hij nergens terug te vinden is, die man", zei Sigurður Óli.

"Dat is het nou juist", zei Erlendur. "Leopold, we weten toch dat die man zich zo noemde, is echt een onzichtbare figuur. Níels, die destijds de leiding had in die zaak, heeft zijn achtergrond nooit goed onderzocht, vond geen enkele gegevens. De zaak werd niet als een misdaad behandeld."

"Net zomin als de meeste andere vermissingen hier", viel Elínborg hem in de rede.

"Er zijn maar heel weinig mensen die zo heten of destijds die naam kregen en het is gemakkelijk ze allemaal na te trekken. Ik heb er even naar gekeken. Zijn vrouw zei dat hij veel in het buitenland was geweest. Het kan natuurlijk best zo zijn dat hij daar is geboren. Je weet het niet."

"Waarom denk je eigenlijk dat hij echt Leopold heette?" vroeg Sigurður Óli. "Is dat niet een rare naam voor een IJslander?"

"Het is in elk geval de naam die hij gebruikte", zei Erlendur. "Het kan best dat hij ergens anders een andere naam heeft gebruikt. Dat is zelfs erg waarschijnlijk. We weten niets over hem, behalve dat hij ineens opduikt als verkoper van graaf- en landbouwmachines en als geliefde van een eenzame vrouw die op de een of andere manier het slachtoffer is in deze hele zaak. Zij weet bedroevend weinig over hem, maar mist hem nog steeds. We hebben geen enkele achtergrond. Er bestaat geen geboorteakte van die man. Hij staat bij geen enkele school ingeschreven. We weten alleen dat hij veel reisde, in het buitenland heeft gewoond en daar misschien wel geboren is. Hij was zo lang in het buitenland dat hij met een licht buitenlands accent sprak."

"Als hij er niet gewoon een eind aan heeft gemaakt", zei Elínborg. "Volgens mij is die theorie van jou over een ander leven van Leopold nergens op gebaseerd, behalve op je eigen fantasie."

"Dat weet ik", zei Erlendur. "Het is het allerwaarschijnlijkst dat hij zelfmoord heeft gepleegd en dat er helemaal niets geheimzinnigs achter zit."

"Ik vind het vreselijk hard van je dat je met die onzin naar die vrouw bent gegaan", zei Elínborg. "Nu denkt ze dat hij misschien nog leeft."

"Ze heeft dat zelf ook altijd gedacht", zei Erlendur. "Diep vanbinnen. Dat hij haar gewoon verlaten heeft."

Ze zwegen. Het was al laat. Elínborg keek op de klok. Ze was een nieuwe marinade voor kippenborst aan het proberen. Sigurður Óli had Bergþóra beloofd naar Þingvellir te gaan. Ze wilden daar de zomeravond doorbrengen en in een hotel overnachten. Het was zo goed als maar kon in juni, warm, zonnig en veel beloften.

"Wat ga jij vanavond doen?" vroeg Sigurður Óli aan Erlendur.

"Niets", zei Erlendur.

"Misschien wil je met Bergþóra en mij meegaan naar Þingvellir", zei hij en hij kon niet verbergen op welk antwoord hij hoopte. Erlendur glimlachte. Hun bezorgdheid om hem werkte hem wel eens op de zenuwen. Soms, zoals nu, was het alleen beleefdheid.

"Ik verwacht bezoek", zei hij.

"Hoe is het met Eva Lind?" vroeg Sigurður Óli en hij klopte hem op zijn schouder.

"Ik heb weinig van haar gehoord", zei Erlendur. "Ik weet alleen dat ze de behandeling heeft afgerond en verder weet ik niets."

"Wat zei je nou over die Leopold?" kwam Elínborg tussenbeide. "Sprak hij met een accent? Zei je dat?"

"Ja", zei Erlendur. "Zijn vrouw vertelde dat hij met een licht buitenlands accent sprak. Waarom vraag je dat?"

"Die Lothar heeft zeker met een accent gepraat", zei Sigurður Óli.

"Wat bedoel je?" zei Erlendur.

"Nou, die vent in de Amerikaanse ambassade zei dat die Duitser, Lothar, vloeiend IJslands sprak. Hij moet een of ander accent hebben gehad."

"Dat is zeker een detail dat we in gedachten moeten houden", zei Erlendur.

"Dat ze één en dezelfde man zijn?" zei Elínborg. "Leopold en Lothar?"

"Ja", zei Erlendur. "Volgens mij is het niet zo gek om daarvan uit te gaan. Ze verdwenen in elk geval allebei in hetzelfde jaar, in 1968."

"Dat die Lothar zich Leopold heeft genoemd?" zei Sigurður Óli. "Waarom?"

"Ik weet het niet", zei Erlendur. "Ik heb geen idee hoe dat allemaal in elkaar zit. Geen idee."

Ze zwegen.

"En dan is er nog dat Russische apparaat", zei Erlendur.

"Ja?" zei Elínborg.

"Leopold had als laatste een afspraak op de boerderij bij Haraldur. Waar moest Haraldur een Russisch apparaat vandaan hebben gehaald om hem in het Kleifarvatn te verdrinken? Je zou het nog kunnen begrijpen als het om Lothar ging en hij een spion was en er iets was gebeurd wat ertoe leidde dat hij in het meer werd verdronken. Maar Haraldur en Leopold zijn een ander verhaal."

"Haraldur ontkent in alle toonaarden dat die verkoper op de boerderij is geweest", zei Sigurður Óli. "Of hij nu Leopold of Lothar heette."

"Dat lijkt alleen maar zo", zei Erlendur.

"Wat?" zei Elínborg.

"Ik denk dat hij liegt."

Erlendur ging naar drie videotheken voor hij de western vond die hij voor Marion Briem wilde meebrengen. Hij had Marion een keer horen zeggen dat ze erg dol was op deze film, omdat hij over een man ging die steeds meer alleen kwam te staan toen de maatschappij hem de rug toekeerde, ook zijn beste vrienden.

Hij klopte op de deur, maar niemand antwoordde. Marion verwachtte hem, want Erlendur had van tevoren gebeld, dus hij duwde tegen de deur, die niet op slot was, en liet zichzelf binnen. Hij was niet van plan lang te blijven, alleen de band af te geven. Hij hoopte dat Valgerður 's avonds bij hem langs zou komen. Ze was bij haar zus ingetrokken.

"Ben je daar eindelijk?" zei Marion, die op de bank had zitten slapen. "Ik hoorde je kloppen. Ik ben zo verschrikkelijk moe. Ik heb eigenlijk de hele dag zitten slapen. Kun je het masker even aangeven?"

Erlendur schoof het zuurstofapparaat naar de bank en ineens kwam er een oude herinnering in hem boven aan een eenzaam en bizar sterfgeval toen hij Marion haar hand zag uitsteken naar het zuurstofmasker.

De politie was geroepen naar een huis in Þingholt. Hij ging er met Marion heen. Hij was nog maar een paar maanden bij de recherche. Er was een sterfgeval gemeld dat als ongeluk werd aangemerkt. Een dikke, oude vrouw zat in een leunstoel voor de televisie. Ze had daar al twee weken dood in haar stoel gezeten. De stank in de woning werd Erlendur haast te veel. De buurman had gebeld vanwege die lucht. Hij had de buurvrouw al een tijdje niet gezien, maar het was hem wel opgevallen dat het doffe geluid van haar televisie dag en nacht door de muur te horen was. De vrouw was gestikt. Een bord met vlees en gekookte bieten stond op de tafel naast haar. Mes en vork lagen op de grond bij de stoel. In haar keel zat een groot stuk vlees. Ze had niet omhoog kunnen komen uit de diepe stoel. Haar gezicht zag donkerblauw. Het bleek dat ze geen familie had die naar haar omkeek. Er kwam nooit iemand op bezoek. Niemand had haar gemist.

"We gaan allemaal dood", had Marion gezegd toen ze neerkeek op het lijk, "maar zo wil ik niet sterven."

"Arme vrouw", zei Erlendur en hij sloeg zijn hand voor zijn mond.

"Ja, arme vrouw", zei Marion. "Ben je daarom bij de politie gegaan? Om dit soort dingen te zien?"

"Nee", zei Erlendur.

"Waarom dan wel?" vroeg Marion. "Waarom dan?"

"Ga zitten", hoorde hij Marion dwars door zijn mijmeringen heen zeggen. "Sta daar niet als een bezemsteel."

Hij kwam weer tot zichzelf en ging in de stoel tegenover Marion zitten.

"Je hoeft me niet te bezoeken, Erlendur."

"Dat weet ik", zei Erlendur. "Ik kom je nog een film brengen. Deze is met Gary Cooper."

"Heb je hem gezien?" vroeg Marion.

"Ja", zei Erlendur. "Lang geleden een keer."

"Waarom kijk je zo moeilijk; waar dacht je aan?" vroeg Marion.

"*We gaan allemaal dood, maar zo wil ik niet sterven*", zei Erlendur.

"Ja", zei Marion na een korte stilte. "Ik herinner me haar nog. Die vrouw in die stoel. En nu kijk je naar mij en denk je hetzelfde."

Erlendur haalde zijn schouders op.

"Je gaf me nooit antwoord op mijn vraag", zei Marion. "Ik weet het nog steeds niet."

"Ik weet niet waarom ik bij de politie ben gegaan", zei Erlendur. "Het was werk. Een gemakkelijke kantoorbaan."

"Nee, het was meer", zei Marion. "Iets anders dan een gemakkelijke kantoorbaan."

"Heb je iemand?" vroeg Erlendur in een poging van onderwerp te veranderen. Hij wist niet hoe hij het onder woorden moest brengen. "Iemand die voor je zorgt nadat ... als het allemaal voorbij is?"

"Nee", zei Marion.

"Wat wil je dat er gebeurt?" vroeg Erlendur. "Moeten we daar niet een keer over praten? De praktische kant. Je hebt daar natuurlijk niets aan gedaan, als ik je goed inschat."

"Verheug je je er al op?" zei Marion.

"Ik verheug me nergens op", zei Erlendur.

"Ik heb met een notaris gesproken, zo'n jong pikkie, die alles voor me regelt, dankjewel. Jij kunt misschien zorgen voor de praktische kant. De crematie."

"Crematie?"

"Ik wil niet in een kist liggen wegrotten", zei Marion. "Ik laat me verbranden. Er komt geen ceremonie. Geen gedoe."

"En de as?"

"Je weet dus waar die film over gaat", zei Marion alsof ze die vraag niet wilde beantwoorden. "Die film met Gary Cooper. Hij gaat over de communistenjacht in de Verenigde Staten in de jaren zestig. Er komen mannen de stad binnen die Cooper willen aanvallen; zijn vrienden keren hem de rug toe en uiteindelijk staat hij er alleen voor. *High noon.* De beste westerns zijn veel meer dan alleen westerns."

"Ja, je hebt me dat een keer verteld."

De avond begon al te vallen, maar het werd nog niet donker. Erlendur keek uit het raam. Het zou nauwelijks donker worden. Hij miste dat altijd in de zomer. Miste de duisternis. Verlangde naar de donkere nachten en de strenge kou.

"Wat is dat toch met jou en westerns?" vroeg Erlendur. Hij kon het niet nalaten te vragen. Hij had nooit geweten dat Marion daar belangstelling voor had. Wist eigenlijk nauwelijks iets van Marion, en toen hij er eens over nadacht, nu hij hier in haar kamer zat, besefte hij dat hij eigenlijk nooit een persoonlijk gesprek met Marion had gevoerd.

"Het landschap", zei Marion. "De paarden. De weidsheid."

Er viel een stilte in de kamer. Erlendur dacht dat Marion in slaap viel.

"Laatst, toen ik hier was, had ik het over Leopold, die man die die Ford Falcon bezat en voor het busstation verdwenen is", zei hij. "Je vertelde me toen niet dat je zijn geliefde had gebeld om haar te zeggen dat een man met die naam nergens in de boeken te vinden was."

"Had dat er iets mee te maken? Als ik het me goed herinner, was die idioot Níels niet van plan haar dat te vertellen. Ik heb nog nooit zoiets stoms meegemaakt."

"Wat zei ze toen ze dat hoorde?"

Marion liet haar gedachten teruggaan in de tijd. Erlendur wist dat haar geheugen feilloos was, ondanks haar hoge leeftijd en de kwalen die Marion teisterden.

"Ze was er natuurlijk niet blij mee. Níels zat op die zaak en ik wilde me er niet te veel mee bemoeien."

"Gaf je haar hoop dat hij nog in leven zou kunnen zijn?"

"Nee", zei Marion. "Dat zou absurd zijn geweest. Echt absurd. Ik hoop dat jij je zulke gekheid niet in je hoofd haalt."

"Nee", zei Erlendur. "Dat doe ik niet."

"En val haar er niet mee lastig!"

"Nee", zei Erlendur. "Dat zou absurd zijn."

Eva Lind belde toen hij was thuisgekomen. Hij was nog even langs het bureau gegaan en had daarna boodschappen gedaan. Hij zette net een kant-en-klaarmaaltijd in de magnetron, die op hetzelfde moment dat de telefoon ging, piepte. Eva was deze keer veel rustiger. Ze wilde hem niet vertellen waar ze was, maar zei dat ze in de kliniek een man had ontmoet bij wie ze nu woonde en dat hij zich geen zorgen over haar moest maken. Ze had Sindri gesproken in een café in de stad. Hij was op zoek naar werk.

"Is hij dan van plan om in Reykjavík te gaan wonen?" vroeg Erlendur.

"Ja, hij wil weer naar de stad verhuizen. Vind je dat erg?"

"Dat hij naar de stad verhuist?"

"Dat je hem vaker ziet?"

"Nee, dat vind ik niet erg. Ik vind het prima dat hij van plan is om naar de stad te verhuizen. Denk niet altijd het slechtste van mij, Eva. Wat is dat voor man met wie je nu bent?"

"Niemand", zei Eva Lind. "En ik denk niet altijd het slechtste van jou."

"Gebruiken jullie samen?"

"Gebruiken?"

"Ik hoor het, Eva. Hoe je praat. Ik beschuldig je nergens van. Daar begin ik niet meer aan. Je kunt doen wat je wilt, maar lieg niet tegen me. Ik wil niet dat je liegt."

"Ik ben niet ... hoe weet jij nou hoe ik praat? Jij moet ook altijd ..."

Ze legde neer.

Valgerður kwam niet, hoewel ze een afspraak hadden. Ze

belde op het moment dat Erlendur de telefoon neerlegde, zei dat ze op haar werk was opgehouden en nu pas was thuisgekomen bij haar zus.

"Is alles goed?" vroeg hij.

"Ja", zei ze. "We praten nog."

Hij ging de keuken in en haalde de maaltijd uit de magnetron, vleesballetjes in een bruine saus met aardappelpuree. Hij dacht aan Eva en aan Valgerður en ten slotte aan Elínborg. Hij gooide de maaltijd ongeopend in de vuilnisbak en stak een sigaret op.

De telefoon ging voor de derde keer die avond. Hij keek ernaar en hoopte dat het gerinkel zou ophouden en hij met rust gelaten zou worden, maar toen dat niet gebeurde, nam hij op. Het was een medewerker van de Technische Recherche.

"Vanwege de Falcon", zei de technicus.

"Ja, wat is er met de Falcon? Heb je iets gevonden?"

"Niets behalve straatvuil, steentjes en modder. We hebben het allemaal onderzocht en vonden een stof die afkomstig kan zijn uit koeienmest of iets dergelijks, uit een schuur of een stal. Nergens bloed."

"Koeienmest?"

"Ja, het is natuurlijk allemaal zand en vuil, zoals in alle auto's, maar ook koeienmest. Woonde hij niet in Reykjavík, die man?"

"Ja", zei Erlendur, "maar hij ging vaak de stad uit."

"Er is niets uit op te maken, je weet het", zei de technicus. "Na al die tijd en al die eigenaren."

"Dankjewel", zei Erlendur.

Ze namen afscheid en er kwam een gedachte op bij Erlendur. Hij keek op de klok. Het liep al tegen elf uur. Er is nog niemand naar bed rond deze tijd, dacht hij twijfelend. Niet in de zomer. Toch aarzelde hij. Toen nam hij een besluit.

"Ja", antwoordde Ásta, die de geliefde van Leopold was geweest. Erlendur verontschuldigde zich. Hij hoorde meteen dat ze het niet gewend was om zo laat in de avond nog gebeld te worden. Ook al was het midden in de zomer. Hij zei zijn naam en zij vroeg argwanend wat hij van haar wilde, waarom het niet kon wachten.

"Natuurlijk zou het kunnen wachten", zei Erlendur, "maar ik hoor net dat er koeienmest op de bodem van de auto lag. Ik heb sporen laten onderzoeken. Hadden Leopold en jij de auto al lang toen hij verdween?"

"Niet zolang, nog maar een paar weken. Ik dacht dat ik dat al had verteld."

"Ging hij er wel eens mee de stad uit?"

"De stad uit?"

De vrouw dacht na.

"Nee", zei ze, "ik geloof van niet. Hij had hem nog maar zo kort. Ik weet ook nog dat hij het erover had dat hij er niet mee over landweggetjes durfde te rijden; die waren zo slecht. Hij wilde hem eerst alleen in de stad gebruiken."

"Er is nog iets", zei Erlendur. "Neem me niet kwalijk dat ik je er zo laat op de avond mee lastigval, maar die zaak zit zo … ik weet dat de auto op jouw naam stond. Herinner je je nog hoe jullie hem betaald hebben? Nam Leopold een lening? Of heb jij hem betaald? Had hij wat geld? Weet je dat nog?"

Het werd even stil aan de telefoon terwijl de vrouw terugging naar het verleden en zich dingen probeerde te herinneren die men gewoonlijk weer vergeet.

"Ik heb er niets voor betaald", zei ze ten slotte. "Dat weet ik nog. Ik geloof dat hij het grootste deel betaald heeft. Had wat opzijgelegd toen hij nog vaarde, zei hij tegen me. Waarom wil je dat weten? Waarom bel je daar zo laat over? Is er iets gebeurd?"

"Weet je waarom hij de auto op jouw naam wilde hebben?"

"Nee."

"Vond je dat niet gek?"

"Gek?"

"Dat hij hem niet gewoon op zijn eigen naam liet registreren? Zo gaat dat toch meestal. De mannen regelen de aanschaf van de auto en laten hem registreren. Ik denk dat uitzonderingen op die gang van zaken niet veel voorkwamen."

"Ik weet daar niets van", zei Ásta.

"Hij zou dat gedaan kunnen hebben om zijn sporen uit te wissen", zei Erlendur. "Als hij de auto op zijn naam had laten zetten, hadden ze allerlei gegevens van hem nodig gehad en misschien waren die niet te vinden geweest."

Het bleef stil aan de andere kant van de lijn.

"Hij hield zich niet verborgen", zei de vrouw.

"Nee, misschien niet", zei Erlendur. "Maar misschien had hij nog wel een andere naam. Een andere naam dan Leopold. Wil je niet weten wie hij was? Wie hij in werkelijkheid was?"

"Ik weet heel goed wie hij was", zei de vrouw en hij hoorde dat ze op het punt stond in tranen uit te barsten.

"Natuurlijk", zei Erlendur. "Neem me niet kwalijk. Ik had niet in de gaten hoe laat het al was. Ik laat het je weten als ik iets nieuws ontdek."

"Ik weet heel goed wie hij was", herhaalde de vrouw.

"Natuurlijk", zei Erlendur. "Natuurlijk weet je dat."

21

De koeienmest hielp niet echt. De auto had meer eigenaren gehad voor hij aan de autosloperij was verkocht en elk van hen kon in de koeienmest hebben getrapt voor hij in de auto was gestapt en de resten naar binnen hebben gebracht. Reykjavík was al ruim dertig jaar zo'n landelijke stad dat de eigenaar niet eens buiten de stadsgrenzen hoefde te zijn gereden om koeien tegen te komen. Erlendur herinnerde zich nog goed dat er schapen uit een weiland waren ontsnapt en al op de Háaleitisbraut liepen voordat het was opgemerkt. Hij werkte toen pas bij de verkeerspolitie en was een van de agenten die ze bijeengedreven hadden.

Maar het kon ook heel goed zijn dat Haraldur, die nog steeds in zijn hoekje in het bejaardenhuis verschanst zat, wat verloren had. Hij was er niet veel op vooruitgegaan sinds Erlendur voor het laatst in zijn kamer zat. Hij was bezig aan de lunch, een of andere dunne pap en een stuk zachte leverworst, en bewaarde zijn tanden ondertussen op het nachtkastje. Erlendur probeerde zijn ogen niet te laten afdwalen naar de plaats waar de tanden lagen. Het was al erg genoeg om het gesmak aan te horen en te zien hoe de pap langs beide mondhoeken omlaag stroomde. Hij kauwde op zijn pap en smulde van de leverworst die erbij hoorde.

"We weten dat de man met de Falcon bij jullie op de boerderij is geweest", zei Erlendur toen het gesmak ophield en Haraldur zijn gezicht had afgeveegd. Hij had net als de vorige keer fel gereageerd toen hij Erlendur zag en gezegd dat hij moest maken dat hij wegkwam, maar Erlendur had alleen geglimlacht en was gaan zitten.

"Kun je me niet met rust laten?" had Haraldur gezegd en hij had verlekkerd naar de pap gekeken. Hij wilde er niet aan beginnen met Erlendur voor zijn neus.

"Eet je pap", had Erlendur gezegd. "Ik wacht wel."

Haraldur had hem een boze blik toegeworpen, maar gaf het snel op. Erlendur keek de andere kant op toen hij zijn tanden uit zijn mond haalde.

"Welke bewijzen hebben jullie daarvoor?" zei Haraldur. "Jullie hebben geen enkel bewijs, omdat hij nooit bij ons geweest is. Bestaan er geen wetten tegen dergelijke pesterijen? Hebben jullie toestemming om iemand op elk moment van de dag lastig te vallen?"

"We weten nu dat hij bij jullie geweest is", zei Erlendur.

"Huh. Wat een verdomde onzin. Hoe denken jullie dat te kunnen weten?"

"We hebben zijn auto wat beter onderzocht", zei Erlendur. In werkelijkheid had hij niets in handen, maar hij vond het de moeite waard die vent even stevig aan te pakken en te laten denken dat het wel zo was. "We hebben de auto destijds niet zo goed bekeken. En sindsdien is er veel veranderd in de onderzoekstechniek."

Hij probeerde grote woorden te gebruiken. Haraldur liet zijn hoofd hangen, net als de vorige keer, en staarde naar de grond.

"Zo hebben we nieuwe aanwijzingen gevonden", vervolgde Erlendur. "De zaak is destijds niet als criminele zaak behandeld. Vermissingen worden meestal niet als zodanig behandeld, omdat men hier niet zo gek opkijkt als er mensen verdwijnen. Misschien is 't het weer. Misschien IJslandse apathie. Misschien voldoet de simpele verklaring dat het aantal zelfmoorden hier schrikbarend hoog is."

"Ik weet niet waar je het over hebt", zei Haraldur.

"Hij heette Leopold. Weet je dat nog? Hij was verkoper en jij had belangstelling voor een tractor en hij moest die dag alleen nog even bij jou langs. Ik denk dat hij dat wel gedaan heeft."

"Een mens moet toch wel een of ander recht hebben", zei Haraldur. "Je kunt hier toch niet zomaar binnenvallen wanneer het je uitkomt?"

"Ik denk dat Leopold bij jullie is geweest", herhaalde Erlendur en hij negeerde Haraldurs opmerking.

"Onzin."

"Hij kwam bij jou en je broer langs en er is iets gebeurd. Ik weet niet wat. Hij zag iets wat hij niet had mogen zien. Jullie raakten met hem in conflict over iets wat hij zei. Misschien was hij te gretig. Hij wilde de koop die dag nog afsluiten."

"Ik weet niet waar je het over hebt", herhaalde Haraldur. "Hij is nooit bij ons geweest. Hij zei dat hij zou komen, maar hij deed het niet."

"Hoe lang denk je dat jij nog te leven hebt?" vroeg Erlendur.

"De duivel mag het weten. En als je ook maar het minste bewijs had, dan had je me dat wel gezegd. Maar je hebt niks. Je hebt niks, omdat hij nooit bij ons is geweest."

"Wil je me niet gewoon vertellen wat er gebeurd is?" zei Erlendur. "Je zult niet al te lang meer hebben. Je zult je beter voelen. Dat hij bij jullie op de boerderij is geweest, wil nog niet zeggen dat jullie hem hebben vermoord. Dat zeg ik helemaal niet. Hij kan net zo goed bij jullie vandaan gereden zijn en daarna verdwenen zijn."

Haraldur hief zijn hoofd op en staarde hem aan vanonder zijn zware wenkbrauwen.

"Scheer je weg", zei hij. "Ik wil je hier nooit meer zien."

"Jullie hadden toch koeien op de boerderij, je broer en jij, is het niet?"

"Scheer je weg!"

"Ik ben erheen gereden en zag de stal en de mestvaalt erachter. Je hebt gezegd dat jullie tien koeien hebben gehad."

"Wat bedoel je?" zei Haraldur. "We waren boeren. Wil je me daarom veroordelen?"

Erlendur stond op. Hij bleef Haraldur achter zijn vodden zitten, al wist hij dat hij dat niet zou moeten doen. Hij had naar buiten moeten gaan en het onderzoek voortzetten en die man niet zo moeten opjutten. Haraldur was niets anders dan een vervelende oude vent. Maar Erlendur trok zich daar even niets van aan.

"We hebben koeienmest in de auto gevonden", zei hij. "Daarom dacht ik aan jouw koeien. Skjalda en Huppa of hoe je ze ook noemde. Ik denk niet dat die mest van zijn schoenen in de auto is gekomen. Het is natuurlijk mogelijk dat hij in de mest is getrapt en toen is weggereden. Maar ik denk dat iemand anders de mest in de auto heeft meegenomen. Iemand die op een boerderij woonde waar hij geweest is. Iemand die ruzie met hem kreeg. Iemand die hem aanviel en toen in die auto sprong met zijn stallaarzen aan en naar het busstation is gereden."

"Laat me met rust. Ik weet niets van koeienmest."

"Zeker weten?"

"Ja, ga weg. Laat me met rust."

Erlendur keek neer op Haraldur.

"Er is alleen één probleem met deze theorie van mij", ging hij verder.

"Huh", bromde Haraldur.

"En dat is het busstation."

"Wat is daarmee?"

"Er zijn eigenlijk twee dingen die niet kloppen."

"Het kan me niet schelen wat je allemaal zegt. Maak dat je wegkomt."

"Het is te ingewikkeld."

"Huh."

"En jij bent te dom."

Het bedrijf waar Leopold werkte toen hij verdween, bestond nog en was nu een van de drie filialen van een groot autobedrijf. De oude eigenaar had al enkele jaren geleden de leiding overgedragen. Zijn zoon vertelde Erlendur dat hij zijn uiterste best gedaan had het bedrijf draaiende te houden, maar dat het hopeloos was geweest en uiteindelijk, toen het echt niet meer ging, had hij het verkocht. Zijn zoon ging mee met de verkoop en was nu hoofd landbouw- en graafmachines in het bedrijf. De veranderingen hadden meer dan tien jaar geleden plaatsgevonden. Er waren maar heel weinig oude medewerkers meegegaan en inmiddels was geen van hen meer in dienst. Erlendur kreeg de naam van de vorige eigenaar en van een verkoper die het langst bij het oude bedrijf had gewerkt en daar in dezelfde periode als Leopold had rondgelopen.

Toen Erlendur op het bureau kwam, zocht hij de nummers op in het telefoonboek en belde de verkoper. Niemand nam op. Hij belde de vorige eigenaar. Geen antwoord.

Erlendur pakte de hoorn weer van het toestel. Hij keek uit het raam naar de zomer in de straten van Reykjavík. Hij wist niet wat hij aan het doen was met die zaak van die Falcon-man. Die man had vast en zeker een eind aan zijn leven gemaakt. Er was maar weinig wat op iets anders wees, maar toch stond hij op het punt, met de telefoon in zijn hand, om toestemming te vragen op het terrein van de broers naar zijn lijk te gaan zoeken met hulp van vijftien politieagenten en ambtenaren, en al het papierwerk wat daarmee samenhing.

En misschien was de verkoper wel die Lothar die waarschijnlijk op de bodem van het Kleifarvatn had gelegen. Misschien waren ze één en dezelfde man.

Hij legde de telefoon weer zachtjes neer. Was hij zo geobsedeerd door het oplossen van vermissingen dat de zaak met hem op de loop ging? Hij wist in zijn hart dat het het verstandigst zou zijn de zaak van Leopold te laten rusten en hem weer te laten verstoffen, net als andere vermissingszaken waarvoor geen eenvoudige verklaring werd gevonden.

De telefoon op het bureau van Erlendur ging over terwijl deze gedachten Erlendur door het hoofd schoten. Het was Patrick Quinn van de Amerikaanse ambassade. Ze wisselden enkele beleefdheden uit, waarna de ambassademan ter zake kwam.

"Je mensen hebben te horen gekregen wat wij op dat moment konden vrijgeven", zei Quinn. "We hebben nu permissie gekregen om een heel klein beetje verder op de zaak in te gaan."

"Het zijn niet echt mijn mensen", zei Erlendur en hij zag Sigurður Óli en Elínborg voor zich.

"*Yes, whatever*", zei Quinn. "Ik heb begrepen dat jij de leiding hebt over het onderzoek naar het skelet in het Kleifarvatn. Ze waren niet erg overtuigd door hetgeen wij over de verdwijning van Lothar Weiser vertelden. Wij hadden informatie dat hij het land was binnengekomen, maar nooit meer is weggegaan, maar zoals we ze al zeiden, was die informatie niet erg waardevol. Nu heb ik contact gehad met het ministerie in Washington en er is toestemming gegeven om u in deze zaak verder tegemoet te komen. We hebben de naam van een man, een Tsjech, die waarschijnlijk die verdwijning van Weiser kan bevestigen. Hij heet Miroslav. Ik zal eens kijken wat ik daarmee kan doen."

"Iets anders", zei Erlendur. "Hebben jullie eigenlijk een foto van die Lothar Weiser, die jullie ons zouden kunnen lenen?"

"Dat weet ik niet", zei Quinn. "Ik zal het laten nagaan. Kan wel even duren."

"Bedankt."

"Ik beloof niets", zei Quinn en ze namen afscheid.

Erlendur probeerde opnieuw de oude verkoper te bereiken en wilde net neerleggen toen hij eindelijk opnam. De man was doof en dacht dat Erlendur van het maatschappelijk werk was en hij begon te klagen over de maaltijden die 's middags bij hem werden bezorgd. Het eten was altijd koud, zei de man.

"En dat is niet alles", ging hij verder.

Erlendur begreep dat hij aan een lange klaagzang over het lot van oude mensen in Reykjavík wilde beginnen.

"Ik ben van de politie", zei Erlendur luid en duidelijk. "Ik wil je iets vragen over een verkoper die vroeger ook bij de Vinnuvélasala werkte. Hij is op een dag verdwenen en er is nooit meer iets van hem vernomen."

"Bedoel je Leopold?" zei de man. "Waarom begin je nu opeens over hem? Hebben jullie hem gevonden?"

"Nee", zei Erlendur. "Hij is niet gevonden. Herinner je hem nog?"

"Zo'n beetje", zei de man. "In elk geval beter dan de meesten vanwege wat er gebeurd is. Omdat hij verdween. Liet hij niet ergens een gloednieuwe auto achter?"

"Voor het busstation", zei Erlendur. "Wat voor man was het?"

"Wat zeg je?"

Erlendur was gaan staan. Hij herhaalde zijn vraag half schreeuwend in de telefoon.

"Dat is niet zo gemakkelijk te zeggen. Hij was een nogal sombere jongeman die niet veel over zichzelf vertelde. Hij had een poosje gevaren en het zou best kunnen dat hij in het buitenland is geboren. Hij sprak in elk geval met een licht accent. En hij had een donkere huid, nou ja, hij was geen zwarte, maar niet zo licht van huid als wij IJslanders. Een bijzonder vriendelijke man. Triest wat er gebeurd is."

"Hij maakte handelsreizen door het platteland", zei Erlendur.

"Ja, ja, een heel gedoe, dat deden we allemaal. Gingen de boerderijen langs met onze brochures en probeerden aan de boeren te verkopen. Hij deed dat misschien wel het vaakst. Hij nam *brennivín* mee, snap je, om het ijs te breken. De meesten deden dat. Dat maakte de contacten wat gemakkelijker."

"Hadden jullie ieder een eigen gebied van het land, ik bedoel, verdeelden jullie het land zo'n beetje onder elkaar?"

"Nee, het stelde niet zoveel voor. De rijkste boeren zitten natuurlijk in het zuiden en het noorden, en die probeerden we onderling te verdelen. Anders had die verdomde Samband al die kerels."

"Gaf Leopold de voorkeur aan een bepaalde streek boven andere? Een waar hij vaak heen ging?"

Het werd stil aan de andere kant van de lijn en Erlendur verbeeldde zich hoe de oude verkoper zich details over Leopold probeerde te herinneren die hij eigenlijk allang vergeten was.

"Gek dat je dat vraagt", zei hij eindelijk. "Leopold ging veel naar de Oostfjorden, het zuiden van de Oostfjorden. Dat kan betekenen dat dat zijn lievelingsstreek was. Ook het westen, het hele Vesturland eigenlijk. Ook naar Reykjanes. Hij kwam eigenlijk overal."

"Verkocht hij veel?"

"Nee, dat kan ik niet zeggen. Soms was hij een hele week op reis, als het niet een maand was, zonder dat het veel opleverde. Maar je moet eens met de oude Benedikt praten. De eigenaar. Hij weet misschien wat meer. Leopold was niet zo lang bij ons en ik weet nog dat er een of ander probleem met hem was."

"Probleem?"

"Misschien heeft het nergens iets mee te maken. Benedikt

had erg zijn best gedaan om hem erbij te krijgen, maar was toch nooit tevreden over hem. Ik begreep dat nooit. Praat liever eens met hem. Praat met Benedikt."

Sigurður Óli zette thuis de televisie aan. De samenvattingen van het IJslandse voetbal werden laat in de avond uitgezonden. Bergþóra was naar de naaiclub. Hij dacht dat zij het was toen hij de telefoon opnam. Ze was het niet.

"Neem me niet kwalijk dat ik je steeds weer bel", zei de stem aan de telefoon.

Sigurður Óli aarzelde een moment, maar legde toen neer. De telefoon begon onmiddellijk weer over te gaan. Sigurður staarde ernaar.

"Verdomme", zei hij en hij nam op.

"Niet neerleggen", zei de man. "Ik wil alleen maar even met je praten. Met jou kan ik praten. Vanaf het moment dat je bij me thuis kwam met dat nieuws."

"Ik ben … in alle ernst, ik ben geen zielzorger. Je gaat te ver. Ik wil dat je daarmee ophoudt. Ik kan je niet helpen. Het was een afschuwelijk toeval en niets anders. Je zult ermee moeten leren leven. Probeer dat te begrijpen. En verder wens ik je het beste."

"Ik weet dat het toeval was", zei de man. "Maar ik was het die het in gang zette."

"Er is niemand die toevalligheden in gang zet", zei Sigurður. "Daarom zijn het toevalligheden. Ze beginnen als een mens op de wereld komt."

"Als ik haar niet had opgehouden, waren ze thuisgekomen."

"Dat is gewoon absurd. En jij weet dat. Je kunt jezelf dat niet verwijten. Dat kan gewoon niet. Het is niet mogelijk om jezelf iets dergelijks aan te rekenen."

"Waarom niet? Toevalligheden ontstaan niet uit het niets. Ze komen voort uit de omstandigheden die wij creëren. Net als mijn handeling op die dag."

"Dat is zo bespottelijk dat ik er niet eens over wil praten."

"Waarom?"

"Als we ons daardoor laten bepalen, hoe moeten we dan beslissingen nemen? Je vrouw ging op dat moment naar de winkel, met die beslissing had jij niets te maken. Was het dan misschien zelfmoord? Nee! Het was een idioot die dronken in een jeep reed. Niets anders."

"Ik veroorzaakte het toeval door te bellen."

"Als je zo praat, kunnen we nog wel even doorgaan", zei Sigurður Óli. "Zullen we de stad uit gaan? Zullen we naar de bioscoop gaan? Zullen we een afspraak maken in een café? Je kunt toch geen enkele afspraak meer maken als je altijd bang bent dat er iets zal gebeuren. Je bent gek."

"Dat is het hem nou juist", zei de man.

"Wat?"

"Hoe moeten we zoiets doen?"

Sigurður Óli hoorde dat Bergþóra binnenkwam.

"Ik ga ermee ophouden", zei hij. "Dit is allemaal onzin."

"Ja, ik ook", zei de man. "Ik ga ermee ophouden."

En hij legde neer.

22

Hij volgde het nieuws over de vondst van het skelet op de radio, de televisie en in de kranten en zag dat de berichten steeds korter werden naarmate de tijd verstreek, tot er geen woord meer aan werd vuilgemaakt. Heel af en toe kwam er een kleine mededeling dat er niets nieuws te vertellen was over het onderzoek en dan werd er verwezen naar een zekere Sigurður Óli, rechercheur. Hij wist dat dat niets hoefde te betekenen, maar er verschenen geen berichten meer over het skelet. Het onderzoek moest in volle gang zijn en als het goed was, zou er op een dag op zijn deur worden geklopt. Hij wist niet wanneer dat zou zijn of door wie. Misschien al snel. Misschien door die Sigurður Óli. Misschien zouden ze nooit komen. Hij lachte in zichzelf. Hij wist niet zeker meer of dat eigenlijk wel was wat hij wilde. Het had te lang in hem gerust. Soms had hij het gevoel dat zijn bestaan, zijn leven, enkel was bepaald door angst voor het verleden.

Vroeger had hij soms de kwellende, onbedwingbare behoefte gevoeld iemand te zeggen wat er gebeurd was, ervoor uit te komen en de waarheid te vertellen. Hij had zich daar altijd tegen verzet. Dan bedaarde hij weer en gaandeweg verdween die behoefte en liet de gebeurtenis hem steeds meer koud. Hij had er geen enkele spijt van. Hij zou niet hebben gewild dat het anders gegaan was.

Altijd als hij terugdacht, zag hij het gezicht van Ilona toen hij haar voor het eerst ontmoette. Toen ze naast hem kwam zitten in de keuken en hij het gedicht van Jónas Hallgrimsson aan haar uitlegde en zij hem kuste. Als hij alleen was met zijn gedachten en wegzonk in alles wat hem zo dierbaar was geweest, kon hij de zachte kus op zijn lippen nog voelen.

Hij ging op een stoel bij het raam zitten en dacht terug aan de dag toen zijn wereld instortte.

Hij ging de volgende zomer niet naar huis, maar werkte een tijdje in een bruinkoolmijn en reisde met Ilona door Oost-Duitsland. Ze hadden naar Hongarije willen gaan, maar hij kreeg geen visum. Hij begreep dat het steeds moeilijker werd om er een te krijgen voor mensen die niet uit Hongarije afkomstig waren. Hij hoorde ook dat reizen naar West-Duitsland sterk aan banden werden gelegd.

Ze reisden met de trein en de bus, maar meestal te voet en genoten ervan dat ze met zijn tweeën waren. Soms sliepen ze onder de blote hemel. Soms in een klein pension, een schoolgebouw, trein- of busstation. Een andere keer werkten ze een paar dagen in een stad die op de route lag. Het langst bleven ze bij een schapenboer die het geweldig vond dat er een IJslander op zijn deur klopte en hem het hemd van het lijf vroeg over dat noordelijke land en vooral over de Snæfellsjökull; het bleek dat hij het verhaal van Jules Verne had gelezen, *Naar het middelpunt der aarde*. Ze logeerden twee weken bij hem en vonden het heerlijk om op de boerderij te werken. Ze leerden van alles over het houden van vee en namen afscheid van hem en zijn gezin met een rugzak vol voedsel en goede wensen.

Zij vertelde hem over haar jeugd in Boedapest en over haar ouders, die beiden arts waren. Ze had hun over hem verteld in een brief. Wat zijn jullie van plan? vroeg haar moeder in een brief terug. Ze was haar enige dochter. Ilona vroeg haar zich geen zorgen te maken, maar dat hielp niet. Gaan jullie trouwen? Hoe zit het met je studie? Hoe moet het in de toekomst?

Dat waren allemaal vragen die ze zichzelf ook hadden gesteld, samen en ieder voor zich, maar ze waren niet dringend. Het enige waar het om ging, was dat ze nu bij elkaar waren. De toekomst was een onbekend, geheimzinnig land en het enige wat ze zeker wisten, was dat ze daar samen heen gingen.

Soms vertelde ze hem 's avonds over haar vrienden, die hem volgens haar met open armen zouden ontvangen, hoe ze eindeloos in cafés en eethuizen zaten te praten over de veranderingen die er moesten komen en die werden voorbereid. Hij keek naar Ilona en zag haar enthousiasme als ze het had over een vrij Hongarije. Zij sprak over de vrijheid die hij zijn hele leven had gekend alsof het een soort droom was, onbereikbaar en ver. Ilona en haar vrienden wachtten op iets wat hijzelf altijd had bezeten en wat zo vanzelfsprekend was dat hij er eigenlijk nooit bijzonder bij stil had gestaan. Ze vertelde over haar vrienden die waren gearresteerd en voor lange of korte tijd waren opgesloten en over mensen van wie ze had gehoord dat ze verdwenen waren en van wie niemand meer iets vernam. Hij hoorde de angst in haar stem, maar ook de opwinding die samengaat met een diepe overtuiging en de bereidheid daarvoor koste wat het kost te strijden. Hij proefde spanning en het avontuur in haar die horen bij grote dingen die staan te gebeuren.

Hij dacht veel na, die weken in de zomer dat ze samen op reis waren, en raakte ervan overtuigd dat het socialisme zoals hij dat in Leipzig had leren kennen, gebaseerd was op een leugen. Hij begon beter te begrijpen wat er met Hannes aan de hand was geweest. Net als bij Hannes destijds drong tot hem door dat er niet één waarheid, namelijk de socialistische is, maar dat een eenvoudige, onomstotelijke waarheid niet bestond. Het zette zijn wereldbeeld op zijn kop, want hij kreeg te maken met nieuwe, dringende vragen. De eerste en belangrijkste was hoe hij moest reageren. Hij was in dezelfde situatie terechtgekomen als Hannes. Moest hij zijn studie in Leipzig voortzetten? Moest hij naar huis gaan? De voorwaarden voor zijn studieverblijf waren veranderd. Wat moest hij zijn familie vertellen? Hij kreeg bericht van thuis dat Hannes, die ooit leider van de jongerenbeweging was geweest, artikelen in kranten had geschreven en op bijeenkomsten over zijn verblijf in Oost-Duitsland had gesproken en de koers van de communisten had bekritiseerd. Dat wekte grote woede en onrust in de gelederen van de IJslandse socialisten en verzwakte hun positie aanzienlijk, zeker in het licht van wat er in Hongarije aan de gang was.

Hij wist dat hij nog altijd socialist was en dat dat niet zou veranderen, maar het socialisme dat hij in Leipzig had leren kennen was niet wat hij wilde.

En hoe moest het met Ilona? Hij wilde niets zonder haar doen. Alles wat ze deden, deden ze samen.

Ze praatten de laatste dagen van hun reis veel over deze dingen en kwamen tot een gezamenlijk besluit. Zij zou met haar studie en haar werk in Leipzig doorgaan, naar de geheime bijeenkomsten blijven gaan, inlichtingen verspreiden en over de ontwikkelingen in Hongarije vertellen. Hij zou met zijn studie doorgaan en doen alsof er niets aan de hand was. Hij herinnerde zich zijn verontwaardiging over Hannes toen hij hem ervan beschuldigde de gastvrijheid van de Oost-Duitse communistische partij te misbruiken. Nu was hij van plan precies hetzelfde te doen en hij had er moeite mee deze keus voor zichzelf te rechtvaardigen.

Hij voelde zich slecht. Hij had nog nooit in zo'n situatie verkeerd. Hiervóór was zijn leven veel eenvoudiger en veiliger geweest. Hij dacht aan zijn vrienden thuis op IJsland. Wat moest hij hun vertellen? Het was of hij geen vaste grond meer onder de voeten had. Alles waar hij zo vast in had geloofd, was nu nieuw en vreemd. Hij wist dat hij altijd volgens de socialistische gedachte van grotere gelijkheid en een rechtvaardige verdeling van de rijkdom zou leven, maar het socialisme zoals het in Oost-Duitsland in de praktijk werd gebracht, was niet iets om in te geloven of voor te vechten. De verandering had zich nog maar net voltrokken. Het zou tijd kosten om het allemaal te begrijpen en de wereld opnieuw te definiëren. Hij wilde geen overhaaste beslissingen nemen.

Terug in Leipzig trok hij bij Ilona in. Ze sliepen samen in het oude eenpersoonsbed. De oude vrouw die de kamer verhuurde, had eerst haar twijfels. Ze wilde alles netjes houden, streng katholiek als ze was, maar ten slotte gaf ze toe. Ze vertelde hem dat ze haar echtgenoot en haar twee zonen was kwijtgeraakt tijdens het beleg van Stalingrad. Ze liet hem foto's van hen zien.

Ze sloten vriendschap. Hij deed het een en ander voor haar in huis, kleine reparaties, sloeg keukengerei en levensmiddelen voor haar in en kookte voor haar. Zijn vrienden uit het studentenhuis kwamen soms op bezoek, maar hij voelde dat hij van hen vervreemdde en zij vonden ook dat er iets saais over hem was gekomen en dat hij minder spraakzaam was dan vroeger.

Emil, die hem het meest na stond, sprak hem erover aan toen hij naast hem kwam zitten in de bibliotheek.

"Is er iets?" vroeg Emil en hij haalde zijn neus op. Hij was verkouden. De herfst was grijs en regenachtig en het was koud in het studentenhuis.

"Nee hoor", zei hij. "Er is niets."

"Nee, omdat", zei Emil, "eh … het lijkt wel of je ons ontloopt, is dat niet idioot?"

Hij keek naar Emil.

"Natuurlijk is dat idioot", zei hij. "Er is alleen zoveel voor me veranderd. Ilona en je weet wel, er is veel veranderd."

"Ja, dat weet ik", zei Emil bezorgd. "Natuurlijk. Ilona en zo. Weet je iets van dat meisje?"

"Ik weet alles van haar", zei hij en hij lachte. "Het is in orde, Emil. Wees niet zo bezorgd."

"Lothar vertelde iets over haar."

"Lothar? Is hij weer terug?"

Hij had zijn vrienden niet verteld wat de kameraden van Ilona over Lothar hadden gezegd en welke rol hij had gespeeld bij het wegsturen van Hannes van de universiteit. Lothar was er niet toen de colleges in de herfst weer begonnen en hij had hem niet meer gezien of iets over hem gehoord. Hij had zich voorgenomen Lothar uit de weg te gaan, alles wat met hem te maken had te vermijden, niet met hem en niet over hem te praten.

"Hij zat gisteravond bij ons in de keuken", zei Emil. "Kwam met zúlke varkenskoteletten. Hij heeft altijd genoeg te eten."

"Wat zei hij over Ilona? Wat had hij over Ilona te vertellen?"

Hij probeerde zijn emotie te verbergen, maar dat lukte niet zo goed. Hij keerde zich vol passie naar Emil.

"Niks, alleen dat ze Hongaarse was en dat dat huichelaars

waren", zei Emil. "Iets dergelijks. Ze hebben het er allemaal over wat er in Hongarije gebeurt, maar niemand schijnt er het fijne van te weten. Weet jij iets via Ilona? Wat is er eigenlijk in Hongarije aan de hand?"

"Ik weet niet veel", zei hij. "Het enige wat ik weet, is dat de mensen het over veranderingen hebben. Wat zei Lothar precies over Ilona? Huichelaars? Waarom zei hij dat? Wat bedoelde hij daarmee?"

Emil voelde zijn heftigheid en probeerde zich te herinneren wat Lothar had gezegd.

"Hij zei dat hij niet wist waar hij haar moest plaatsen", zei Emil ten slotte aarzelend. "Hij betwijfelde of ze een echte socialist was en hij zei dat ze een slechte invloed had op de mensen in haar omgeving. Ze roddelt over mensen. Ook over ons. Hij zei dat ze slechte dingen over ons vertelde. Had dat tegen hem gedaan."

"Waarom zegt hij dat? Wat weet hij van Ilona? Ze kennen elkaar niet eens. Ze heeft nog nooit met hem gesproken."

"Ik weet het ook niet", zei Emil. "Het zal wel gewoon geklets zijn. Denk je niet?"

Hij zweeg.

"Tómas?" zei Emil. "Zou het niet gewoon geklets van hem zijn?"

"Natuurlijk is dat onzin", zei hij. "Hij kent Ilona helemaal niet. Ze heeft nog nooit iets slechts over jullie gezegd. Dat is een verdomde leugen. Lothar is ..."

Hij stond op het punt Emil te vertellen wat hij over Lothar had gehoord, maar hij besefte opeens dat hij dat niet kon doen. Hij besefte dat hij Emil niet kon vertrouwen. Zijn vriend. Hij had er geen enkele reden voor hem niet te vertrouwen, maar zijn leven hing er ineens van af wie hij wel en wie hij niet vertrouwde. Met wie hij wel kon praten over wat er op zijn hart lag en met wie hij dat niet kon doen. Niet omdat ze niet oprecht waren en hem zouden verraden, maar omdat ze zonder het te weten met iemand konden praten, zoals hij zonder het te weten over Hannes had gepraat. Dat gold voor Emil en Hrafnhildur en Karl, zijn vrienden uit het studentenhuis. Hij had ze wel eens wat verteld over wat hij in cafés met vrienden van Ilona besprak en dat Ilona en Hannes elkaar gekend hadden en dat alles zo spannend en zelfs gevaarlijk was. Dat kon hij niet langer doen.

Hij moest vooral oppassen voor Lothar. Hij probeerde erachter te komen waarom Lothar zo tegen zijn vrienden over Ilona praatte. Hij probeerde zich te herinneren of de Duitser ooit zo over Hannes had gepraat, maar hij kon zich dat niet herinneren. Misschien was het een waarschuwing voor hem en Ilona. Ze wisten erg weinig over Lothar. Ze wisten niet voor wie hij precies werkte. Ilona dacht en had van haar vrienden gehoord dat hij voor de Geheime Dienst werkte. Misschien waren dat hun methoden. Om mensen in kleine groepjes zwart te maken en kwaad bloed te zetten.

"Tómas?"

Emil probeerde zijn aandacht te trekken.

"Wat is er met Lothar?"

"Sorry", zei hij, "ik was in gedachten."

"Je wilde iets over Lothar zeggen", zei Emil.

"Nee", zei hij. "Dat is niet zo."

"Hoe zit het met jou en Ilona?" vroeg Emil.

"Hoezo?" zei hij.

"Blijven jullie bij elkaar?" vroeg Emil aarzelend.

"Wat bedoel je? Natuurlijk. Waarom vraag je dat?"

"Wees voorzichtig", zei Emil.

"Wat bedoel je?"

"Niks, maar nadat Hannes is weggestuurd, weet je niet wat er kan gebeuren."

Hij vertelde Ilona over zijn gesprek met Emil en probeerde het zo luchtig mogelijk over te brengen. Maar Ilona trok meteen een bezorgd gezicht en vroeg hem het hemd van het lijf over wat Emil gezegd had. Ze probeerden erachter te komen wat Lothar van plan was. Hij was duidelijk bezig haar zwart te maken bij de andere studenten en vooral die met wie ze het meest omging, haar vrienden. Was dat het begin van iets groters? Zou Lothar haar speciaal in de gaten houden? Zou hij van de bijeenkomsten op de hoogte zijn? Ze besloten om de komende weken weinig op te vallen.

"Ze sturen ons toch alleen maar naar huis", zei ze en ze probeerde te lachen. "Wat kunnen ze anders doen? We gaan dezelfde weg als Hannes. Erger dan dat kan het niet worden."

"Nee", zei hij troostend. "Erger dan dat kan het niet worden."

"Ze kunnen me pakken voor revolutionaire activiteiten", zei ze. "Anticommunistische ophitserij. Samenzweren tegen de Socialistische Eenheidspartij. Dat kunnen ze doen."

"Kun je niet stoppen? Gewoon een poosje stoppen? Afwachten wat er gebeurt?"

Ze keek naar hem.

"Wat bedoel je?" zei ze. "Ik laat me niet door zo'n gek als Lothar van mijn werk afhouden."

"Ilona!"

"Ik geef mijn mening", zei ze. "Altijd. Ik zeg iedereen die het wil weten wat er in Hongarije gebeurt en welke veranderingen het volk wil. Ik heb dat altijd gedaan. Dat weet je. Ik ben niet van plan daarmee op te houden."

Ze zwegen allebei bedrukt.

"Wat is het ergste wat ze kunnen doen?"

"Ze sturen je naar huis."

"Ze sturen me naar huis."

Ze keken elkaar aan.

"We moeten voorzichtig zijn", zei hij. "Je moet voorzichtig zijn. Beloof me dat."

Er gingen weken voorbij. Maanden. Ilona hield zich aan haar belofte en was waakzamer dan ooit. Hij ging naar zijn colleges en maakte zich voortdurend zorgen om Ilona; hij vroeg haar steeds weer op haar hoede te zijn. Toen gebeurde het op een dag dat hij Lothar tegen het lijf liep. Hij had hem allang niet gezien en toen hij dacht aan wat er eerder gebeurd was, wist hij dat het geen toeval kon zijn dat ze elkaar tegenkwamen. Hij kwam van een college en was op weg naar buiten, waar hij bij de Thomaskirche met Ilona had afgesproken, toen Lothar om de hoek kwam en tegen hem op botste. Lothar lachte en begroette hem hartelijk. Hij groette niet terug en wilde doorlopen, toen Lothar hem bij zijn arm pakte.

"Zeg je me niet meer gedag?" zei hij.

Hij trok zich los en liep door en was onder aan de trap gekomen, toen hij weer zijn hand op zijn arm voelde.

"We moeten eens praten", zei Lothar toen hij zich omdraaide.

"We hebben niets te bespreken", zei hij.

Lothar lachte weer, maar zijn ogen lachten niet mee.

"Integendeel", zei Lothar. "We hebben een heleboel te bespreken."

"Laat me met rust", zei hij en hij liep verder de trap af. Hij bereikte de verdieping waar de koffiekamer was. Hij keek niet achterom en hoopte dat Lothar hem liet gaan, maar tevergeefs. Lothar hield hem weer staande en keek om zich heen. Hij wilde niet dat ze de aandacht trokken.

"Wat is dit, man", zei hij boos tegen Lothar. "Ik heb niets met je te bespreken. Probeer dat toch te begrijpen. Laat me met rust!"

Hij probeerde hem voorbij te lopen, maar Lothar versperde hem de weg.

"Wat is er?" vroeg Lothar.

Hij zweeg en keek hem recht in de ogen.

"Nou?" zei Lothar.

"Niks", zei hij. "Laat me gewoon met rust."

"Zeg me waarom je niet met me wilt praten. Ik dacht dat we vrienden waren."

"Nee, we zijn geen vrienden", zei hij. "Hannes was mijn vriend."

"Hannes?"

"Ja, Hannes."

"Is dit vanwege Hannes?" zei Lothar. "Is het vanwege hem dat je je zo gedraagt?"

"Laat me met rust", zei hij.

"Wat heeft Hannes met mij te maken?"

"Jij ..."

Hij zweeg. Wat had Hannes met Lothar te maken? Hij had Lothar niet meer ontmoet sinds Hannes was geschorst. Het was of Lothar daarna van de aardbodem was verdwenen. In de tussentijd had hij Ilona en haar vrienden horen vertellen dat

Lothar voor de Geheime Dienst werkte, als verrader en verklikker, iemand die probeerde mensen over hun vrienden te
laten praten, over wat ze dachten en wat ze zeiden. Lothar wist
niet dat hij iets vermoedde. Hij had hem bijna alles verteld, had
hem bijna verteld wat Ilona over hem gezegd had. Opeens
daagde het hem dat dat het laatste was wat hij moest doen, Lothar beschuldigen, hem het idee geven dat hij iets van hem
wist.

Hij begreep ineens hoe hij zich gedragen moest in het spel
dat hij begon te spelen, niet alleen tegenover Lothar, maar ook
tegenover zijn landgenoten en eigenlijk tegenover iedereen die
hij tegenkwam, behalve Ilona.

"Ik wat?" zei Lothar uitdagend.

"Niets", zei hij.

"Hannes had hier niets meer te zoeken", zei Lothar. "Hij had
hier geen boodschap meer. Dat zei je zelf tegen me. Je zei het
zelf. Jij vertelde me dat. Jij kwam bij mij en we hebben daar
samen over gepraat. We zaten in de kroeg en jij vertelde me dat
je vond dat Hannes zich vreemd gedroeg. Jij en Hannes waren
geen vrienden."

"Nee, dat is zo", zei hij en hij had een nare smaak in zijn
mond. "We waren geen vrienden."

Hij vond dat hij dat moest zeggen. Hij wist niet precies wie hij
nu wilde beschermen, wist niet meer waar hij zelf stond. Waarom hij niet zonder omweg zijn mening gaf zoals hij dat altijd
had gedaan. Hij was in een soort blindemannetjesspel terechtgekomen waar hij de regels nog niet van kende en probeerde
zich er op de tast uit te redden. Misschien was hij niet moediger
dan dat. Misschien was hij wel een lafaard. Hij dacht aan Ilona.
Zij had wel geweten wat ze tegen Lothar moest zeggen.

"Maar ik heb nooit gezegd dat hij van de universiteit geschopt
moest worden", voegde hij eraan toe en hij wond zich op.

"Toch herinner ik me dat je iets in die richting hebt gezegd",
zei Lothar.

"Dat is niet waar", zei Tómas en hij verhief zijn stem. "Dat
lieg je."

Lothar glimlachte.

"Rustig aan", zei hij.

"Laat me toch met rust."

Hij wilde weglopen, maar Lothar liet hem niet gaan. Hij werd dreigender, greep hem steviger bij zijn arm, trok hem naar zich toe en siste in zijn oor.

"We moeten praten."

"We hebben niets te bespreken", zei Tómas en hij probeerde zich los te rukken, maar Lothar hield hem vast.

"We moeten alleen even praten over dat Ilonaatje van jou", zei Lothar.

Hij voelde hoe het bloed naar zijn hoofd schoot. Zijn spieren verslapten en Lothar voelde dat. Voelde hoe zijn handen een moment krachteloos waren.

"Waar heb je het over?" zei hij en hij probeerde niets te laten merken.

"Ik vind dat ze geen goed gezelschap voor je is", zei Lothar, "en dat zeg ik je als mentor en als vriend. Je neemt het me toch niet kwalijk dat ik me een beetje met je bemoei?"

"Waar heb je het over?" herhaalde hij. "Geen goed gezelschap? Volgens mij gaat het je geen donder aan wat …"

"Ik vind niet dat ze met mensen als jij en ik moet omgaan", viel Lothar hem in de rede. "Ik ben bang dat ze je met zich meesleept de ondergang in."

Hij staarde Lothar sprakeloos aan.

"Waar heb je het over?" zei hij voor de derde keer, omdat hij niet wist wat hij anders moest zeggen. Hij kon niets bedenken. De enige aan wie hij kon denken was Ilona.

"We weten wat voor bijeenkomsten ze belegt", zei Lothar. "We weten welke mensen die bijeenkomsten bezoeken. We weten dat jij er ook bent geweest. We weten van de geschriften die ze verspreidt."

Hij geloofde zijn eigen oren niet.

"Laat ons je helpen", zei Lothar.

Hij staarde naar Lothar die hem met een ernstig gezicht aankeek. Hij had alle schijn laten varen. De valse glimlach was verdwenen. Hij nam alleen een onbuigzame hardheid op zijn gezicht waar.

"Jullie?" zei hij. "Welke jullie? Waar heb je het over?"

"Kom met me mee", zei hij. "Ik wil je wat laten zien."

"Ik ga helemaal niet met je mee", zei hij. "Ik hoef helemaal nergens met jou heen te gaan!"

"Je begrijpt het niet", zei Lothar zonder zijn stem te verheffen. "Ik probeer je te helpen. Probeer dat te begrijpen. Ik wil je graag wat laten zien. Zodat je begrijpt waar ik het over heb."

"Wat wil je me laten zien?" zei hij.

"Kom", zei Lothar en hij duwde hem half voor zich uit. "Ik probeer je te helpen. Vertrouw me."

Tómas probeerde zich te verzetten, maar angst en nieuwsgierigheid dreven hem voort en hij ging mee. Als Lothar iets had wat hij moest zien, dan kon hij er maar beter naar kijken in plaats van hem de rug toekeren. Ze liepen het universiteitsgebouw uit en in de richting van het centrum, over de Karl Marx-Platz en door het Barfussgässchen. Algauw zag hij dat ze in de richting van het hoekhuis aan de Dittrichring 24 liepen, waarvan hij wist dat daar het hoofdkantoor van de Geheime Dienst gevestigd was. Hij vertraagde zijn pas en stond stil toen hij zag dat Lothar van plan was de trap op te klimmen en het gebouw binnen te gaan.

"Wat doen we hier in godsnaam?" vroeg hij.

"Kom", zei Lothar. "We moeten met je praten. Maak het nu niet moeilijker voor jezelf."

"Moeilijker? Ik ga daar niet naar binnen!"

"Óf je komt nu mee óf ze komen je halen", zei Lothar. "Het is beter om het zo te doen."

Hij stond als aan de grond genageld. Het liefst van alles wilde hij wegrennen. Wat wilde de Geheime Dienst van hem? Hij had niets gedaan. Hij keek om zich heen op die straathoek. Zou iemand hem naar binnen zien gaan?

"Wat bedoel je?" vroeg hij zachtjes. Hij was nu echt bang geworden.

"Kom", zei Lothar en hij opende de deur.

Hij liep aarzelend de trappen op en volgde Lothar het gebouw in. Ze kwamen in een kleine hal met een grijze, stenen trap en dik, roestrood marmer tegen de muren. Boven aan de

trap gaf de deur links toegang tot een receptie. Hij rook onmiddellijk de stank van vieze vloerbedekking, beduimelde
muren, rook, zweet en angst. Lothar knikte naar de man in het
hokje en opende een deur naar een lange gang. Aan beide zij-
den van de gang waren groen geschilderde deuren. Halverwege
de gang was een nis die uitkwam op een klein kantoortje.
Ernaast zat een stalen deur. Lothar ging het kantoortje binnen,
waar een vermoeide man van middelbare leeftijd achter een
bureau zat. Hij keek op en knikte naar Lothar.

"Dat duurde lang", zei de man tegen Lothar en hij keurde
hem geen blik waardig.

De man rookte stinkende, dikke sigaretten. Zijn vingers
zagen bruin en de asbak lag vol korte stompjes. Hij had een
zware snor. De haren bij zijn lippen waren verschroeid door de
sigaretten. De man was donker en begon aan de slapen licht te
grijzen. Hij opende een la in zijn bureau, haalde er een map uit
en opende die. Er zaten een paar vellen papier met getypte
tekst in en zwart-witfoto's. De man nam de foto's eruit, bekeek
ze en wierp ze toen op het bureau.

"Ben jij dat niet?" vroeg hij.

Tómas pakte de foto's op. Het duurde even voor tot hem
doordrong wat erop stond. Ze waren 's avonds genomen van
enige afstand en er waren mensen op te zien die uit een flat
kwamen. Boven de deur zat een buitenlicht dat het groepje wat
verlichtte. Hij keek beter en zag opeens Ilona en de man die op
de bijeenkomst in de kelderwoning was geweest, nog een
vrouw van die bijeenkomst en toen ook zichzelf. Hij bladerde
door de foto's. Sommige waren uitvergrotingen van gezichten,
van Ilona en van hem.

De man met de zware snor had een sigaret opgestoken en
leunde achterover in zijn stoel. Lothar was in een stoel in de
hoek van het kantoortje gaan zitten. Aan een muur hing een
grote stratenkaart van Leipzig en een foto van Ulbricht. Tegen
een andere stonden drie zware, stalen dossierkasten.

Hij richtte zich tot Lothar en probeerde te verbergen dat zijn
handen trilden.

"Wat is dit?" vroeg hij.

"Dat kun jij ons beter vertellen", zei Lothar.

"Wie heeft deze foto's genomen?"

"Vind je dat dat ertoe doet?" zei Lothar.

"Zijn jullie mij aan het bespioneren?"

Ze keken elkaar aan, Lothar en de man met de verschroeide snor, en Lothar begon te lachen.

"Wat wil je?" vroeg hij en hij bleef zich tot Lothar richten. "Waarom hebben jullie deze foto's gemaakt?"

"Weet je wat voor gezelschap dat is?" vroeg Lothar.

"Ik ken die mensen niet", zei hij en daar was geen woord aan gelogen. "Behalve Ilona, natuurlijk. Waarom hebben jullie deze foto's gemaakt?"

"Nee, natuurlijk ken je ze niet", zei Lothar. "Jij kent alleen die lieve, schattige Ilona. Haar ken je wel. Je kent haar beter dan wie ook. Je kent haar zelfs beter dan Hannes, je vriend."

Hij wist niet waar Lothar naartoe wilde. Hij keek naar de man met de zware snor. Hij keek de gang in, waar de stalen deur hem tegemoet blonk. Er zat een kijkgaatje in met een klepje ervoor. Hij vroeg zich af of daarachter iemand zat. Of ze iemand gevangen hielden. Hij wilde hoe dan ook weg uit dat kantoortje. Hij voelde zich als een gekooid dier dat wanhopig naar een vluchtweg zocht, het maakte niet uit waarheen.

"Willen jullie dat ik die bijeenkomsten niet meer bezoek?" vroeg hij aarzelend. "Dat is geen punt. Ik ben er niet vaak geweest."

Hij bleef naar de stalen deur staren. Zijn angst was op dat moment sterker dan al het andere. Hij was meteen begonnen terug te krabbelen, meteen begonnen beterschap te beloven, hoewel hij niet eens precies wist wat hij fout had gedaan, wilde alles doen wat hij kon om hen te behagen. Hij wilde overal aan meewerken als hij maar uit dat kamertje kwam.

"Niet meer gaan?" zei de man met de snor. "Helemaal niet. Niemand vraagt je hier om niet meer te gaan. Integendeel. We willen graag dat je naar meer van zulke bijeenkomsten gaat. Ze moeten erg interessant zijn. Wat is hun doel eigenlijk?"

"Niets", zei hij en hij voelde hoe moeilijk het was om moedig te zijn. Het moest aan hem te zien zijn. "Geen enkel doel. We praten over studiezaken. Muziek. Boeken. Dat soort dingen."

De man met de snor glimlachte. Hij moest goed weten hoe angst eruitzag. Zijn angst was duidelijk van zijn gezicht af te lezen. Hij was nog nooit een goede leugenaar geweest.

"Wat zei je nou over Hannes?" vroeg hij aarzelend en hij keek naar Lothar. "Dat ik Ilona beter ken dan Hannes. Waar heb je het over?"

"Weet je dat niet?" zei Lothar en hij deed of hij verbaasd was. "Ze waren samen, net zoals jij en Ilona nu samen zijn. Voordat jij op de proppen kwam. Heeft ze je dat nooit verteld?"

Hij zweeg en staarde naar Lothar.

"Waarom zou ze jou dat nooit hebben verteld?" zei Lothar, en dezelfde overdreven toon van verbazing klonk in zijn stem. "Ze heeft zeker een bepaalde voorkeur voor jullie IJslanders? Weet je wat ik denk? Ik denk dat Hannes haar gewoon niet heeft kunnen helpen."

"Helpen?"

"Ze wil met een van jullie trouwen en op IJsland gaan wonen", zei Lothar. "Dat ging niet met Hannes. Misschien dat jij haar kan helpen. Ze wil al heel lang weg uit Hongarije. Heeft ze je daar niets over verteld? Ze heeft al van alles gedaan om weg te komen."

"Ga zitten", zei de man met de snor en hij stak een nieuwe sigaret op.

"Ik kan niet langer blijven", zei Tómas en hij probeerde moed te vatten. "Ik moet gaan. Bedankt dat jullie me dat allemaal hebben verteld. Lothar, ik spreek je later nog wel."

Hij liep half aarzelend in de richting van de deur. De man met de snor keek naar Lothar, die zijn schouders ophaalde.

"Ga zitten, verdomde idioot!" schreeuwde de man en hij sprong van zijn stoel.

Tómas bleef bij de deur staan alsof hij door de bliksem was getroffen en draaide zich om.

"We kunnen geen revolutionaire activiteiten tolereren!" schreeuwde de man met de snor tegen hem. "Zeker niet van de kant van die vervloekte buitenlanders die hier onder valse voorwendselen komen studeren, zoals jij. Ga zitten, verdomde gek! Doe de deur dicht en ga zitten!"

Hij sloot de deur, liep terug het kantoortje in en ging op een stoel voor het bureau zitten.

"Nu heb je hem boos gemaakt", zei Lothar en hij schudde zijn hoofd.

Hij wenste dat hij terug naar IJsland kon gaan en dit allemaal kon vergeten. Hij benijdde Hannes erom dat hij uit deze nachtmerrie had kunnen ontsnappen. Dat was het eerste wat hij dacht toen ze hem eindelijk lieten gaan. Ze verboden hem het land te verlaten. Hij moest diezelfde dag nog zijn paspoort inleveren. Toen dacht hij aan Ilona. Hij wist dat hij haar nooit in de steek kon laten en wilde dat ook niet. Toen de grootste angst was weggezakt, was hij ervan overtuigd dat hij dat ook niet wilde. Hij kon haar nooit in de steek laten. Ze gebruikten haar toen ze hem bedreigden. Als hij niet zou doen wat zij wilden, zou haar iets overkomen. Ze zeiden dat niet zo letterlijk, maar de dreiging was duidelijk. Als hij haar zou vertellen wat er tijdens hun gesprek was besproken, zou haar iets overkomen. Ze zeiden niet wat. Ze lieten het dreigement in de lucht hangen, zodat hij het ergste kon vrezen.

Het was alsof ze hem al heel lang in de gaten hielden. Ze wisten precies wat ze wilden doen en wat ze wilden dat hij voor hen deed. Ze namen geen overhaaste beslissingen. Het bleek dat ze hem tot hun man in de universiteitsgemeenschap wilden maken. Hij moest hun inlichtingen geven, subversief gedrag signaleren, zijn medestudenten verlinken. Hij wist dat hij hierna in de gaten gehouden zou worden, omdat ze hem dat vertelden. Ze waren het meest geïnteresseerd in de activiteiten van Ilona en haar metgezellen in Leipzig en elders in Duitsland. Ze wilden weten wat er op de bijeenkomsten gebeurde. Wie de leiders waren. Welke ideeën er heersten. Of er banden waren met Hongarije of andere Oost-Europese landen. Hoe wijdverbreid de oppositie was. Wat er gezegd werd over Ulbricht en de communistische partij. Ze noemden nog veel meer, maar hij luisterde allang niet meer. Zijn oren suisden.

"Wat als ik weiger?" zei hij in het IJslands.

"Spreek Duits!" beval de man met de snor woedend.

"Je weigert niet", zei Lothar.

De man vertelde hem wat er zou gebeuren als hij weigerde. Hij zou niet het land uit worden gezet. Hij zou er niet zo gemakkelijk van afkomen als Hannes. Hij was in hun ogen niets waard. Hij was straatvuil voor hen. Als hij niet deed wat ze zeiden, zou hij Ilona kwijtraken.

"Maar als ik alles aan jullie verklik, raak ik haar ook kwijt", zei hij.

"Niet zoals wij het hebben voorbereid", zei de man met de zware snor en hij drukte weer een sigaret uit.

Niet zoals wij het hebben voorbereid.

Dat was een zin die de hele weg van het hoofdkwartier naar huis in zijn hoofd bleef gonzen.

Niet zoals wij het hebben voorbereid.

Hij staarde naar Lothar. Ze hadden iets voorbereid voor Ilona. Nu al. Het hoefde alleen nog maar te worden uitgevoerd. Als hij niet deed wat ze hem opdroegen.

"Wat ben jij voor iemand?" zei hij tegen Lothar en hij kwam aarzelend overeind van zijn stoel.

"Ga zitten!" riep de man met de zware snor en hij stond ook op.

Lothar keek naar hem en er speelde een vage glimlach rond zijn lippen.

"Hoe kan iemand zo zijn?"

Lothar antwoordde hem niet.

"Wat als ik alles aan Ilona vertel?"

"Dat ga je niet doen", zei Lothar. "Zeg me eens, hoe is het haar gelukt jou te overtuigen? Volgens onze inlichtingen was jij een van de hardste. Wat is er gebeurd? Hoe is het haar gelukt jou om te praten?"

Hij liep op Lothar af. Hij verzamelde moed om te zeggen wat hij wilde zeggen. De man met de snor kwam achter zijn bureau vandaan en ging achter hem staan.

"Zij was het niet die me overtuigd heeft", zei hij in het IJslands. "Dat was jij. Alles waar jij voor staat, heeft mij overtuigd.

De controle. De haat. De machtswellust. Alles wat jij bent, heeft mij overtuigd."

"Het is heel simpel", zei Lothar. "Je bent een socialist of je bent het niet."

"Nee", zei hij. "Je begrijpt het niet, Lothar. Je bent een mens of je bent het niet."

Hij liep met grote passen naar huis en dacht aan Ilona. Hij moest haar vertellen wat er gebeurd was, wat ze ook dreigden en wat ze ook hadden voorbereid. Ze moest de stad uit. Misschien konden ze samen naar IJsland gaan. Hij voelde hoe oneindig ver weg IJsland was. Misschien lukte het haar naar Hongarije te ontsnappen. Misschien kon ze zelfs overlopen naar West-Duitsland. Naar West-Berlijn. Het toezicht was niet zo streng. Hij kon ze alles vertellen wat ze wilden horen om ze weg te houden bij Ilona en ondertussen zou zij snel onderduiken. Zé moest zo snel mogelijk het land uit.

Wat was dat met Hannes? Wat had Lothar over Hannes en Ilona gezegd? Waren ze samen geweest? Ilona had hem dat nooit verteld. Alleen dat ze vrienden waren en elkaar op die bijeenkomsten hadden leren kennen. Zou Lothar hem een rad voor de ogen hebben willen draaien? Of wilde Ilona hem echt gebruiken om weg te komen?

Hij was gaan rennen. Mensen schoten aan hem voorbij zonder dat hij op hen lette. Hij rende als verdoofd straat na straat door, zijn gedachten vol van Ilona, vol van hemzelf en Lothar en de Geheime Dienst en de stalen deur met het kijkgaatje en de man met de zware snor. Ze zouden geen enkel medelijden met hem hebben. Dat wist hij. IJslander of geen IJslander. Dat maakte helemaal niets uit. Konden IJslanders niet verdwijnen als ieder ander? Ze wilden dat hij voor hen ging spioneren. Hun inlichtingen gaf over wat er gebeurde op de bijeenkomsten met Ilona. Hun inlichtingen gaf over wat hij in de gangen van de universiteit opving, bij de IJslanders in het studentenhuis en bij andere buitenlandse studenten. Ze wisten dat ze hem in hun macht hadden. Als hij weigerde, zou hij er niet zo gemakkelijk van afkomen als Hannes.

Ze hadden Ilona.

Hij huilde half toen hij eindelijk thuiskwam en drukte Ilona zonder iets te zeggen tegen zich aan. Zij was ongerust. Ze zei dat ze lang op hem had gewacht bij de Thomaskirche en dat ze toen hij niet kwam opdagen naar huis was gegaan. Hij vertelde haar alles wat er gebeurd was, ook al hadden ze nadrukkelijk gezegd dat dat niet mocht. Ilona luisterde zwijgend naar hem en begon hem toen uit te vragen over de details. Hij antwoordde zo precies als hij kon. Het eerste waar ze naar vroeg waren haar vrienden van de bijeenkomsten, de mensen uit Leipzig, of ze allemaal te herkennen waren op de foto's. Hij zei dat hij dacht dat de Geheime Dienst ze allemaal kende.

"Grote God", verzuchtte Ilona. "We moeten ze waarschuwen. Hoe komen ze daaraan? Ze moeten ons zijn gevolgd. Iemand heeft ons verklikt. Iemand die van die bijeenkomsten wist. Wie? Wie heeft er gepraat? We waren zo voorzichtig. Niemand wist van die bijeenkomsten."

"Ik weet het niet", zei hij.

"Ik moet contact met ze opnemen", zei ze en ze liep heen en weer door hun kleine kamer. Ze ging voor het raam staan dat op de straat uitkeek en gluurde naar buiten. "Houden ze ons in de gaten?" vroeg ze. "Nu?"

"Ik weet het niet", zei hij.

"Grote God", verzuchtte Ilona weer.

"Ze zeiden dat jij en Hannes samen waren", zei hij. "Dat zei Lothar."

"Dat is een leugen", zei ze. "Alles wat ze zeggen, is gelogen. Dat zou je moeten weten. Ze spelen een spelletje met jou, spelen een spelletje met ons. We moeten beslissen wat we doen. Ik moet de mensen waarschuwen."

"Ze zeiden dat je in ons geïnteresseerd was omdat je weg wilde, naar IJsland."

"Natuurlijk zeggen ze dat, Tómas. Wat moeten ze anders zeggen? Houd op met die onzin."

"Ik mocht niets tegen je zeggen, dus we moeten voorzichtig zijn", zei hij en hij wist dat dat vooral voor haar gold. Alles wat ze zeiden, was gelogen. Alles. "Je bent in groot gevaar", zei hij. "Dat lieten ze me duidelijk merken. We mogen niets doms doen."

Ze keken elkaar wanhopig aan.

"Waar zijn we in terechtgekomen?" bracht hij uit.

"Ik weet het niet", zei ze, ze omhelsde hem en kwam even tot rust. "Ze willen geen ander Hongarije. Daarin zijn we terechtgekomen."

Drie dagen later verdween Ilona.

Karl was bij haar toen ze kwamen en haar arresteerden. Hij kwam rennend naar hem toe op de universiteit en vertelde hem het nieuws, struikelend over zijn woorden. Karl was een boek bij haar komen halen dat ze hem wilde lenen. Opeens verscheen de politie in de deuropening. Hij werd tegen de muur geduwd. De kamer werd overhoopgehaald. Ilona werd weggevoerd.

Karl was nog niet uitgesproken of Tómas rende al weg. Ze waren zo voorzichtig geweest. Ilona had haar metgezellen laten weten dat ze uit Leipzig moesten vertrekken. Zij wilde naar Hongarije teruggaan, naar haar familie, en hij was van plan naar IJsland te gaan en haar later in Boedapest te ontmoeten. De studie was niet belangrijk meer. Het ging alleen nog maar om Ilona.

Zijn longen barstten haast uit zijn lijf toen hij bij het huis aankwam. De deur stond open en hij rende het huis in naar hun kamer. Daar lag alles door elkaar, boeken en kranten en beddengoed waren op de grond gesmeten, het bureau was omvergegooid, het bed lag op zijn kant. Ze hadden niets gespaard. Sommige dingen waren kapot. Hij stapte op de schrijfmachine, die ook op de grond lag.

Hij sprong weer op en rende direct naar het hoofdkwartier van de Geheime Dienst. Toen hij daar was aangekomen, kwam hij erachter dat hij niet eens wist hoe de man met de zware snor heette en aan de receptie begrepen ze hem niet. Hij vroeg of hij de gang in mocht lopen en hem zelf opzoeken, maar de man achter de receptie schudde alleen zijn hoofd. Hij wierp zich op de deur die toegang gaf tot de gang, maar hij was op slot. Hij riep om Lothar. De man van de receptie was achter zijn balie vandaan gekomen en had de bewaking gewaar-

schuwd. Er verschenen drie mannen, die hem van de deur weg-
trokken. Op dat moment ging de deur open en stapte de man
met de snor de receptie binnen.

"Wat heb je met haar gedaan?!" schreeuwde hij tegen de man.
"Laat me naar binnen! Ik wil haar zien!" Hij riep de gang in:
"Ilona! Ilona!"

De man met de snor sloeg de deur weer dicht en gaf de mannen enkele bevelen. Ze namen hem mee en zetten hem eruit.
Hij bonkte op de buitendeur en riep om Ilona, maar dat had
geen zin. Hij was buiten zinnen. Ze hadden Ilona opgepakt en
hij was ervan overtuigd dat ze haar in dat gebouw vasthielden.
Hij moest haar zien, moest haar helpen, moest haar vrij krijgen. Hij wilde daar alles voor doen. Zijn wanhoop was im-
mens.

Hij herinnerde zich dat hij 's ochtends Lothar had gezien op
de universiteit. Hij rende weer weg. Hij zag de tram die langs
de universiteit reed en sprong erin. Hij sprong bij de universiteit van de rijdende tram en zocht naar Lothar tot hij hem
vond, alleen aan een tafeltje in de koffiekamer. Er waren maar
weinig mensen. Hij ging tegenover Lothar zitten, buiten adem,
hijgend, met een vuurrood hoofd van het rennen, de zorgen en
de angst.

"Is er iets niet in orde?" zei Lothar.

"Ik zal alles doen wat nodig is voor jou, voor jullie, als jullie
haar maar vrijlaten", zei hij zonder inleiding.

Lothar keek even zwijgend naar hem, nam zijn wanhoop
haast filosofisch in zich op.

"Welke haar?" zei hij toen.

"Ilona. Je weet precies over wie ik het heb. Ik zal alles doen
wat nodig is om haar vrij te krijgen."

"Ik weet niet waar je het over hebt", zei Lothar.

"Jullie hebben Ilona vandaag opgepakt."

"Wij?" zei Lothar. "Welke wij?"

"De Geheime Dienst", zei hij. "Ilona is vanmorgen gearresteerd. Karl was bij haar toen ze kwamen. Wil je met ze praten?
Wil je ze zeggen dat ik alles zal doen wat nodig is om haar vrij
te krijgen?"

"Ik denk dat je dan niet meer van belang bent", zei Lothar.

"Kun jij me helpen?" zei hij. "Kun jij niet met ze praten?"

"Als zij gearresteerd is, dan is er niets meer wat ik kan doen. Dan is het te laat. Helaas."

"Wat kan ik doen?" zei hij en hij barstte haast in tranen uit. "Zeg me wat ik kan doen."

Lothar keek lang naar hem.

"Ga naar de Poechestrasse, naar huis", zei hij toen. "Ga naar huis en hoop het beste."

"Wat ben jij voor een man?" zei Tómas en hij voelde de woede naar zijn hoofd stijgen. "Wat voor duivel ben jij? Wat brengt je ertoe je zo te gedragen ... als zo'n onderkruipsel? Wat is dat? Waar komt die afgrijselijke heerszucht en die minachting voor je medemens vandaan? Die slechtheid!"

Lothar keek om zich heen naar de paar zielen die in de koffiekamer zaten. Toen glimlachte hij.

"Wie met vuur speelt, kan zijn vingers branden en men is altijd even verbijsterd als dat gebeurt. Altijd even onschuldig en even verbaasd als men zich brandt."

Lothar stond op en boog zich over hem heen.

"Ga naar huis", zei hij. "Hoop op het beste. Ik zal met ze praten, maar ik kan niets beloven."

Toen liep Lothar bij hem vandaan, met rustige stappen en bedaard, alsof niets van dat alles hem iets aanging. Tómas bleef achter in de koffiekamer en sloeg zijn handen voor zijn gezicht. Hij dacht aan Ilona en probeerde tegen beter weten in te fantaseren dat ze haar waarschijnlijk alleen voor een verhoor hadden meegenomen en dat ze weer snel zou worden vrijgelaten. Misschien waren ze haar bang aan het maken, net zoals ze hem een paar dagen geleden bang hadden gemaakt. Ze profiteerden van angst onder de mensen. Ze leefden ervan. Misschien was ze al thuis. Hij stond op en verliet de koffiekamer.

Toen hij de universiteit uitliep, vond hij het raar om te zien dat alles nog precies hetzelfde was als hij om zich heen keek. De mensen deden alsof er niets gebeurd was. Ze liepen over de trottoirs of stonden met elkaar te praten. Zijn wereld was ingestort, en toch leek alles onveranderd. Alsof alles in orde was.

Hij wilde naar huis gaan, naar hun kamer en op haar wachten. Misschien was ze al thuis. Misschien kwam ze nu. Ze moest komen. Waarvoor zouden ze haar vast moeten houden? Omdat ze andere mensen ontmoette en met hen sprak?

Hij was helemaal verdoofd toen hij zich opnieuw naar huis spoedde. Hij wist niet meer wat zijn thuis was. Het was nog maar zo kort geleden dat ze dicht tegen elkaar aan hadden gelegen en zij hem vertelde dat ze bevestiging had gekregen van wat ze al een tijdje vermoedde. Ze had het in zijn oor gefluisterd. Het zou waarschijnlijk aan het eind van de zomer komen.

Hij lag als verlamd naast haar en staarde naar het plafond, niet wetend hoe hij dat nieuws moest verwerken. Toen drukte hij haar tegen zich aan en zei dat hij zijn hele leven bij haar wilde blijven.

"Bij ons tweeën", fluisterde ze.

"Ja, bij jullie tweeën", zei hij en hij legde zijn hoofd op haar buik.

Hij kwam weer tot zichzelf toen hij de pijn in zijn handen voelde. Vaak als hij terugdacht aan de gebeurtenissen in Oost-Duitsland had hij de neiging zijn vuisten te ballen tot zijn handen er pijn van deden. Hij ontspande zijn spieren weer, ging zitten en begon weer te piekeren over wat hij had kunnen doen om te voorkomen wat er gebeurd was. Of hij iets anders had kunnen doen. Iets wat de loop van de gebeurtenissen had kunnen veranderen. Hij kwam daar nooit uit.

Hij stond stram op uit zijn stoel en liep in de richting van de kelderdeur. Hij opende hem, knipte het traplicht aan en daalde voorzichtig de stenen trap af. De treden waren uitgesleten na tientallen jaren gebruik en konden glad zijn. Hij stapte de ruime kelder binnen en deed het licht aan. In de kelder had hij door de jaren heen allerlei rommel verzameld, zoals dat nu eenmaal gaat. Hij gooide haast nooit iets weg. Toch was het niet rommelig, want hij had zijn zaken op orde; alles had een plekje en hij was zuinig op alles wat hij bewaarde en gebruikte.

Tegen een muur stond een werkbank. Soms deed hij aan houtsnijden. Maakte kleine voorwerpen van hout en beschilderde ze. Dat was zijn enige interesse. Om van een hoekig blok hout iets levends en moois te maken. Sommige diertjes stonden bij hem in de kamer. Die waar hij het meest tevreden mee was. Hoe kleiner hij ze kon maken, hoe meer hij ervan genoot. Het was hem bijvoorbeeld gelukt een IJslands hondje met een krulstaart en opstaande oren te maken dat niet groter was dan een vingerkootje.

Hij bukte zich, reikte onder zijn werkbank en opende een doos die hij daar bewaarde. Hij voelde de kolf van het geweer en haalde het tevoorschijn. Het staal voelde koud aan, als altijd. Soms voerden zijn herinneringen hem naar de kelder om het wapen even in zijn hand te nemen of alleen om zich ervan te vergewissen dat het nog op zijn plaats lag.

Hij had geen spijt van wat er vele jaren geleden was gebeurd. Lang nadat hij uit Oost-Duitsland was teruggekomen.

Lang nadat Ilona was verdwenen.

Hij zou er nooit spijt van hebben.

23

De Duitse ambassadeur in Reykjavík, Frau dr. Elsa Müller, ontving hen rond het middaguur persoonlijk in haar kantoor. Ze
was een statige vrouw van over de zestig die onmiddellijk een
warme blik op Sigurður Óli liet vallen. Erlendur trok minder
haar aandacht met zijn bruine, gebreide vest onder zijn versleten colbertje. Ze zei dat ze gepromoveerd was als historicus,
vandaar de doctorstitel. Ze had Duits gebak en koffie voor hen
klaarstaan. Ze namen plaats op het bankstel en Sigurður Óli
nam de koffie aan. Hij wilde niet onbeleefd zijn. Erlendur
bedankte. Hij wilde liever roken, maar kon zich er niet toe
brengen te vragen of dat mocht.

Ze wisselden beleefdheden uit, zij over de moeite die de
Duitse ambassade zich getroostte, en de ambassadeur over hoe
vanzelfsprekend het was de IJslandse overheid ergens bij te helpen.

Het verzoek van de recherche in Reykjavík om inlichtingen
over Lothar Weiser was direct doorgespeeld, vertelde Elsa hun
of liever Sigurður Óli, want ze richtte het woord vrijwel uit-
sluitend tot hem. Ze spraken Engels. Ze bevestigde dat een
Duitser met die naam in de jaren zestig had gewerkt bij de
Oost-Duitse handelsvertegenwoordiging. Het was bijzonder
moeilijk geweest om inlichtingen over hem te krijgen, omdat
bleek dat hij in die periode medewerker van de Oost-Duitse
Geheime Dienst was geweest en connecties had met de Geheime Dienst in Moskou. Ze vertelde dat een groot deel van de
Stasi-archieven vernietigd was na de val van de Berlijnse Muur

en dat de weinige informatie die ze hadden voor het merendeel afkomstig was van de West-Duitse Geheime Dienst.

"Hij is in 1968 spoorloos verdwenen in IJsland", zei Frau Müller. "Niemand weet wat er van hem geworden is. Toen werd aangenomen dat hij iets had uitgehaald en ..."

Frau Müller zweeg en haalde haar schouders op.

"... was omgelegd", maakte Erlendur haar zin af.

"Dat is misschien een mogelijkheid, maar we kunnen dat niet bevestigen. Het kan ook zijn dat hij zichzelf iets heeft aangedaan en dat ze hem met de diplomatieke post naar huis hebben gestuurd."

Ze glimlachte naar Sigurður Óli alsof ze wilde zeggen dat dat haar soort humor was.

"Ik weet dat jullie dat gek en paradoxaal vinden", zei ze, "maar in diplomatieke kringen is IJsland een van de verste uithoeken van de wereld. Het weer is hier afschuwelijk. Die eindeloze wind, duisternis en kou. Er bestond geen grotere straf dan iemand hierheen te sturen voor een opdracht."

"Dus het was om hem te straffen dat hij hiernaartoe werd gestuurd?" zei Sigurður Óli.

"Voorzover wij weten, werkte hij voor de Geheime Dienst in Leipzig. Toen hij jonger was." Ze bladerde door papieren die op het bureau voor haar lagen. In de jaren 1953 tot 1957 of 1958 was het zijn taak buitenlandse studenten aan de universiteit in de stad, die voor het merendeel communisten waren en op kosten van de staat studeerden, te ronselen om voor hem te werken of roddels te verspreiden. Het ging uiteindelijk niet echt om spionage, maar wel werd in de gaten gehouden wat de buitenlandse studenten deden."

"Roddels verspreiden?" zei Sigurður Óli.

"Ja, ik weet niet hoe je dat moet noemen", zei Frau Müller. "Je buren verklikken. Lothar Weiser zou er erg goed in zijn geweest jonge mensen zover te krijgen dat ze voor hem wilden werken. Hij kreeg er geld voor en hoge cijfers. Er waren toen allerlei veranderingen aan de gang in Hongarije en zo. Jongeren volgden die gebeurtenissen op de voet. De Geheime Dienst volgde de jongeren op de voet. Dat was het werk van Lothar Weiser.

En van nog veel meer mensen. Er zaten mensen als Lothar Weiser op alle universiteiten in Oost-Duitsland en in andere communistische staten. Ze wilden de bevolking in de gaten houden, weten wat er gedacht werd. De invloed van buitenlandse studenten kon gevaarlijk zijn, al zullen de meesten zich braaf aan hun studie en het socialisme hebben gewijd."

Erlendur herinnerde zich dat hij had gehoord dat Lothar goed IJslands sprak.

"Waren er IJslandse studenten in Leipzig in die jaren?" vroeg hij.

"Dat weet ik niet", zei Frau Müller, "Maar daar moeten jullie wel achter kunnen komen."

"En Lothar?" vroeg Sigurður Óli. "Wat gebeurde er met hem, nadat hij uit Leipzig was vertrokken?"

"Ik kan me voorstellen dat dat jullie allemaal erg vreemd in de oren klinkt", zei Frau Müller. "Geheime Dienst en spionnen. Jullie kennen dat natuurlijk alleen van horen zeggen, hier in het noorden."

"Natuurlijk", zei Erlendur en hij glimlachte. "Ik kan me niet herinneren dat we ook maar één echte spion hebben gekend."

"Weiser spioneerde voor de Oost-Duitse Geheime Dienst. Hij reisde veel en werkte bij ambassades in de hele wereld. Hij werd onder andere naar IJsland gestuurd. Hij had een speciale belangstelling voor het land, wat blijkt uit het feit dat hij in zijn jonge jaren IJslands heeft geleerd. Hij moet een echt talenwonder zijn geweest. Hier deed hij hetzelfde werk als overal elders: mensen voor zich laten werken zodat hij eenzelfde rol speelde als op de universiteit van Leipzig. Hij kreeg er geld voor. Hij had niet zulke grote idealen."

"Warer er IJslanders die voor hem gewerkt hebben?" vroeg Sigurður Óli.

"Vermoedelijk heeft hij niet veel succes gehad hier", zei Frau Müller.

"Hoe zit het met de medewerkers van de ambassade die hier in Reykjavík met hem werkten?" zei Erlendur. "Is een van hen nog in leven?"

"We hebben een lijst van de medewerkers uit die tijd, maar

het is ons niet gelukt iemand te vinden die nog leeft en die Weiser zou kunnen hebben gekend en kon weten wat hij hier uitvoerde. Het enige wat we op dit moment weten, is dat zijn spoor hier op IJsland lijkt te eindigen. Hoe weten we niet. Het lijkt erop dat hij gewoon verdwenen is. Natuurlijk zijn oude inlichtingen van de Geheime Dienst niet al te betrouwbaar. Er zitten enorme gaten in, net als bij de Stasi-archieven. Toen ze openbaar werden gemaakt, na de eenwording van Duitsland, is een groot deel daarvan verloren gegaan. De Oost-Duitse Geheime Dienst werd vanzelfsprekend opgeheven. We hebben dus gewoon niet genoeg gegevens over de wederwaardigheden van Lothar Weiser, maar we zullen verder zoeken."

Er viel een stilte. Sigurður Óli nam een hapje van het gebak. Erlendur snakte nog altijd naar een sigaret. Hij zag nergens een asbak en zou waarschijnlijk op zijn kop krijgen als hij er een opstak.

"Er is één ding interessant in deze zaak", zei Frau Müller, "en dat is dat Leipzig er een rol in speelt. De inwoners van Leipzig zijn er geweldig trots op dat zij de opstand zijn begonnen die leidde tot het afzetten van Honecker en de Val van de Muur. Er was in Leipzig veel verzet tegen het communistische bewind. Het middelpunt van de opstand was de Nikolauskirche, vlak bij het centrum. Daar verzamelden de mensen zich om te protesteren en te bidden, en op een dag vertrokken de protesterenden van de kerk en rukten ze op naar het hoofdkwartier van de Stasi, dat daar vlakbij was. In Leipzig wordt dat in elk geval gezien als het begin van de ontwikkeling die ertoe leidde dat de Muur viel."

"Goh", zei Erlendur.

"Gek dat een Duitse spion hier in dit land zou zijn verdwenen", zei Sigurður Óli. "Dat is gewoon ..."

"Merkwaardig?" zei Frau Müller en ze glimlachte. "Het was aan de ene kant handig voor degene die hem vermoordde, als hij tenminste vermoord is, dat Weiser iemand van de Geheime Dienst was. Dat zie je aan de reactie van de handelsvertegenwoordiging van Oost-Duitsland – ze hadden toen nog geen echte ambassade. Ze deden helemaal niets. Zo'n reactie is typerend als iets riekt naar een diplomatiek schandaal. Niemand zegt iets. Het is alsof Weiser nooit heeft bestaan. We kunnen niet zien of er enig onderzoek is gedaan naar zijn verdwijning."

Ze keek hen om beurten aan.

"Van zijn verdwijning is geen aangifte gedaan bij de politie hier", zei Erlendur. "We hadden er wel aandacht aan besteed."

"Wijst dat er niet op dat het een onderhands akkefietje was?" vroeg Sigurður Óli. "Dat hij door een collega van hem is omgebracht?"

"Dat kan heel goed zo zijn", zei Frau Müller. "We weten alleen zo weinig over Weiser en wat hem is overkomen."

"En zijn moordenaar kan net zo goed ook al dood en begraven zijn", zei Sigurður Óli. "Het is allemaal al zo lang geleden. Tenminste, als Lothar Weiser vermoord is."

"Denken jullie dat hij de man in het meer is?" vroeg Frau Müller.

"We hebben daar geen idee van", zei Sigurður Óli. Ze hadden de ambassade geen nadere informatie gegeven over de vondst van het skelet. Hij keek naar Erlendur, die knikte.

"Het skelet dat wij gevonden hebben", zei Sigurður Óli, "zat vastgebonden aan een Russisch afluisterapparaat uit de jaren zestig."

"Hm", zei Frau Müller nadenkend. "Een Russisch apparaat? En verder? Van welk merk was het?"

"Er komt van alles in aanmerking", zei Sigurður Óli.

"Kan het apparaat afkomstig zijn geweest uit de Oost-Duitse ambassade of van de handelsvertegenwoordiging of hoe jullie dat ook noemen?" vroeg Erlendur.

"Natuurlijk is dat mogelijk", zei Frau Müller. "De Warschaupactlanden werkten onderling nauw samen, zeker op het gebied van spionage."

"Toen jullie één werden", zei Erlendur, "en de ambassades hier in de stad werden samengevoegd, kwamen er toen dergelijke apparaten aan het licht bij de Oost-Duitsers?"

"We zijn niet samengevoegd", zei Frau Müller. "De Oost-Duitse ambassade is opgeheven zonder dat wij er iets van wisten. Maar ik zal eens over dat apparaat nadenken."

"Welke betekenis hecht je eraan dat een Russisch afluisterap-paraat bij het skelet is gevonden?" vroeg Sigurður Óli.

"Ik kan daar niets over zeggen", antwoordde Frau Müller. "Het is ook niet aan mij om daar uitspraken over te doen."

"Nee, natuurlijk niet", zei Sigurður Óli. "Maar het enige wat we tot nog toe hebben, zijn vermoedens dat ..."

Erlendur noch Frau Müller namen enige notie van wat hij zei en er viel een stilte in het gesprek. Erlendur stak zijn handen in de zakken van zijn colbertje en hield zijn pakje sigaretten vast. Hij durfde het niet uit zijn zak te halen.

"En wat heb jij misdaan?" vroeg hij.

"Misdaan?" zei Frau Müller.

"Waarom ben jij hierheen gestuurd, naar dit afschuwelijke land? In deze vreselijke uithoek?"

Frau Müller glimlachte, maar op Erlendur kwam die wat gemaakt over.

"Vind je die vraag zinvol?" zei ze. "Ik ben de ambassadrice van Duitsland in IJsland."

Erlendur haalde zijn schouders op.

"Neem me niet kwalijk", zei Erlendur, "maar je praat over de ambassade hier als een soort strafkamp. Het gaat mij natuur-lijk niets aan."

Er viel een ongemakkelijke stilte in het kantoor, tot Sigurður Óli er een punt achter zette, opstond en bedankte voor de hulp. Frau Müller zei koeltjes dat ze contact zou opnemen als er iets aan het licht kwam betreffende Lothar Weiser dat van nut zou kunnen zijn. Ze hoorden aan haar dat ze niet direct naar de telefoon zou rennen.

Toen ze weer op straat stonden, hadden ze het erover of het mogelijk was dat er in Leipzig IJslandse studenten waren geweest die Lothar Weiser gekend hadden. Sigurður Óli zei dat hij ernaar zou kijken.

"Ging je niet wat te ver met haar?" vroeg hij.

"Ach, dat gezeur over die verre uithoek werkt me op mijn zenuwen", zei Erlendur en hij stak eindelijk een sigaret op.

24

Toen Erlendur 's avonds thuiskwam van het bureau, wachtte
Sindri Snær op hem. Hij lag slapend op de bank, maar werd
wakker toen Erlendur binnenkwam en stond op.

"Waar heb jij al die tijd gezeten?" vroeg Erlendur.

"Overal en nergens", zei Sindri Snær.

"Heb je al iets gegeten?"

"Nee, maar dat is oké."

Erlendur pakte roggebrood, schapenvlees en boter en zette
koffie. Sindri zei dat hij geen honger had, maar Erlendur zag
dat hij het vlees en het brood verslond. Hij zette kaas op tafel,
en die was eveneens in een handomdraai verdwenen.

"Weet je iets van Eva Lind?" vroeg Erlendur bij een kop koffie toen de ergste honger gestild leek.

"Ja", zei hij, "ik heb haar gesproken."

"Is alles goed met haar?" vroeg Erlendur.

"Ach", zei Sindri en hij haalde een pakje sigaretten tevoorschijn. Erlendur deed hetzelfde. Sindri stak zijn sigaret aan met
een goedkope aansteker. "Volgens mij is het langgeleden dat
alles goed ging met Eva", zei hij.

Ze zaten en rookten en zwegen achter een kop zwarte koffie.

"Waarom is het toch zo donker bij jou?" vroeg Sindri en hij
keek de kamer rond, waar dikke gordijnen de avondzon buiten
hielden.

"Het is mij te licht", zei Erlendur. "'s Avonds en 's nachts",
voegde hij er na een poosje aan toe. Hij ging er niet verder op
in. Hij vertelde Sindri niet dat hij de voorkeur gaf aan korte

dagen en pikzwarte nachten boven een eeuwige avondzon en het licht dat deze dag en nacht bleef uitstralen. Hij wist zelf ook niet waar dat vandaan kwam. Hij wist zelf niet waarom hij zich beter voelde in donkere winters dan in lichte zomers.

"Hoe heb je haar ontdekt?" vroeg hij. "Waar heb je Eva gevonden?"

"Ze had een bericht ingesproken op mijn voicemail. Ik heb haar gebeld. We hebben altijd contact gehouden, ook als ik op het land was. Het is altijd goed tussen ons geweest."

Hij zweeg en keek naar zijn vader.

"Eva is een fijne meid", zei hij.

"Ja", zei Erlendur.

"Echt", zei Sindri. "Als je haar gekend had toen ze ..."

"Daar hoef je me niets over te vertellen", zei Erlendur. Hij trok zich er niets van aan dat hij ruw overkwam. "Ik weet dat allemaal wel."

Sindri zat stil en keek naar zijn vader. Toen drukte hij zijn sigaret uit. Erlendur deed hetzelfde. Sindri stond op.

"Bedankt voor de koffie", zei hij.

"Ga je alweer?" zei Erlendur. Hij stond op en liep achter Sindri aan de keuken uit. "Waar ga je heen?"

Sindri antwoordde niet. Hij pakte zijn versleten spijkerjasje van de stoel en trok het aan. Erlendur keek naar hem. Hij wilde niet dat Sindri kwaad wegliep.

"Ik wilde niet ..." begon hij. "Het is alleen ... Eva is ... Ik weet dat jullie dikke vrienden zijn."

"Wat weet jij eigenlijk over Eva?" zei Sindri. "Waarom denk je dat je iets over Eva weet?"

"Maak er nu geen heilige van", zei Erlendur. "Dat verdient ze niet. En dat zou ze ook niet willen."

"Dat doe ik ook helemaal niet", zei Sindri, "maar jij moet niet doen alsof je Eva kent. Hou daarmee op. En wat verdient ze dan wel volgens jou?"

"Ik weet dat ze een verdomde junk is", flapte Erlendur eruit.

"Is er nog iets wat ik moet weten? Ze doet niets om haar leven weer op de rails te zetten. Je weet dat ze haar kind verloren heeft. De artsen zeiden dat het nog goed is afgelopen, in aanmerking genomen hoeveel ze gebruikt heeft tijdens haar zwangerschap. Stel je niet te veel voor van je zus. Die stomme meid is weer eens koppie-onder gegaan en ik weiger nog langer achter al die verdraaide onzin aan te lopen."

Sindri had de deur geopend en stond al half in het trappenhuis. Hij hield zijn pas in en keek achterom naar Erlendur. Toen draaide hij zich om, stapte de woning weer binnen en sloot de deur. Hij liep naar hem toe.

"Me niet te veel voorstellen van mijn zus?" zei hij.

"Je moet realistisch zijn", zei Erlendur. "Dat is het enige wat ik zeg. Zolang zij zelf niets wil doen om zichzelf te helpen, is er weinig wat wij kunnen uitrichten."

"Ik herinner me Eva nog heel goed toen ze nog niet verslaafd was", zei Sindri. "Weet jij dat nog?"

Hij was dicht bij zijn vader gaan staan en Erlendur zag de woede in zijn bewegingen, op zijn gezicht, in zijn ogen.

"Herinner jij je Eva nog toen ze niet verslaafd was?" herhaalde Sindri.

"Nee", zei Erlendur. "Dat doe ik niet. Dat weet je heel goed."

"Ja, ik weet dat heel goed", zei Sindri.

"Begin me nu niet de les te lezen over die onzin", zei Erlendur. "Dat heeft zij al genoeg gedaan."

"Onzin?" zei Sindri. "Zijn wij onzin?"

"Grote God", zuchtte Erlendur. "Hou daarmee op. Ik wil geen ruzie met je maken. Ik wil geen ruzie met haar maken en ik wil al helemaal geen ruzie over haar maken."

"Je weet echt helemaal niets, hè?" zei Sindri. "Ik heb Eva gezien. Gisteren. Ze is met een man die Eddi heet en tien of vijftien jaar ouder is dan zij. Hij komt uit het wereldje. Hij wilde me met een mes te lijf gaan, omdat hij dacht dat ik geld kwam halen. Hij dacht dat ik kwam innen. Ze dealen allebei en ze gebruiken en als er geen geld meer is, komen ze het halen. Er zitten een paar man achter ze aan. Misschien ken je die Eddi wel, omdat je een smeris bent. Eva wilde me niet vertellen waar ze was, omdat ze doodsbang is. Ze zitten in een of ander hok in het centrum van de stad. Eddi geeft haar dope en zij houdt van hem. Ik heb nog nooit zo'n ware liefde gezien. Snap je? Hij is haar dealer. Ze was doodsbang, nee, ze was gek van angst. En weet je wat ze wilde weten?"

Erlendur schudde zijn hoofd.

"Ze wilde weten of ik jou gezien had", zei Sindri. "Vind je dat niet gek? Het enige wat ze wilde weten, was of ik jou had gezien. Hoe denk je dat dat komt? Waarom denk je dat ze zich zorgen maakt om jou? In al die ellende en smerigheid? Waarom denk je dat dat zo is?"

"Ik weet het niet", zei Erlendur. "Ik ben allang opgehouden me in Eva te verdiepen."

Hij had kunnen zeggen dat Eva en hij moeilijke tijden, maar ook mooie tijden hadden gehad. Dat hoewel hun relatie moeizaam was en breekbaar en meestal nergens toe leidde, het wel een relatie was. Soms was die zelfs erg goed. Hij dacht aan afgelopen Kerstmis, toen ze zo verdrietig was over het verlies van haar baby dat hij dacht dat ze zichzelf iets zou aandoen. Ze was met Kerstmis en Oud en Nieuw bij hem geweest en ze hadden gepraat over het kind en het schuldgevoel dat haar achtervolgde door de manier waarop het gegaan was. Op een ochtend in het nieuwe jaar was ze verdwenen.

Sindri staarde hem aan.

"Ze maakt zich zorgen over jou. Over jóú!"

Erlendur zweeg.

"Als je haar had gekend zoals ze vroeger was", zei Sindri. "Voordat ze aan de dope ging, als jij haar gekend had zoals ik haar kende, dan was je geschokt geweest. Ik had haar lang niet gezien en toen ik haar zag, hoe ze eruitzag, toen … ik wilde dat …"

"Volgens mij heb ik alles gedaan wat in mijn vermogen ligt om haar te helpen", zei Erlendur. "Maar er zijn grenzen aan wat je kunt doen. En als je merkt dat er geen echte wil is om daar iets tegenover te stellen, dan …"

Zijn woorden stierven weg.

"Ze had rood haar", zei Sindri. "Toen we kinderen waren. Een grote bos rood haar die ze volgens mama van jouw kant moest hebben."

"Ik herinner me die rode kleur", zei Erlendur.

"Toen ze twaalf jaar oud was, knipte ze het kort en verfde het zwart", zei Sindri. "Sindsdien is het altijd zwart geweest."

"Waarom deed ze dat?"

"De relatie met haar moeder was vaak moeilijk", zei Sindri. "Mama was met mij nooit zoals ze met Eva was. Misschien omdat ze de oudste was of misschien omdat ze mama te veel aan jou deed denken. Misschien ook omdat er altijd wel iets aan de hand was met Eva. Ze was ontzettend opstandig. Roodharig en opstandig. Ze kwam altijd in conflict met haar leraren. Mama heeft haar op een andere school gedaan, maar het werd eigenlijk alleen maar erger. Ze had het moeilijk, omdat ze nieuw was en er alles aan deed om op te vallen. En ze liep altijd achter anderen aan, omdat ze dan dacht erbij te kunnen horen. Mama moest miljoenen keren op school komen vanwege haar."

Sindri stak een sigaret aan.

"Ze geloofde nooit wat mama over jou vertelde. Of ze zei dat ze het niet geloofde. Ze vochten als kat en hond en Eva was er heel handig in om jou te gebruiken om mama te jennen. Ze zei dat het geen wonder was dat jij bij haar was weggegaan. Dat niemand met haar kon samenleven. Ze verdedigde jou."

Sindri keek om zich heen met zijn sigaret in zijn hand. Erlendur wees naar de asbak die op tafel stond. Sindri nam een trekje en ging aan tafel zitten. Hij was rustiger geworden en de spanning tussen hen nam af. Hij vertelde Erlendur hoe Eva verhalen over hem verzonnen had toen ze groot genoeg was om naar haar vader te informeren.

Ze stuitten op onwil bij hun moeder als het om Erlendur ging, maar Eva geloofde niet alles wat ze zei en vormde zelf een beeld van haar vader, dat ze elke keer weer aanpaste. Dat was heel anders dan het beeld dat hun moeder schetste. Eva was tweemaal weggelopen, toen ze negen en elf jaar oud was, om hem te zoeken. Ze loog tegen haar vriendinnen en zei dat haar echte papa, niet die kerels met wie haar moeder het hield, altijd in het buitenland verbleef. Altijd als hij thuiskwam, gaf hij haar dure cadeaus. Ze kon die cadeaus nooit laten zien, omdat haar vader niet wilde dat ze erover opschepte. Aan anderen vertelde ze dat haar vader een reusachtig huis bezat, waar ze soms logeerde en waar ze alles kreeg wat haar hartje begeerde, zo rijk was hij.

Toen ze groter werd en zich ontwikkelde, werden de verhalen over haar vader minder vergezocht. Hun moeder zei een keer dat ze niet beter wist dan dat hij nog bij de politie werkte. Tijdens alle problemen die Eva Lind op school en thuis had, toen ze begon te roken en te experimenteren met hasj en op haar dertiende of veertiende jaar bier begon te drinken, wist ze altijd dat haar vader ergens in de stad was. Naarmate de tijd verstreek, wist ze niet meer zo zeker of ze hem nog wel wilde vinden.

Misschien, had ze tegen Sindri gezegd, is het gewoon beter om hem in mijn hoofd te hebben. Ze dacht dat hij haar alleen maar zou teleurstellen, net als al het andere.

"En dat heb ik natuurlijk ook gedaan", zei Erlendur.

Hij was in zijn stoel gaan zitten. Sindri haalde zijn sigaretten weer tevoorschijn.

"Ze was ook niet zo aantrekkelijk met al die gaten in haar gezicht", zei Erlendur. "Ze loopt altijd in dezelfde val. Ze heeft nooit geld en blijft altijd hangen aan iemand die dealt. Het maakt niet uit hoe slecht ze haar behandelen, altijd blijft ze rond die kerels hangen."

"Ik wil proberen met haar te praten", zei Sindri. "Maar ik denk toch vooral dat ze wacht tot jij haar komt redden. Ik denk dat ze in het laatste stadium verkeert. Het is vaak slecht met haar gegaan, maar ik heb haar nog nooit eerder zo gezien."

"Waarom knipte ze haar haren af?" vroeg Erlendur. "Toen ze twaalf was."

"Iemand had haar vastgepakt en haar over haar haren gestreeld en obscene dingen tegen haar gezegd", zei Sindri.

Hij vertelde het recht voor zijn raap, alsof hij dergelijke gebeurtenissen voor het oprapen had in zijn geheugen.

Sindri keek naar de boekenplanken in de kamer. Er waren bijna alleen maar boeken in de woning.

Erlendur toonde geen reactie, zijn ogen waren koud als marmer.

"Eva vertelde dat je je nog altijd met vermissingen bezighoudt", zei hij.

"Ja", zei Erlendur.

"Komt dat door je broertje?"

"Misschien. Waarschijnlijk."

"Eva zei dat jij had gezegd dat jij haar vermissing was."

"Ja", zei Erlendur. "Mensen verdwijnen, maar ze hoeven niet altijd dood te zijn", zei hij en hij zag een zwarte Ford Falcon voor zich die voor het busstation in Reykjavík stond geparkeerd met een ontbrekende wieldop.

Sindri wilde niet bij hem overnachten. Erlendur vroeg hem op de bank te blijven slapen, maar Sindri bedankte en ze namen afscheid. Erlendur zat nog lang in zijn stoel nadat zijn zoon was vertrokken en dacht aan zijn broertje en aan Eva Lind, hoe weinig hij zich van haar herinnerde van toen ze klein was. Ze was twee jaar toen ze scheidden. Wat Sindri over haar vertelde, raakte een gevoelige snaar en hij zag de stroef verlopende relatie tussen hem en Eva in een ander, somberder licht dan eerst.

Toen hij kort na middernacht in slaap viel, dacht hij nog altijd aan zijn broertje, aan Eva, zichzelf en Sindri en hij had een wonderlijke droom. Ze maakten met zijn drieën een tochtje met de auto, hij en zijn twee kinderen. Zij zaten op de achterbank, hij achter het stuur en hij wist niet waar ze waren, omdat het licht buiten zo fel was dat hij het landschap niet kon onderscheiden. Toch leek het of de auto doorreed, maar hij moest voorzichtiger sturen dan anders, omdat hij niet naar buiten kon kijken. Hij keek in zijn achteruitkijkspiegel naar de twee kinderen op de achterbank, maar hij kon hun gezichten niet zien. Hij dacht wel dat het Sindri en Eva moesten zijn, maar hun gezichten waren moeilijk te onderscheiden of in duisternis gehuld. Toch konden het geen andere kinderen zijn. Eva kon niet ouder dan vier jaar zijn. Hij zag dat ze elkaars hand vasthielden.

De radio stond aan en een betoverende vrouwenstem zong: *Ik weet dat je vanavond bij mij bent …*

Opeens zag hij een reusachtige vrachtauto op zich afkomen.

233

Hij probeerde te toeteren en op de rem te trappen, maar er gebeurde niets. Hij keek in zijn spiegel, zag dat de kinderen verdwenen waren en voelde een onzegbaar verdriet. Hij keek weer op de weg. Hij naderde de vrachtauto met een ijzingwekkende snelheid. Een botsing was niet te vermijden.

Toen alles al te laat was, voelde hij dat er iemand naast hem zat. Hij keek en zag dat Eva Lind op de passagiersstoel zat en naar hem glimlachte. Ze was geen klein meisje meer, maar volwassen en ze zag er verschrikkelijk uit in een versleten blauwe trui, met vuile klitten in haar haren, kringen onder haar ogen, ingevallen wangen en zwarte lippen. Toen ze breder lachte, zag hij dat ze een tand miste.

Hij wilde iets tegen haar zeggen, maar kreeg het niet over zijn lippen. Hij wilde naar haar schreeuwen en zichzelf uit de auto werpen, maar er was iets wat hem tegenhield. Er ging een rust uit van Eva Lind. De afwezigheid van angst en de vrede. Ze keek naar hem en de vrachtauto en begon te lachen.

Vlak voordat ze op de vrachtauto zouden botsen, schrok hij op uit zijn slaap en riep de naam van zijn dochter. Het duurde even voor hij weer tot zichzelf kwam, maar toen ging hij weer liggen en hoorde een wonderlijk droevig lied dat hem in een droomloze slaap volgde.

Ik weet dat je vanavond bij mij bent …

25

Níels kon zich niet veel meer van Jóhann, de broer van Haraldur, herinneren en begreep ook niet goed waarom Erlendur zich er druk over maakte dat zijn naam niet vermeld was in het proces-verbaal van de vermissing. Níels was in gesprek toen Erlendur hem in zijn kantoor kwam lastigvallen. Hij had zijn dochter uit Amerika aan de telefoon, die daar geneeskunde studeerde en zich specialiseerde in kindergeneeskunde, zei Níels trots toen hij neer-legde, alsof hij dat nog nooit aan iemand had verteld. In werke-lijkheid had hij het nauwelijks ergens anders over. Erlendur kon er niet meer tegen. Níels naderde de pensioengerechtigde leeftijd en had het druk met kleine vergrijpen, autodiefstallen en kleine inbraken, waarover hij regelmatig zei dat ze eigenlijk te verwaar-lozen waren, niet de moeite waard en alleen maar tijdverspilling. Als er al verdachten werden gevonden, moest er proces-verbaal worden opgemaakt en dat had al helemaal geen zin. De inbrekers werden direct na hun verhoor weer vrijgelaten en werden nooit veroordeeld, en als er eens een wonder gebeurde en ze wél veroor-deeld werden nadat er genoeg details waren verzameld, was de uitspraak belachelijk en een blamage voor de slachtoffers.

"Wat herinner je je van die Jóhann?" vroeg Erlendur. "Heb je hem ontmoet? Ben je wel eens naar die boerderij in Mosfellss-veit gegaan?"

"Was je niet bezig met dat Russische apparaat?" vroeg Níels. Hij haalde een nagelknippertje uit zijn zak en begon zijn nagels te knippen. Hij keek op de klok. Die wees in de richting van een lange, ongestoorde middagrust.

"Jawel", zei Erlendur. "Er is genoeg te doen."

Níels hield op met knippen en keek hem aan. De ondertoon in die opmerking beviel hem niet.

"Die Jóhann, of Jói zoals zijn broer hem noemde, was een beetje gek", zei Níels. "Hij was verstandelijk gehandicapt of zoals je dat vroeger nog mocht noemen, achterlijk. Voordat de woordpolitie allemaal beleefde woorden aan de taal toevoegde."

"Wat voor soort handicap had hij?" vroeg Erlendur. Hij was het met Níels eens over de taal. Het was nogal bloedeloos geworden doordat er rekening moest worden gehouden met allerlei mogelijke groeperingen.

"Hij was gewoon een leeghoofd", zei Níels en hij hervatte het nagels knippen. "Ik ben daar een keer of twee geweest en heb met beide broers gesproken. De oudste voerde het woord. Die Jóhann zei niet veel. Ze waren heel verschillend, die broers. De een was alleen maar pezen en botten en had een verweerd gezicht, de ander was dik en had een kinderlijke varkenskop."

"Ik heb nog niet zo'n beeld van die Jóhann", zei Erlendur. "Wat bedoelde je toen je zei dat hij geestelijk gehandicapt was?"

"Ik weet het niet meer zo precies, Erlendur. Hij verschool zich zo'n beetje achter zijn broer als een klein kind en vroeg voortdurend wie we waren. Kon nauwelijks praten, stamelde een paar zinnen. Hij was zo'n soort man die je je voorstelt op een afgelegen boerderij met twee duimen aan zijn wanten en een gekke muts op zijn kop."

"En het lukte Haraldur je ervan te overtuigen dat Leopold nooit op hun boerderij was geweest?"

"Ze hoefden me niet te overtuigen", zei Níels. "We hadden de auto bij het busstation gevonden. Er was niets wat erop wees dat hij bij de broers was geweest. We hadden niets in handen. Net zomin als jij."

"Denk jij niet dat de broers met die auto daarheen zijn gereden?"

"Er was niets wat daarop wees", zei Níels. "Jij kent die vermissingszaken. Jij zou hetzelfde hebben gedaan met die informatie als wij."

"Ik heb de Falcon gevonden", zei Erlendur. "Ik weet dat er een heleboel jaren voorbij zijn gegaan en dat die auto overal geweest kan zijn, maar er werd iets in aangetroffen wat koeienmest zou kunnen zijn. Ik dacht dat als jij die zaak behoorlijk had onderzocht, je die man misschien gevonden had en de vrouw die op hem wachtte en nog altijd op hem wacht, rust had kunnen geven."

"Wat is dat voor stom gezwets?" bracht Níels uit en hij keek op van zijn knippertje. "Hoe kom je erbij? Omdat jij nu toevallig dertig jaar later schijt in die auto vindt. Ben je gek geworden?"

"Je had iets bruikbaars kunnen vinden", zei Erlendur.

"Jij en die vermissingen van je", zei Níels. "Waar ben je in godsnaam mee bezig? Wie heeft je daarop gezet? Is het een zaak? Wie zegt dat? Waarom heropen je een dertig jaar oude zaak die geen zaak is en waar toch al niemand mee bezig was en probeer je er nog iets van te bakken? Heb je die vrouw soms nieuwe hoop gegeven? Probeer je haar te vertellen dat je hem zou kunnen vinden?"

"Nee", zei Erlendur.

"Je bent geschift", zei Níels. "Dat heb ik altijd al gezegd. Al sinds je hier binnenkwam. Ik heb het nog tegen Marion gezegd. Ik begrijp niet wat Marion in je zag."

"Ik wil daar in de omgeving naar hem laten zoeken", zei Erlendur.

"Naar hem zoeken in de omgeving?" riep Níels ontzet uit. "Ben je gestoord? Waar? Waar wil je naar hem zoeken?"

"Rond de boerderij", zei Erlendur net zo kalm als daarvoor. "Er zijn daar stroompjes en kanalen die onder de berg doorlopen naar zee. Ik wil weten of we daar niet iets kunnen vinden."

"Waar baseer je dat idee op?" zei Níels. "Heb je toestemming? Is er iets nieuws ontdekt? Helemaal niets. Schijt in een oud wrak?!"

Erlendur stond op.

"Ik wilde je alleen maar zeggen dat als je van plan bent herrie te schoppen, als je van plan bent je dik te maken, dat ik dan alleen maar hoef te wijzen op het broddelwerk in het oorspronkelijke onderzoek, dat vol gaten zat en ..."

"Doe toch wat je niet laten kunt", viel Níels hem in de rede en hij wierp hem een haatdragende blik toe. "Zet jezelf voor gek als je dat wilt. Je krijgt nooit toestemming voor zo'n zoektocht!"

Erlendur opende de deur en stapte de gang in.

"Knip niet in je vingers", zei hij en hij sloot de deur achter zich.

Erlendur had een kort onderhoud met Sigurður Óli en Elínborg over de Kleifarvatn-zaak. Het zoeken naar verdere inlichtingen over Lothar Weiser verliep traag en moeizaam. Alle aanvragen gingen via de Duitse ambassade, die Erlendur beledigd had, en ze hadden maar weinig handvatten om mee verder te gaan. Ze stuurden een boodschap naar Interpol om maar iets te doen, maar uit het voorlopige antwoord van de internationale politie bleek dat Lothar nooit in hun gelederen had vertoefd. Quinn, van de Amerikaanse ambassade, werkte eraan om de medewerkers van de Tsjechische ambassade uit die jaren zover te krijgen dat ze met de IJslandse politie wilden praten. Hij wist nog niet of dat zou lukken. Lothar scheen niet veel met de IJslanders te zijn omgegaan. Onderzoek onder oudere medewerkers van de ministeries leidde nergens toe. De gastenlijsten van de Oost-Duitse ambassade waren allang vernietigd. Gastenlijsten van de publieke diensten bestonden niet. Ze hadden er geen idee van hoe ze te werk moesten gaan om erachter te komen of Lothar IJslanders had gekend. Niemand scheen zich die man te kunnen herinneren.

Sigurður Óli had gehoopt op de hulp van de Duitse ambassade en het IJslandse ministerie van Onderwijs om hem lijsten te bezorgen van IJslandse studenten in Oost-Duitsland. Hij wist niet op welke periode hij moest mikken, dus hij begon ermee te vragen om een lijst van alle studenten van na de Tweede Wereldoorlog tot en met 1970.

In de tussentijd had Erlendur alle tijd om zich te verdiepen in zijn eigen zaak, de Falcon-man. Hij wist zelf maar al te goed dat hij bitter weinig had om zich te rechtvaardigen als hij toestemming wilde vragen om te zoeken naar zijn stoffelijke resten op het land van de broers in Mosfellssveit.

Hij besloot om eens langs te gaan bij Marion, met wie het iets beter ging. Het zuurstofmasker lag nog onder handbereik, maar de patiënt zag er beter uit en had het over een nieuw medicijn dat beter werkte dan het oude, en ze vervloekte de dokters erom dat ze zo weinig wisten. Briem werd weer een beetje de oude.

"Wat kom je hier toch steeds doen?" vroeg Marion en ze ging in haar stoel zitten. "Heb je niks beters te doen?"

"Zeker", zei Erlendur. "Hoe gaat het?"

"Doodgaan lukt me nog niet", zei Marion. "Ik dacht dat ik vannacht doodging. Afschuwelijk. Natuurlijk kan zoiets gebeuren als je ligt en niets anders doet dan wachten op de dood. Ik was er zeker van dat het gebeurd was."

Marion nam met droge lippen een slokje uit een glas water.

"En?" vroeg Erlendur.

"Heet dat niet uittreden uit je eigen lichaam?" zei Marion. "Je weet dat ik niet in dergelijke nonsens geloof. Het waren visioenen in een halfslaap. Zeker bijwerkingen van dat nieuwe medicijn. Maar ik zweefde daar rond", zei Marion en ze keek omhoog naar het plafond, "en ik keek neer op mijn arme zelf. Ik dacht dat ik ervandoor ging en ik had daar helemaal vrede mee. Maar ik was natuurlijk niet echt aan het sterven. Het was gewoon een gekke droom. Ik ging vanochtend voor controle naar de dokter en hij zei dat het beter met me ging. Mijn bloed is beter dan het wekenlang geweest is. Maar hij gaf me toch weinig hoop voor de toekomst."

"Ach, weten die dokters veel", zei Erlendur.

"Wat kom je eigenlijk doen? Is het weer die Falcon-man? Waarom heb je je vastgebeten in die zaak?"

"Herinner jij je dat die boer die hij in Mosfellssveit zou bezoeken een broer had?" vroeg Erlendur tegen beter weten in. Hij wilde Marion niet vermoeien, maar wist ook dat Marion plezier had in alles wat geheimzinnig en raar was, de onwaarschijnlijkste details onthield en er geen moeite mee had ze naar boven te halen, ondanks haar hoge leeftijd en zwakke gezondheid.

Marion sloot haar ogen en dacht na.

"Die luie donder Níels had het erover dat die ene broer gestoord was."

"Hij zegt dat hij simpel was, maar ik weet niet wat dat betekent."

"Hij was achterlijk, als ik het me goed herinner. Groot, sterk en lang, maar in zijn hoofd nog een kind. Ik geloof dat hij nauwelijks kon praten. Brabbelde alleen wat onzin."

"Waarom is er niet meer gedaan in deze zaak, Marion?" vroeg Erlendur. "Waarom werd hij aan zijn lot overgelaten? Er had gemakkelijk zoveel meer gedaan kunnen worden."

"Waarom zeg je dat?"

"Er had op het land van de broers moeten worden gezocht. Het werd zomaar aangenomen dat die man daar nooit geweest was. Er is nooit ergens aan getwijfeld. Alles was zo klaar als een klontje en de conclusie was dat die man zichzelf had omgebracht of het land in was getrokken en wel weer eens in de stad zou opduiken als hem dat uitkwam. Hij is alleen nooit meer teruggezien en ik ben er niet zo zeker van dat hij zelfmoord heeft gepleegd."

"Dus jij denkt dat die broers hem hebben vermoord?"

"Ik sluit dat niet uit. De simpele broer is dood, maar de oudste zit in een bejaardenhuis hier in Reykjavík en hem acht ik best in staat om iemand om het minste of geringste naar de keel te vliegen."

"En welke aanleiding zou hij dan gehad hebben?" vroeg Marion. "Je weet dat je geen motief hebt. De man wilde hun een tractor verkopen. Ze hadden geen enkele reden om hem te vermoorden."

"Dat weet ik", zei Erlendur. "Als ze het gedaan hebben, was het om iets wat er gebeurde nadat die man daar was aangekomen. Er is iets gebeurd, misschien gewoon een toeval, wat leidde tot de dood van die man."

"Erlendur, je weet wel beter", zei Marion. "Dat zijn gedachtespinsels. Hou op met die gekkigheid."

"Ik weet dat ik geen motief heb en geen lijk en dat het lang geleden is, maar er is daar iets wat niet klopt en ik wil weten wat het is."

"Er is altijd iets wat niet helemaal thuis te brengen is, Erlendur. Je kunt niet alles gladstrijken. Het leven is gecompliceerder en iemand als jij zou dat moeten weten. Waar had die boer een Russisch afluisterapparaat vandaan moeten halen om die man in het Kleifarvatn te laten zinken?"

"Ja, ik weet het, maar het kan ook een andere onopgeloste zaak zijn."

Marion keek Erlendur onderzoekend aan. Het was niets nieuws dat mensen werden meegesleept door een zaak die ze onderzochten en er helemaal in opgingen. Marion was dat vaak genoeg overkomen en ze wist dat Erlendur zich meestal de ernstigste zaken aantrok. Hij bezat een scherpte die niet iedereen gegeven was en die hem zowel hielp als tegenwerkte.

"Je had het laatst over John Wayne", zei Erlendur. "Toen we naar die western keken."

"Ga je daar weer over beginnen?" zei Marion.

Erlendur knikte. Hij had het aan Sigurður Óli gevraagd, die veel van Amerika wist en veel verstand had van beroemde mensen.

"Hij heette ook Marion, hè?" zei hij. "Is het niet? Jullie hebben dezelfde naam."

"Gek, hè?" zei Marion. "Zeker nu ik in deze toestand verkeer."

26

Benedikt Jónsson, de oude landbouwmachineverkoper, stond Erlendur in de deuropening op te wachten en vroeg hem binnen te komen. Het had even geduurd voor Erlendur hem opzocht. Benedikt was bij zijn dochter geweest, die even buiten Kopenhagen woonde. Hij was net teruggekomen en het was aan hem te merken dat hij eigenlijk langer had willen blijven. Hij zei dat het hem uitstekend beviel in Denemarken.

Erlendur knikte op de juiste momenten terwijl Benedikt uitweidde over Denemarken. Hij was een weduwnaar die het ervan leek te nemen, nogal klein en met korte, dikke vingers en een rond, rood en uitdrukkingloos gezicht. Hij woonde alleen in een kleine, keurige eengezinswoning. Erlendur merkte de nieuwe Benz-jeep op die voor de garage stond. Die oude directeur had goed voor zichzelf gezorgd en flink gespaard voor zijn oude dag.

"Ik wist dat ik ooit vragen zou moeten beantwoorden over die man", zei Benedikt eindelijk en hij kwam ter zake. Aan zijn beleefdheidsfrasen leek een eind te zijn gekomen.

"Ja, het gaat om die Leopold", zei Erlendur.

"Dat was allemaal heel naar. Het moest er eens van komen dat iemand daarover ging nadenken. Ik had jullie destijds ook de waarheid moeten vertellen, maar ..."

"De waarheid?"

"Ja", zei Benedikt. "Mag ik weten waarom jullie nu weer vragen zijn gaan stellen over die man? Mijn zoon vertelde dat je hem ook vragen hebt voorgelegd, maar door de telefoon was je niet zo spraakzaam. Waar komt die belangstelling nu ineens vandaan? Ik dacht dat jullie die zaak toen wel hadden onderzocht en afgehandeld? Of eigenlijk hoopte ik dat."

Erlendur vertelde hem over de vondst van het skelet in het Kleifarvatn en dat de vermissing van Leopold een van de zaken was die de politie natrok in verband met die vondst.

"Kende je hem persoonlijk?" vroeg Erlendur.

"Persoonlijk? Nee, niet echt. Hij verkocht alleen niet veel die korte tijd dat hij bij ons werkte. Als ik het me goed herinner, was hij voortdurend onderweg op het platteland. Al mijn verkopers waren voortdurend onderweg; we verkochten landbouwmachines en graafmachines, maar niemand reisde zoveel als Leopold en tegelijk was er geen slechtere verkoper dan hij."

"Dus je hebt niet veel aan hem verdiend?" zei Erlendur.

"Ik wilde hem om te beginnen al niet aannemen", zei Benedikt.

"O?"

"Ja, nee, dat bedoel ik nou. Ze dwongen me er eigenlijk toe. Ik moest een paar goede verkopers ontslaan om hem aan te nemen. Het was namelijk niet zo'n groot bedrijf."

"Wacht eens, zeg dat nog eens. Wie dwongen je ertoe hem aan te nemen?"

"Ze zeiden dat ik er met niemand over mocht praten, dus … ik weet niet of ik het wel mag vertellen. Ik hou niet van al dat geheimzinnige gedoe. Niks voor mij."

"Het is tientallen jaren geleden", zei Erlendur. "Ik denk niet dat je er nog last mee krijgt."

"Nee, dat zal wel niet. Ze dreigden om me mijn licentie af te nemen. Daarmee dreigden ze gewoon als ik die man niet zou aannemen. Het was of ik met de maffia te maken had."

"Wie dwongen je om Leopold aan te nemen?"

"De fabrikant in Duitsland of toen nog Oost-Duitsland. Ze hadden mooie tractors, die veel goedkoper waren dan de Amerikaanse. En graafmachines en zo. We verkochten er veel van, al presteerden ze minder dan die van Ferguson of Caterpillar."

"Hadden zij invloed op welk personeel jij aannam?"

"Daar dreigden ze mee", zei Benedikt. "Dus wat moest ik doen? Ik had geen keus. Ik nam die man natuurlijk aan."

"Kreeg je er een verklaring voor? Waarom je uitgerekend die man moest aannemen?"

"Nee. Geen enkele. Geen enkele verklaring. Ik nam hem aan en ik wist niets van hem af. Ze zeiden dat het tijdelijk was en, zoals ik al zei, hij was niet veel in de stad, maar reisde van de ene hoek van het land naar de andere."

"Tijdelijk?"

"Ze zeiden dat hij niet lang bij mij zou werken. En ze stelden bepaalde voorwaarden. Hij mocht niet op mijn loonlijst staan. Hij moest een soort stukloon krijgen en ik moest hem zwart betalen. Het was allemaal erg moeilijk. Mijn boekhouder had er zijn handen vol aan. Het ging trouwens niet om veel geld, niet genoeg om van te leven, dus hij moest nog ergens anders inkomsten van gehad hebben."

"Wat denk jij dat daar de bedoeling van was?"

"Ik heb er geen idee van. Toen verdween hij en ik hoorde nooit meer iets over Leopold, behalve van de politie."

"Heb je nooit iets van wat je me nu vertelt gezegd toen hij verdwenen was?"

"Ik heb dat aan niemand verteld. Ze bedreigden me. Ik had mensen in dienst. Mijn inkomen hing af van dat bedrijf. Het was niet zo groot, maar we verdienden toch wel wat. Toen werden de energiecentrales aangelegd. In Sigalda en Búrfell. Daarvoor waren die machines nodig. We hebben ontzettend veel verdiend aan die centrales. Dat was in die periode. Het bedrijf groeide. Ik had andere dingen aan mijn hoofd."

"En je probeerde het gewoon te vergeten?"

"Juist. Ik vond dat het mij helemaal niet aanging. Omdat de fabrikant wilde dat ik die man aannam, heb ik dat gedaan, maar verder had ik niets met hem te maken."

"Heb je zelf enig idee van wat hem kan zijn overkomen?"

"Nee, geen enkel. Hij had een afspraak in Mosfellssveit, maar is daar niet verschenen voorzover we weten. Misschien had hij hem gewoon naar de volgende dag verschoven. Dat is niet ondenkbaar. Misschien had hij iets dringends te doen."

"Jij denkt niet dat die boer met wie hij een afspraak had, gelogen heeft?"

"Ik weet daar niets van."

"Wie heeft je benaderd over het aannemen van Leopold? Was hij dat zelf?"

"Nee, dat was hij niet zelf. Er kwam een man van hun ambassade aan de Ægisíða naar me toe. Het was eigenlijk meer een handelsvertegenwoordiging dan een ambassade die ze hier toen hadden. Later zou dat allemaal veel groter worden. Het was trouwens in Leipzig dat ik hem sprak."

"Leipzig?"

"Ja, daar gingen we altijd een keer per jaar naartoe voor de beurs. Daar werden de nieuwste industriële ontwikkelingen en apparaten getoond en we gingen er altijd met een grote groep zakenmensen die met Oost-Duitsland handel dreven heen."

"Wat was dat voor een man die met je sprak?"

"Hij heeft zich nooit voorgesteld."

"Kende je iemand met de naam Lothar? Lothar Weiser. Een Oost-Duitser."

"Nooit van gehoord. Lothar? Nee, nooit gehoord."

"Kun je die man van de ambassade beschrijven?"

"Het is wel lang geleden, zeg. Hij was nogal dik. Een vreselijk aardige man, moet ik zeggen, als hij me niet gedwongen had om die vent aan te nemen."

"Vind je niet dat je de politie destijds deze informatie had moeten geven? Denk je niet dat dat had kunnen helpen?"

Benedikt aarzelde. Toen haalde hij zijn schouders op.

"Ik probeerde mezelf en mijn bedrijf erbuiten te houden. Ik vond dat ik er niets mee te maken had. Die man was niet mijn pakkie-an. Hij had eigenlijk niets met mijn bedrijf van doen. En ze bedreigden me. Wat had ik moeten doen?"

"Herinner je je zijn geliefde? De vriendin van Leopold?"

"Nee", zei Benedikt nadenkend. "Nee, dat geloof ik niet. Was zij ..."

Hij zweeg, alsof hij niet goed wist wat hij moest zeggen over de vrouw die de man die ze liefhad, kwijtraakte en nooit enige duidelijkheid kreeg over zijn lot.

"Ja", zei Erlendur. "Ze was erg verdrietig. En dat is ze nog steeds."

De Tsjech Miroslav woonde in Zuid-Frankrijk, een oudere man, maar met een goed geheugen. Hij sprak Frans en redelijk Engels en was bereid om door de telefoon met Sigurður Óli te praten. Quinn, van de Amerikaanse ambassade in Reykjavík, die hen over de Tsjech had verteld, had dat zo afgesproken. Miroslav was destijds in zijn eigen land veroordeeld wegens spionage en had enkele jaren gevangengezeten. Hij was geen bijzonder belangrijke of opvallende spion geweest en was het grootste deel van zijn carrière bij Buitenlandse Zaken op IJsland gestationeerd. Er werd gezegd dat hij in de verleiding kwam toen hem geld werd geboden om een contactpersoon op de Amerikaanse ambassade in te lichten als er iets bijzonders gebeurde op zijn ambassade of die van een ander Oostblokland. Hij had nooit iets te melden gehad. Er gebeurde nooit iets in IJsland.

Het was inmiddels hartje zomer. Het skelet in het Kleifarvatn was in de zomervakantie vrijwel vergeten. De media zwegen er allang over. Door de vakantieperiode was het verzoek dat Erlendur had ingediend voor het zoeken naar de Falconman op het land van de broers ook blijven liggen.

Sigurður Óli was twee weken met Bergþóra naar Spanje geweest en kwam bruinverbrand en uitgerust terug. Elínborg had door het land getrokken met Teddi en twee weken in het zomerhuis van haar zus in het noorden gezeten. De belangstelling voor haar kookboek was nog altijd groot en ze had in een kort interview met een glossy magazine gezegd dat ze alweer aan een nieuw boek werkte.

En op een dag vertelde ze fluisterend aan Erlendur dat het eindelijk gelukt was bij Sigurður Óli en Bergþóra.

"Waarom fluister je?" vroeg Erlendur.

"Eindelijk", zuchtte Elínborg van blijdschap. "Bergþóra vertelde het me. Het is nog geheim."

"Wat?" zei Erlendur.

"Bergþóra is zwanger!" zei Elínborg. "Het heeft hun zoveel

moeite gekost. Ze waren zelfs bezig met in-vitrofertilisatie en nu gaat het dan toch gebeuren."

"Krijgt Sigurður Óli een kind?" zei Erlendur.

"Ja", zei Elínborg. "Niet over praten, hoor. Niemand mag het nog weten."

"Gezegend kind", zei Erlendur hardop, en Elínborg liep met haar vinger op haar lippen bij hem vandaan.

Het bleek dat Miroslav alleszins bereid was om hen te helpen. Het gesprek vond plaats in het kantoor van Sigurður Óli; Erlendur en Elínborg waren allebei aanwezig. Het gesprek werd opgenomen. Op de afgesproken dag en de afgesproken tijd pakte Sigurður Óli de hoorn van het toestel en toetste het nummer.

Nadat de telefoon enkele malen was overgegaan, klonk een vrouwenstem aan de andere kant van de lijn. Sigurður Óli zei zijn naam en vroeg naar Miroslav. Hem werd verzocht te wachten. Sigurður Óli keek naar Erlendur en Elínborg en haalde zijn schouders op alsof hij ook niet wist wat hem te wachten stond. Eindelijk kwam er een man aan de telefoon die zei dat hij Miroslav was. Sigurður Óli stelde zich opnieuw voor als de politieman uit Reykjavík en vertelde waarom hij belde. Miroslav zei meteen dat hij wist waarover het ging. Hij sprak zelfs een beetje IJslands, maar vroeg toch of het gesprek in het Engels gevoerd kon worden.

"Dat is beter voor mij", zei hij.

"Juist ja, ehm, het gaat over een medewerker van de Oost-Duitse ambassade hier in Reykjavík in de jaren zestig", zei Sigurður Óli in het Engels. "Lothar Weiser."

"Ik heb begrepen dat jullie een lijk in een meer hebben gevonden en denken dat hij het is", zei Miroslav.

"Dat weten we niet", zei Sigurður Óli. "Het is een van de vele mogelijkheden", zei hij toen na een kort stilzwijgen.

"Vinden jullie wel vaker lijken die vastzitten aan een Russisch afluisterapparaat?" zei Miroslav en hij lachte. Quinn had hem duidelijk goed ingelicht. "Nee, ik snap het. Ik begrijp dat jullie voorzichtig te werk gaan en niet te veel willen zeggen, en natuurlijk helemaal niet over de telefoon. Krijg ik geld voor mijn informatie?"

"Helaas", zei Sigurður Óli. "We hebben geen toestemming om over iets dergelijks te onderhandelen. Ons is verteld dat je wel wilde samenwerken."

"Samenwerken, natuurlijk", zei Miroslav. "Geen geld?" zei hij toen in het IJslands.

"Nee", zei Sigurður Óli ook in het IJslands. "Geen geld."

Er viel een stilte aan de telefoon en ze keken elkaar aan, op elkaar gepakt in het kantoortje van Sigurður Óli. Het duurde even voor ze de Tsjech weer hoorden. Hij riep iets in wat volgens hen Tsjechisch was en ze hoorden een vrouwenstem in de verte antwoorden. De stemmen waren gedempt alsof hij zijn hand op de hoorn hield. Er werd nog wat heen en weer gepraat. Het leek wel of ze ruzie maakten.

"Lothar Weiser was een van de Oost-Duitse spionnen in IJsland", zei Miroslav zonder inleiding toen hij weer aan de telefoon kwam. De woorden borrelden uit hem op alsof hij geprikkeld was door de woordenwisseling met de vrouw. "Lothar sprak heel goed IJslands. Dat had hij in Moskou geleerd. Wisten jullie dat?"

"Ja, inderdaad", zei Sigurður Óli. "Wat deed hij hier?"

"Hij was handelsvertegenwoordiger. Dat waren ze allemaal."

"Maar was hij niet ook nog wat anders?" vroeg Sigurður Óli.

"Lothar was niet in dienst van de ambassade, maar van de Oost-Duitse Geheime Dienst", zei Miroslav. "Zijn specialiteit was mensen zover te krijgen dat ze voor hem gingen werken. En daar was hij heel handig in. Hij gebruikte allerlei trucs en was er het gewiekst in om misbruik te maken van zwakke mensen. Hij zette mensen onder druk. Zette vallen voor ze. Gebruikte prostituees. Dat deden alle spionnen, trouwens. Nam foto's die mannen in moeilijkheden konden brengen. Begrijp je wat ik bedoel? Hij was bijzonder creatief."

"Had hij, hoe noem je dat, medewerkers hier in IJsland?"

"Zover ik weet niet, maar dat hoeft niet te betekenen dat het niet zo was."

Erlendur pakte een pen en een vel papier van het bureau en begon iets op te schrijven wat bij hem opkwam.

"Was hij voorzover je weet bevriend met IJslanders?" vroeg Sigurður Óli.

"Ik weet niets over zijn connecties met IJslanders. Ik kende hem niet zo goed."

"Kun je Lothar wat nader voor ons beschrijven?"

"Het enige wat belangrijk was voor Lothar, was Lothar zelf", zei Miroslav. "Het maakte hem niet uit of hij iemand bedroog, als hij er zelf maar beter van werd. Hij had veel vijanden en er waren er ongetwijfeld velen die hem dood wensten. Dat was tenminste wat ik hoorde."

"Ken je zelf mensen die hem dood wensten?"

"Nee."

"En het Russische apparaat, waar kan dat vandaan zijn gekomen?"

"Uit elke ambassade van een communistische staat in Reykjavík. We gebruikten allemaal apparatuur uit Rusland. Zij maakten de meeste en alle ambassades gebruikten ze. Zendapparatuur, recorders en afluisterapparaten, maar ook radio's en zelfs armetierige Russische televisies. Ze verdeelden die rommel tussen ons en wij moesten ze kopen."

"Wij denken dat wij een afluisterapparaat hebben gevonden en dat dat gebruikt is om de Amerikaanse basis op Keflavík af te luisteren."

"Dat was eigenlijk het enige wat we deden", zei Miroslav. "We luisterden ook andere ambassades af. En het Amerikaanse leger had natuurlijk bases in het hele land. Maar daar wil ik het niet over hebben. Ik begreep van Quinn dat jullie alleen geïnteresseerd waren in de verdwijning van Lothar in Reykjavík."

Erlendur stak Sigurður Óli een papiertje toe en hij las de vraag op die Erlendur te binnen was geschoten.

"Weet je waarom Lothar naar IJsland werd gestuurd?" vroeg Sigurður Óli.

"Waarom?" zei Miroslav.

"We hadden begrepen dat deze uithoek niet al te populair was bij de medewerkers van de ambassade", zei Sigurður Óli.

"Het was geen probleem voor de mensen uit Tsjechoslowakije", zei Miroslav. "Maar ik weet niet of Lothar iets verkeerds had gedaan en daarom naar IJsland is gestuurd, als dat is wat je bedoelt. Ik weet wel dat hij ooit uit Noorwegen is gezet. De Noren kwamen erachter dat hij probeerde een hooggeplaatste medewerker van het ministerie van Buitenlandse Zaken voor zich te laten werken."

"Wat weet je van de verdwijning van Lothar?" vroeg Sigurður Óli.

"De laatste keer dat ik hem zag, was op een receptie op de ambassade van de Sovjet-Unie. Dat was kort voor we hoorden dat hij verdwenen was. Dat was in 1968. Het was natuurlijk een slechte tijd door wat er in Praag aan de hand was. Lothar haalde op die receptie herinneringen op aan de opstand in Hongarije in 1956. Ik hoorde er alleen maar flarden van, maar herinner het me omdat iets wat hij zei hem tekende."

"Wat was dat?" vroeg Sigurður Óli.

"Hij had het over Hongaren die hij in Leipzig gekend had", zei Miroslav. "Met name een vrouw die veel optrok met de IJslandse studenten in die stad."

"Wat herinner je je van wat hij zei?" vroeg Sigurður Óli.

"Hij zei dat hij wel wist hoe je die lui moest aanpakken, die opstandelingen in Tsjechoslowakije. Ze moesten allemaal bij hun lurven worden gepakt en naar de goelag worden gestuurd. Hij was dronken toen hij dat zei en ik weet niet meer waar het precies over ging, maar dat was zo ongeveer de strekking."

"En kort daarna hoorde je dat hij verdwenen was?" zei Sigurður Óli.

"Hij was waarschijnlijk ondergedoken", zei Miroslav. "Dat werd tenminste gedacht. Er gingen ook verhalen rond dat ze hem zelf uit de weg hadden geruimd. De Oost-Duitsers. Hem naar huis hadden gestuurd met de diplomatieke post. Dat kan heel goed zo zijn gegaan. De post van de ambassade werd niet gecontroleerd en we zonden heen en weer wat we maar wilden. De onwaarschijnlijkste dingen."

"Of ze hebben hem afgezonken in het meer", zei Sigurður Óli.

"Het enige wat ik weet, is dat hij is verdwenen en dat er nooit meer iets van hem vernomen is."

"Weet je of hij zich ergens schuldig aan had gemaakt?"

"We dachten dat hij was overgelopen."

"Dachten jullie dat hij was overgelopen?"

"Dat hij zichzelf aan de andere partij had verkocht. Dat gebeurde vaak. Kijk maar naar mij. Maar de Duitsers waren niet zo vergevingsgezind als wij Tsjechen."

"Bedoel je dat hij inlichtingen verkocht …"

"Weet je zeker dat hier geen geld in zit?" viel Miroslav Sigurður Óli in de rede. De vrouwenstem op de achtergrond was terug, luider dan eerst.

"Helaas", zei Sigurður Óli.

Ze hoorden Miroslav iets zeggen, waarschijnlijk in zijn moedertaal. En toen in het Engels: "Ik heb genoeg gezegd. Bel me hier niet nog eens."

En toen verbrak hij de verbinding. Ze keken elkaar aan. Erlendur zette de bandrecorder uit.

"Wat ben je toch een sukkel", zei hij tegen Sigurður Óli. "Kon je hem niet iets voorliegen? Dat hij er tienduizend frank voor zou krijgen, zoiets. Kon je niet proberen hem iets langer aan de lijn te houden?"

"Hou je mond", zei Sigurður Óli. "Hij wilde gewoon niets meer zeggen. Hij wilde niet meer met ons praten. Dat hoorden jullie toch."

"Zijn we iets wijzer geworden over wat er in het meer ligt?" vroeg Elínborg.

"Ik weet het niet", zei Erlendur. "Een Oost-Duitse handelsvertegenwoordiger en een Russisch apparaat. Dat kan goed samengaan."

"Ik denk dat het duidelijk is", zei Elínborg. "Lothar en Leopold zijn dezelfde persoon en hij werd afgezonken in het Kleifarvatn. Hij was overgelopen en ze wilden hem kwijt."

"En de vrouw in de melkwinkel?" vroeg Sigurður Óli.

"Zij heeft geen idee", zei Elínborg. "Ze weet niets van die man, behalve dat hij lief voor haar was."

"Misschien maakte ze deel uit van zijn dubbelleven hier", zei Erlendur.

"Misschien", zei Elínborg.

"Volgens mij moet het toch iets zeggen dat het apparaat kapot was toen het werd gebruikt om het lijk te verzwaren", zei Sigurður Óli. "Alsof het niet meer in gebruik was of vernield was."

"Ik zat me af te vragen of het apparaat wel uit de ambassade kwam", zei Elínborg. "Of het niet op een andere manier in het land kon zijn gekomen."

"Wie zou nu Russische afluisterapparatuur hierheen willen smokkelen?" vroeg Sigurður Óli.

Ze zwegen en dachten ieder voor zich dat deze zaak hun boven hun pet begon te stijgen. Ze waren gewend aan eenvoudige, IJslandse misdaden waar geen geheime apparatuur aan te pas kwam of handelsvertegenwoordigers die geen handelsvertegenwoordigers waren, geen buitenlandse ambassades en geen Koude Oorlog, maar de IJslandse werkelijkheid, kleine alledaagse zaken die zo oneindig ver af stonden van de perikelen van de wereld.

"Kunnen we er niet een of andere IJslandse draai aan geven?" vroeg Erlendur om maar iets te zeggen.

"Hoe zit het met die studenten?" zei Elínborg. "Moeten we niet proberen om contact met hen te zoeken? Kijken of iemand van hen zich die Lothar herinnert? Dat moeten we nog onderzoeken."

De volgende dag kwam Sigurður Óli met een lijst van de mensen die gestudeerd hadden aan universiteiten in Oost-Duitsland van het eind van de Tweede Wereldoorlog tot 1970. Hij had die informatie gekregen van het ministerie van Onderwijs en de Duitse ambassade. Ze gingen meteen aan het werk en begonnen bij de studenten die in de jaren zestig in Leipzig zaten en werkten terug in de tijd. Er zat geen haast bij; ze werkten aan het onderzoek naast andere zaken die op hun bureau belandden, voornamelijk inbraken en diefstallen. Ze wisten wanneer Lothar stond ingeschreven aan de universiteit van Leipzig, maar hij kon daar veel langer actief zijn geweest en ze wilden het goed doen. Ze besloten stap voor stap terug te werken in de tijd vanaf het moment dat hij in IJsland spoorloos verdwenen was.

Ze wilden de mensen niet opbellen en door de telefoon met ze praten, maar bezochten ze liever thuis. Het was de mening van Erlendur dat een eerste reactie op een bezoek van de politie veelzeggend was. Net als in de oorlog kon een onverwachte aanval een wereld van verschil uitmaken. Alleen al de gezichtsuitdrukking als ze vertelden waar ze voor kwamen. De eerste zinnen.

En zo gebeurde het op een dag, toen het inmiddels september was geworden en ze de lijst met IJslandse studenten hadden doorgewerkt tot halverwege de jaren zestig, dat Sigurður Óli en Erlendur aanklopten bij een vrouw die Rut Bernharðs heette. Volgens de lijst had ze anderhalf jaar in Leipzig gestudeerd.

Ze kwam zelf aan de deur en schrok zich dood toen bleek dat de politie naar haar informeerde.

27

Rut Bernharðs keek beurtelings van Sigurður Óli naar Elínborg en begreep niet hoe het kon dat ze van de politie waren.
Sigurður Óli zei het voor de derde keer toen ze zich herstelde
en vroeg wat ze wilden. Elínborg legde het haar uit. Het was
rond tien uur 's ochtends. Ze stonden in het trappenhuis van
de flat, niet veel anders dan dat bij Erlendur thuis, alleen was
dat laatste vuiler, de traploper versletener en hing er daar een
zware vochtlucht op de verdieping.

Rut reageerde nog verbaasder toen Elínborg was uitgesproken.

"Studenten in Leipzig?" zei ze. "Wat willen jullie van ze
weten? Waarom?"

"Misschien mogen we een momentje bij je binnenkomen",
zei Elínborg. "We blijven niet lang."

Rut dacht even na, nog steeds besluiteloos, maar toen opende ze de deur. Ze kwamen in een kleine hal en vandaar in de
kamer. De slaapkamers waren aan de rechterkant, de keuken
aan de zijde van de woonkamer. Rut nodigde hen uit plaats te
nemen en vroeg of ze misschien thee wilden of iets anders, ze
moesten het haar niet kwalijk nemen, maar ze had nog nooit
eerder politie over de vloer gehad. Ze zagen dat ze helemaal
van streek was, zoals ze daar in de keukendeur stond. Elínborg
dacht dat ze wel weer tot zichzelf zou komen als ze thee zou
zetten en nam het aanbod aan, tot ergernis van Sigurður Óli.
Hij zat niet op een theevisite te wachten en trok een gezicht
naar Elínborg. Zij glimlachte alleen maar naar hem.

Sigurður Óli had de dag tevoren weer een telefoontje ontvangen van de man die zijn vrouw en kind bij een verkeersongeluk had verloren. Bergþóra en hij waren net thuisgekomen van de dokter die hun had verteld dat de zwangerschap heel voorspoedig verliep, de foetus groeide goed en ze hoefden zich geen zorgen te maken. De woorden van de arts haalden weinig uit. Ze hadden hem dat eerder horen zeggen. Ze zaten thuis in de keuken en praatten aarzelend over de toekomst toen de telefoon ging.

"Ik kan nu niet met je praten", zei Sigurður Óli toen hij hoorde wie er aan de telefoon was.

"Ik wil je niet meer storen", zei de man die altijd even beleefd was. Hij wisselde nooit van stemming en verhief nooit zijn stem, maar sprak altijd op dezelfde rustige toon, wat Sigurður Óli in verband bracht met kalmerende medicijnen.

"Nee", zei Sigurður, "stoor me niet meer."

"Ik wilde je alleen bedanken", zei de man.

"Dat is niet nodig, ik heb niets gedaan", zei Sigurður Óli. "Je hoeft me nergens voor te bedanken."

"Ik geloof dat ik me beter begin aan te passen", zei de man.

"Dat is goed", zei Sigurður Óli.

Er viel een stilte.

"Ik mis ze zo verschrikkelijk", zei de man.

"Natuurlijk doe je dat", zei Sigurður Óli en hij keek naar Bergþóra.

"Ik wil het niet opgeven. Om hen. Ik probeer vol te houden."

"Dat is goed."

"Vergeef me dat ik je stoor. Ik weet ook niet waarom ik je altijd bel. Dit is de laatste keer."

"Dat is in orde."

"Ik moet volhouden."

Sigurður Óli wilde afscheid nemen van de man toen die haastig neerlegde.

"Is alles oké met hem?" vroeg Bergþóra.

"Ik weet het niet", zei Sigurður Óli. "Ik hoop het."

Sigurður Óli en Elínborg hoorden Rut theezetten in de keuken, waarna ze met kopjes en suiker tevoorschijn kwam en vroeg of ze melk gebruikten. Elínborg herhaalde wat ze in de deuropening had gezegd over hun zoektocht naar IJslandse studenten in Leipzig, maar voegde eraan toe dat dit mogelijk, alleen mogelijk herhaalde ze, samenhing met een vermissing uit de jaren vóór 1970.

Rut luisterde naar haar zonder iets te zeggen, tot de theeketel in de keuken begon te fluiten. Ze liep weg en kwam terug met de thee en een paar biscuitjes op een bord. Elínborg wist dat ze ver in de zestig was en ze vond dat ze er goed uitzag voor haar leeftijd. Ze was slank, ongeveer even groot als zijzelf en verfde haar haren bruin; haar gezicht was lang, met een ernstige uitdrukking die door haar rimpels werd onderstreept, maar met een mooie lach, waar ze zo te zien zuinig mee omging.

"En denken jullie dat die man in Leipzig heeft gestudeerd?" vroeg ze.

"We hebben daar geen idee van", zei Sigurður Óli.

"Over welke vermissing hebben jullie het eigenlijk?" vroeg Rut. "Ik herinner me niet dat ik er iets over heb gelezen …" Ze keek nadenkend. "Behalve in de lente, in het Kleifarvatn. Hebben jullie het soms over het skelet in het Kleifarvatn?"

"Dat klopt", zei Elínborg en glimlachte.

"Heeft dat met Leipzig te maken?"

"We weten dat niet", zei Sigurður Óli.

"Maar jullie moeten toch íets weten, anders kwamen jullie niet hier om met een oude studente uit Leipzig te praten", zei Rut beslist.

"We hebben bepaalde aanwijzingen", zei Elínborg. "Ze zijn niet zo sterk dat we er veel over kunnen zeggen, maar we hopen toch dat je ons kunt helpen."

"Wat heeft dat met Leipzig te maken?"

"Het hoeft helemaal niet zo te zijn dat de man iets met Leipzig te maken heeft", zei Sigurður Óli iets scherper dan eerst. "Je bent na anderhalf jaar gestopt", zei hij toen om van onderwerp te veranderen. "In Leipzig. Je bent dus niet afgestudeerd, neem ik aan?"

Ze antwoordde hem niet, maar schonk thee in de kopjes en deed melk en suiker in het hare. Ze roerde er afwezig in met een lepeltje.

"Was het dus een man in het meer? Je zei toch dat het een man was?"

"Ja", zei Sigurður Óli.

"Ik heb begrepen dat je onderwijzeres bent", zei Elínborg.

"Ik ben nadat ik terug was gekomen voor onderwijzer gaan leren", zei Rut. "Mijn man was ook onderwijzer. Allebei lagere school. We zijn onlangs gescheiden. Ik ben gestopt met lesgeven. Word een jaartje ouder. Niemand heeft me meer nodig. Het is alsof je ophoudt te leven als je stopt met werken."

Ze nam een slokje thee en Sigurður Óli en Elínborg deden hetzelfde.

"Ik heb het huis gehouden", zei ze toen.

"Het is altijd rot als ..." begon Elínborg, maar Rut viel haar in de rede, alsof ze niet zat te wachten op het medeleven van een onbekende vrouw die haar beroepsmatig bezocht.

"We waren allemaal socialisten", zei ze en ze keek naar Sigurður Óli. "De mensen die naar Leipzig gingen."

Ze zweeg, terwijl haar gedachten teruggingen naar de jaren waarin ze jong was en het hele leven nog voor haar lag.

"We hadden idealen", zei ze en ze keek naar Elínborg. "Ik weet niet of iemand die tegenwoordig nog heeft. Ik bedoel jonge mensen. Oprechte idealen voor een betere en rechtvaardiger wereld. Ik denk niet dat iemand zich daar tegenwoordig nog druk over maakt. Nu denkt iedereen alleen maar aan zo veel mogelijk verdienen. Toen dacht niemand aan geld verdienen of bezit. Toen bestond de consumptiemaatschappij nog niet. Niemand bezat iets, behalve misschien mooie idealen."

"Gebaseerd op leugens", zei Sigurður Óli. "Is het niet? Over het geheel genomen?"

"Ik weet het niet", zei Rut. "Gebaseerd op leugens? Wat is een leugen?"

"Nee", zei Sigurður Óli gehaast. "Ik bedoel dat het communisme overal in de wereld is afgeschaft, behalve in landen waar de mensenrechten met voeten worden getreden, zoals China en

Cuba. Er is haast niemand meer die toegeeft dat hij communist is geweest. Het is bijna een scheldwoord geworden. Dat was vroeger toch niet zo?"

Elínborg keek hem ontzet aan. Ze kon niet geloven dat Sigurður Óli de vrouw de les aan het lezen was. Toch had ze het zien aankomen. Ze wist dat Sigurður conservatief stemde en had hem soms over IJslandse communisten horen praten alsof ze alleen maar hun stoepje aan het schoonvegen waren nadat ze een systeem hadden opgezet waarvan ze wisten dat het niet werkte en dat alleen maar leidde tot tirannie en onderdrukking in de landen waar het het langst bleef bestaan. Net alsof de communisten niets met het verleden te maken wilden hebben, terwijl ze toch beter zouden moeten weten en hun verantwoording moesten nemen voor die leugens. Misschien vond hij Rut een gemakkelijker doelwit dan anderen. Misschien raakte zijn geduld op.

"Je hebt je studie moeten afbreken", haastte Elínborg zich te zeggen om het gesprek in andere banen te leiden.

"In onze ogen was er niets mooiers", zei Rut en ze staarde naar Sigurður Óli. "En daar is niets aan veranderd. Het socialisme waarin wij geloofden en geloven, is hetzelfde socialisme dat hier aan de basis stond van een arbeidersbeweging, dat heeft gezorgd voor menswaardige arbeidsomstandigheden, een goedkoop zorgstelsel voor als jou of je gezin iets mocht overkomen, dat jou opleidde tot politieman, een openbaar verzekeringsstelsel heeft opgezet en tot een welvaartsstaat heeft geleid. En dat is nog niets vergeleken met het socialisme waarnaar wij allemaal leven, jij en ik en zij, als we willen overleven. Het is het socialisme dat ons tot mensen maakt. Dus jij moet niet met mij spotten, mannetje!"

"Weet je wel zo zeker dat het socialisme daar allemaal achter zat?" zei Sigurður Óli. Hij gaf zich niet gewonnen. "Ik weet niet beter dan dat de conservatieven het openbaar verzekeringsstelsel hebben opgezet."

"Onzin!" zei Rut.

"En de Russen?" zei Sigurður Óli. "Hoe zit het met al die leugens?"

Rut zweeg.

"Waarom zoek jij ruzie met mij?" vroeg ze.

"Ik zoek geen ruzie met jou", zei Sigurður Óli.

"Het kan zijn dat mensen het nodig vonden om een onwrikbaar standpunt in te nemen", zei Rut. "Misschien was het vroeger noodzakelijk. Dat zul jij nooit begrijpen. Dan komen er andere tijden en de inzichten veranderen en de mensen veranderen. Niets is onveranderlijk. Ik begrijp die woede niet. Waar komt die vandaan?"

Ze keek naar Sigurður Óli.

"Waar komt die woede vandaan?" herhaalde ze.

"Ik wilde niet in een twistgesprek verzeild raken", zei Sigurður Óli. "Dat was niet de bedoeling."

"Herinner je je iemand in Leipzig die Lothar heette?" probeerde Elínborg voorzichtig. Ze hoopte dat Sigurður Óli met een of andere verontschuldiging zou komen en in de auto zou verdwijnen, maar hij bleef onbewogen naast haar op de bank zitten en hield zijn blik onveranderd op Rut gericht. "Hij heette Lothar Weiser", voegde ze eraan toe.

"Lothar?" zei Rut. "Ja, maar niet goed. Hij sprak IJslands."

"Klopt", zei Elínborg. "Herinner je je hem?"

"Een heel klein beetje", zei Rut. "Hij kwam soms bij ons eten in het studentenhuis. Maar ik had niet veel met hem te maken. Ik had altijd heimwee en … de omstandigheden waren niet om over naar huis te schrijven, slechte accommodatie en … ik … het had niets met mij te maken."

"Nee, het zal daar geen vetpot zijn geweest na de oorlog", zei Elínborg.

"Het was gewoon verschrikkelijk", zei Rut. "De wederopbouw in West-Duitsland ging tienmaal sneller omdat ze steun kregen van de westerse grootmachten. In Oost-Duitsland ging het allemaal langzaam of stond het gewoon stil."

"Wij hebben begrepen dat het zijn taak was studenten te ronselen om voor hem te werken", zei Sigurður Óli. "Hij hield ze op de een of andere manier in de gaten. Heb je daar iets van gemerkt?"

"Wij werden in de gaten gehouden", zei Rut. "Wij wisten dat

en iedereen wist dat. Het werd controle op de oppositie genoemd, een vorm van persoonlijke spionage. Mensen moesten uit eigen beweging naar voren komen en dingen verklikken die in socialistisch opzicht niet konden. Wij deden dat natuurlijk niet. Niemand van ons. Ik heb nooit gemerkt dat Lothar probeerde ons voor zijn karretje te spannen. Alle buitenlandse studenten kregen een zogenaamde mentor die hen kon helpen en ze in de gaten hield. Lothar was zo'n mentor."

"Heb je contact gehouden met je oude studiegenoten uit Leipzig?" vroeg Elínborg.

"Nee", zei Rut. "Het is lang geleden dat ik een van hen zag. We hebben geen contact en ik weet niets meer van ze. Ik heb de partij verlaten toen ik thuiskwam. Of, ik ging er niet uit, maar ik had er geen belangstelling meer voor. Dat is hetzelfde als je terugtrekken."

"We hebben hier de namen van andere studenten in Leipzig uit de tijd dat je daar was: Karl, Hrafnhildur, Emil, Tómas, Hannes ..."

"Hannes is weggestuurd uit Leipzig", viel Rut Sigurður Óli in de rede. "Ik heb begrepen dat hij niet meer naar de lezingen en de parades op de Dag van de Republiek ging en verder ook buiten de groep viel. Het was de bedoeling dat wij daar allemaal aan deelnamen. We werkten ook 's zomers voor het socialisme. Bij boeren en in de kolenmijnen. Ik begreep dat Hannes niet blij was met wat hij zag en hoorde. Hij wilde zijn studie afmaken, maar dat mocht niet. Jullie moeten misschien eens met hem praten. Als hij nog in leven is; ik weet dat niet."

Ze keek van de een naar de ander.

"Hebben jullie hem misschien in het meer gevonden?" vroeg ze.

"Nee", zei Elínborg. "Hij is het niet. We hebben gehoord dat hij in Selfoss woont en daar een klein hotel heeft."

"Ik herinner me dat hij schreef over zijn ervaringen in Leipzig toen hij weer thuis was en daar veel kritiek op kreeg. Van de oude socialisten in de partij. Ze noemden hem een bedrieger en leugenaar. De conservatieve partij haalde hem in als de verloren zoon en droeg hem op handen. Ik kan me niet voorstellen dat hij zich daar iets van heeft aangetrokken. Ik denk dat hij alleen maar de waarheid heeft willen vertellen zoals die zich aan hem voordeed, maar dat breekt je op. Ik ben hem een paar jaar later nog eens tegengekomen en hij was vreselijk pessimistisch en zwijgzaam. Misschien dacht hij dat ik nog bij de partij was, maar dat was niet zo. Jullie zouden eens met hem moeten praten. Hij weet waarschijnlijk meer van die Lothar. Ik was daar maar zo kort."

Toen ze in de auto zaten, mopperde Elínborg op Sigurður Óli dat hij zijn politieke inzichten niet kon scheiden van zijn politiewerk. Ze zei dat hij zich moest inhouden en mensen toch niet zo kon aanvallen, en al helemaal niet oudere vrouwen die helemaal alleen woonden.

"Wat is er met je aan de hand?" zei ze toen ze wegreden bij het flatgebouw. "Ik heb nog nooit zoveel onzin gehoord. Wat dacht je wel? Ik stel je dezelfde vraag: waar komt die woede vandaan?"

"Ach, ik weet het niet", zei Sigurður Óli. "Mijn vader was zo'n saloncommunist", zei hij uiteindelijk en dat was de eerste keer dat Elínborg hem zijn vader hoorde noemen.

Erlendur was net thuis toen de telefoon ging. Het duurde even voor tot hem doordrong wie die Benedikt Jónsson ook alweer was die aan de lijn hing, maar toen schoot het hem weer te binnen. Hij had Leopold destijds aangenomen als verkoper bij zijn bedrijf.

"Ik stoor je toch niet thuis?" vroeg Benedikt beleefd toen duidelijk was geworden wie hij was.

"Nee", zei Erlendur. "Is er iets wat …"

"Het gaat om die man."

"Die man?" zei Erlendur.

"Die vent van de Oost-Duitse ambassade of handelsvertegenwoordiging of wat het ook was", zei Benedikt. "Die me zei dat ik Leopold moest aannemen en me duidelijk maakte dat de fabriek in Duitsland maatregelen zou nemen als ik dat niet deed."

"Ja", zei Erlendur. "Die dikkerd. Wat is er met hem?"

"Het schiet me te binnen", zei Benedikt, "dat hij wat IJslands sprak. Hij sprak het zelfs uitstekend."

28

Na de verdwijning van Ilona gingen de weken voorbij als een onbegrijpelijke nachtmerrie. In zijn herinnering was het één groot horrorscenario.

Hij liep overal op tegen de apathie en de volkomen onverschilligheid van de overheid in Leipzig. Niemand wilde hem vertellen wat er met haar gebeurd was, waar ze werd vastgehouden, waarvan ze werd beschuldigd, welke afdeling van de politie met haar zaak bezig was. Hij probeerde twee hoogleraren van de universiteit te mobiliseren, maar zij zeiden dat ze niets konden doen. Hij probeerde de rector van de universiteit zover te krijgen dat hij zich voor de zaak inzette, maar ook hij weigerde. Hij vroeg de voorzitter van de universiteitsvereniging, de FDJ, om navraag naar haar te doen, maar de vereniging vond dat een bespottelijk idee.

Ten slotte belde hij het IJslandse ministerie van Buitenlandse Zaken, waar men beloofde de zaak te onderzoeken, maar dat leidde ook nergens toe; Ilona was geen IJslands staatsburger, ze waren niet getrouwd, de IJslandse staat had geen enkel belang bij de zaak en had geen diplomatieke betrekkingen met Oost-Duitsland. Zijn vrienden op de universiteit, de IJslanders, probeerden hem moed in te spreken, maar waren net zo radeloos als hij. Ze begrepen niet wat er aan de hand was. Misschien was het een misverstand. Ze zou vroeg of laat weer opduiken en dan zou het allemaal duidelijk worden. De vrienden van Ilona en andere Hongaren aan de universiteit, die net zo hard hun best deden om antwoorden te krijgen, zeiden hetzelfde. Ze probeerden hem allemaal te troosten en zeiden dat hij rustig moest blijven, alles zou worden opgelost.

Hij kwam erachter dat er op diezelfde dag behalve Ilona nog meer mensen waren opgepakt. De Geheime Dienst had een razzia gehouden op het terrein van de universiteit en onder de gearresteerden waren ook haar vrienden van de bijeenkomsten. Hij wist dat zij ze had gewaarschuwd nadat hij ontdekt had dat ze in de gaten werden gehouden, dat de politie foto's van hen had. Een enkeling was dezelfde dag vrijgelaten. Anderen waren langer in handen van de politie, sommigen zaten nog gevangen toen hij het land werd uitgezet. Niemand wist iets van Ilona.

Hij nam contact op met de ouders van Ilona, die gehoord hadden van haar arrestatie, en ze schreven hem ontroerende brieven waarin ze hem vroegen of hij meer wist over het lot van hun dochter. Ze wisten niet of ze naar Hongarije was teruggestuurd. De laatste keer dat ze van haar gehoord hadden was een week voor haar verdwijning, toen ze een brief van haar hadden gekregen. Daarin stond niets waaruit je kon opmaken dat ze in gevaar was. De ouders schreven in hun brieven aan hem dat ze hadden geprobeerd de Hongaarse overheid navraag te laten doen naar het lot van hun dochter in Oost-Duitsland, maar dat had geen enkel resultaat opgeleverd. De regering leefde niet bijzonder mee met haar verdwijning. De toestand was dusdanig dat het de mensen van de ambassade niet echt kon schelen of er iemand van de oppositie werd gearresteerd. De ouders zeiden dat ze geen visum voor Oost-Duitsland kregen om zich met de verdwijning van Ilona te bemoeien. Ze waren wanhopig.

Hij schreef hun dat hijzelf bezig was om inlichtingen te krijgen in Leipzig. Hij wilde ze het liefst alles vertellen wat hij wist, dat ze in het geheim tegen de communistische partij ageerde, tegen de studentenvereniging FDJ, die deel uitmaakte van de partij, tegen de voorschriften en tegen de beperkte vrijheid van meningsuiting en het geschreven woord. Dat ze jonge Oost-Duitsers aan haar zijde had gekregen en geheime bijeenkomsten had belegd. En dat ze dit niet voorzien kon hebben.

Evenmin als hijzelf. Maar hij wist dat hij zo'n brief niet kon schrijven. Alles wat er bij hem vandaan kwam, werd opengemaakt. Hij moest voorzichtig zijn.

In plaats daarvan schreef hij dat hij niet zou rusten voor hij wist wat er van Ilona geworden was en hij haar vrij had gekregen.

Hij ging niet meer naar de colleges. Overdag ging hij van de ene instantie naar de andere om ambtenaren te spreken te krijgen en hulp en inlichtingen te vragen. Naarmate de tijd verstreek, werd duidelijk dat hij geen enkel antwoord zou krijgen. 's Nachts liep hij wanhopig heen en weer in hun kleine kamertje. Hij sliep nauwelijks, dutte soms alleen even in. Hij hoopte dat ze opeens voor zijn neus stond, dat de nachtmerrie zou ophouden, dat ze haar vrijlieten met een waarschuwing en ze weer bij hem terugkwam en ze weer samen zouden zijn. Hij sprong op bij elk geluid dat van de straat kwam. Als een auto naderde, liep hij naar het raam. Als het ergens in huis kraakte, stond hij stil en luisterde, dacht dat zij het misschien was. Maar ze was het nooit. Dan kwam er weer een nieuwe dag, en hij was zo verschrikkelijk, verschrikkelijk alleen en hulpeloos in de wereld.

Hij vatte uiteindelijk moed om de ouders van Ilona een nieuwe brief te schrijven en ze te vertellen dat zij zwanger van hem was. Het leek of hij hun gejammer hoorde bij elke letter die hij aansloeg op haar oude schrijfmachine.

Nu zat hij al die jaren later met hun brief in zijn handen en las hem over en voelde weer de woede in hun woorden en later de wanhoop en het onbegrip. Ze zagen hun dochter nooit meer. Hij zag zijn geliefde nooit meer.

Ilona was spoorloos verdwenen.

Hij zuchtte diep, zoals altijd als hij zichzelf toestond diep af te dalen in zijn pijnlijkste herinnering. Het maakte niet uit of de jaren verstreken, het verlangen bleef even pijnlijk, het gemis even onbegrijpelijk. Hij durfde er tegenwoordig niet meer over na te denken welk lot zij had ondergaan. Vroeger had hij zichzelf eindeloos gekweld met gedachten aan wat er met haar gebeurd kon zijn na haar arrestatie. Hij zag de verhoringen voor zich. Hij zag de cel voor zich naast het kantoortje in het hoofdkwartier van de Geheime Dienst. Had ze daar gezeten? Hoe lang? Was ze bang geweest? Had ze gevochten? Had ze gehuild? Was ze geslagen? Hoe lang was ze daar of waar ze in eerste instantie werd vastgehouden, gebleven? En natuurlijk de belangrijkste vraag van allemaal: wat was er van haar geworden?

Jarenlang hadden die vragen door zijn hoofd gespookt. Hij kwam aan weinig anders toe in zijn leven. Hij trouwde niet en kreeg geen kinderen. Hij probeerde zolang als hij kon in Leipzig te blijven, maar hij studeerde niet langer en vanwege een conflict met de politie en de studentenvereniging, kreeg hij geen beurs meer. Hij probeerde een foto van Ilona en een bericht over haar wederrechtelijke arrestatie in het blad van de vereniging en in kranten in de stad te plaatsen, maar niemand wilde naar hem luisteren en uiteindelijk werd hij het land uitgezet.

Er werd veel duidelijk toen hij later las over de omstandigheden van dissidenten in Oost-Europa in deze periode. Ze zou in handen kunnen zijn gevallen van de politie in Leipzig of Oost-Berlijn, waar het hoofdkwartier van de Geheime Dienst zat, of naar een gevangenis zijn overgebracht, zoals kasteel Hoheneck, en daar zijn gestorven. Dat was de grootste vrouwengevangenis voor politieke gevangenen in Oost-Duitsland. Een andere beruchte gevangenis voor dissidenten was Bautzen II, de Gele Ellende genoemd, omdat de stenen van de muren geel waren. Daarheen werden gevangenen gebracht die voor 'misdaden tegen de staat' waren veroordeeld. Veel dissidenten werden na hun eerste arrestatie weer vrijgelaten. Dat werd dan als een waarschuwing gezien. Anderen werden na een kort verblijf in de gevangenis zonder enige vorm van proces vrijgelaten. Sommigen werden gevangengezet en kwamen vele jaren later weer vrij, anderen nooit. De ouders van Ilona hebben nooit bericht ontvangen van de dood van hun dochter en ze leefden jarenlang in de hoop dat ze zou terugkomen, maar dat gebeurde nooit. Hoe ze ook aandrongen bij de regeringen van Hongarije en Oost-Duitsland, ze kregen nooit enige verklaring of ze nog in leven was of niet. Het was gewoon of ze nooit bestaan had.

Hij kreeg bijzonder weinig steun, een buitenlander in een maatschappij die hij niet goed kende en nog minder begreep. Hij voelde goed tot hoe weinig hij in staat was tegen de mensen die de macht hadden, voelde hoe machteloos hij was toen hij van instantie naar instantie liep, van de ene politiecommissaris naar de andere. Hij weigerde het op te geven. Weigerde als antwoord te accepteren dat het mogelijk was dat mensen als Ilona opgepakt werden omdat ze ideeën hadden die de machthebbers niet bevielen.

Hij vroeg Karl keer op keer wat er precies gebeurde toen Ilona werd gearresteerd. Hij was er als enige getuige van toen de politie bij haar thuiskwam. Karl kwam een poëziebundel halen van een jonge, Hongaarse schrijver van de oppositie die Ilona in het Duits had vertaald en die ze hem wilde lenen.

"En wat gebeurde er toen?" vroeg hij Karl voor de duizendste keer toen hij samen met Emil tegenover hem zat in de koffiekamer van de universiteit. Er waren drie dagen voorbij sinds haar verdwijning en er bestond nog hoop dat ze werd vrijgelaten en hij verwachtte nog dat ze elk moment contact met hem zou opnemen, dat ze misschien wel op datzelfde moment de koffiekamer zou binnenlopen. Hij keek steeds naar de deur. Hij was verdoofd door de zorgen.

"Ze vroeg of ik thee wilde", zei Karl. "Ik zei ja en zij zette water op."

"Waar praatten jullie over?"

"Gewoon, niks, over de boeken die we lazen."

"Wat zei ze?"

"Niks. Het was gewoon zo'n kletspraatje over niks. We hadden het over niets bijzonders. We wisten niet dat ze kort daarna gearresteerd zou worden."

Karl keek verdrietig voor zich uit.

"Ilona was een vriendin van ons allemaal", zei hij. "Ik begrijp het niet. Ik begrijp niet wat er aan de hand is."

"En toen? Wat gebeurde er?"

"Er werd op de deur geklopt", zei Karl.

"Ja."

"De buitendeur. We waren in haar kamer, in jullie kamer bedoel ik. Ze bonkten hard en riepen iets wat we niet konden verstaan. Ze liep naar de deur en ze sprongen naar binnen zodra ze opendeed."

"Met hoeveel waren ze?" vroeg hij.

"Vijf man, misschien zes, ik herinner het me niet precies, maar zoiets was het. Ze vulden de kamer. Sommigen waren in uniform, net als de agenten op straat. Anderen waren in burger. Een van hen was de baas. Ze gehoorzaamden hem. Ze vroegen haar naam. Of ze Ilona was. Ze hadden een foto. Misschien van de inschrijving van de universiteit. Ik weet het niet. En toen namen ze haar mee."

"Ze hebben alles overhoopgehaald!" zei hij.

"Ze namen wat documenten mee die ze vonden en een paar boeken. Ik weet niet welke", zei Karl.

"Wat deed Ilona?"

"Ze wilde natuurlijk weten welke boodschap ze hadden en vroeg er steeds weer naar. Ik ook. Ze antwoordden haar niet en mij ook niet. Ik vroeg wie ze waren en wat ze wilden. Ze antwoordden niet. Keken niet eens naar mij. Ilona vroeg of ze mocht telefoneren, maar ze weigerden dat. Ze kwamen om haar te arresteren en niets anders."

"Kon je niet vragen waar ze haar naartoe brachten?" vroeg Emil. "Kon je niet iets doen?"

"Dat was niet zo gemakkelijk", zei Karl wanhopig. "Jullie moeten dat begrijpen. We konden niets doen. Ik kon niets doen! Ze kwamen haar halen en dat was het."

"Was ze bang?" vroeg hij.

Karl en Emil keken hem aan met dezelfde uitdrukking op hun gezicht.

"Nee", zei Karl. "Ze was niet bang. Ze was sterk. Ze vroeg waar ze naar zochten en of ze hen kon helpen het te vinden. Toen namen ze haar mee. Ze vroeg mij of ik jou wilde zeggen dat het goed zou komen."

"Wat zei ze?"

"Ik moest je zeggen dat het goed zou komen. Dat zei ze. Dat

ik dat tegen je moest zeggen. Dat alles goed zou komen."

"Zei ze dat?"

"Toen zetten ze haar in een auto. Ze waren met twee auto's. Ik rende erachteraan, maar dat had natuurlijk geen zin. Ze verdwenen om de eerstvolgende hoek. Dat was het laatste wat ik van Ilona zag."

"Wat willen die mannen?" verzuchtte hij. "Wat hebben ze met haar gedaan? Waarom wil niemand me iets vertellen? Waarom krijg ik geen antwoord? Wat zijn ze met haar van plan? Wat kunnen ze met haar doen?"

Tómas zette zijn ellebogen op tafel en sloeg zijn handen voor zijn gezicht.

"Grote God", zuchtte hij. "Wat is er gebeurd?"

"Misschien komt het allemaal goed", zei Emil en hij probeerde hem te troosten. "Misschien is ze nu wel thuis. Misschien komt ze morgen."

Hij keek naar Emil met tranen in zijn ogen. Karl zat zwijgend aan tafel.

"Wisten jullie dat ... nee, natuurlijk hebben jullie dat niet geweten."

"Wat?" zei Emil. "Wat geweten?"

"Ze vertelde het me vlak voor ze werd gearresteerd. Niemand wist het nog."

"Wat wist niemand?" zei Emil.

"Dat ze zwanger was", zei hij. "Ze was er zelf net achter gekomen. We verwachtten samen een kind. Begrijp je dat? Begrijp je hoe afschuwelijk het is? Die verdomde klereoppositie, die vervloekte controle van die verdomde ellendelingen! Wat zijn dat voor mensen? Wat is dat voor volk? Waar strijden die mensen voor? Willen ze een betere wereld bereiken door de een de ander te laten bespioneren? Hoe lang denken ze te kunnen regeren met bedreigingen en angst?"

"Was ze zwanger?" bracht Emil uit.

"Ik had bij haar moeten zijn, Karl, niet jij", zei hij. "Ik zou ervoor gezorgd hebben dat ze haar nooit hadden meegenomen. Nooit."

"Neem je mij dat kwalijk?" zei Karl. "Er was niets wat je kon doen. Ik kon niets doen."

"Nee", zei hij en hij verborg zijn gezicht in zijn handen om zijn tranen te verbergen. "Natuurlijk niet. Natuurlijk kon jij er niets aan doen."

Later, toen hij Leipzig en Oost-Duitsland moest verlaten en op reis ging, zocht hij voor de laatste keer naar Lothar en vond hem in het kantoor van de FDJ op de universiteit. Hij wist nog steeds niets over het lot van Ilona. De angst en de zorgen die hem de eerste dagen en weken hadden voortgedreven in zijn zoektocht naar haar, hadden plaatsgemaakt voor hopeloosheid en somberheid die ondraaglijk zwaar op hem drukten.

Lothar zat in het kantoor te ginnegappen met twee jonge vrouwen die lachten om alles wat hij zei. Ze zwegen toen hij binnenkwam. Hij vroeg Lothar of hij hem even kon spreken.

"Wat is dat nu?" zei Lothar en hij bewoog zich niet. De twee vrouwen keken hem ernstig aan. Alle vrolijkheid was van hun gezicht verdwenen. Het nieuws over de arrestatie van Ilona had zich als een lopend vuurtje verspreid op de universiteit. Ze was afgeschilderd als een bedrieger en er werd gezegd dat ze naar Hongarije was teruggestuurd. Hij wist dat dat een leugen was.

"Ik wil alleen maar even met je praten", zei hij. "Is dat goed?"

"Je weet dat ik niets voor je kan doen", zei Lothar. "Ik heb je dat al gezegd. Laat me met rust."

Lothar wendde zich weer tot de vrouwen en wilde verdergaan met hun grappenmakerij.

"Speelde jij een rol bij de arrestatie van Ilona?" vroeg Tómas en hij ging over in het IJslands.

Lothar draaide zich weer naar hem om en antwoordde hem niet. De vrouwen keken van de een naar de ander.

"Was jij het die opdracht gaf tot haar arrestatie?" zei hij en hij verhief zijn stem. "Was jij het die heeft gezegd dat ze gevaarlijk was? Dat ze haar moesten oppakken? Dat ze antisocialistische ideeën had? Dat ze dissidentenbijeenkomsten leidde? Was jij dat, Lothar? Was dat jouw werk?"

Lothar deed nog altijd of hij hem niet hoorde, maar zei iets tegen de vrouwen en glimlachte schaapachtig. Hij liep naar hem toe en stootte hem aan.

"Wie ben je?" vroeg hij zachtjes. "Vertel me dat eens."

Lothar draaide zich naar hem om en duwde hem weg, liep toen op hem af, greep hem bij zijn revers en duwde hem zo hard tegen de dossierkast die tegen de muur stond dat het dreunde.

"Laat me met rust!" siste Lothar tussen zijn tanden.

"Wat heb je met Ilona gedaan?" vroeg hij met dezelfde rustige stem en hij deed geen poging zich tegen hem te verzetten. "Waar is ze? Zeg het me."

"Ik heb helemaal niets gedaan", siste Lothar. "Laat je nakijken, gestoorde IJslander!"

Toen gooide Lothar hem op de grond en beende het kantoor uit.

Onderweg naar IJsland hoorde hij het bericht dat het leger van de Sovjet-Unie bezig was de opstand die in Hongarije aan de gang was neer te slaan.

Hij hoorde zijn oude wandklok twaalf uur slaan en hij legde de brieven weer terug.

Hij had het nieuws gevolgd op de televisie toen de Berlijnse Muur viel en Duitsland weer werd verenigd. Hij zag op het journaal hoe mensen op de muur klommen en er met hamers en beitels op sloegen, alsof ze de slechtheid die hem had opgericht een lesje wilden leren.

Toen de vereniging van beide Duitslanden een feit was en hij zich er klaar voor achtte, reisde hij naar het voormalige Oost-Duitsland. Het was de eerste keer dat hij terugging na zijn studie daar. Deze keer kostte het hem een halve dag om er te komen. Hij vloog naar Frankfurt en stapte daar op een binnenlandse vlucht naar Leipzig. Vanaf het vliegveld nam hij een taxi die hem naar het hotel bracht. Hij dineerde alleen in het hotel, dat vlak bij het centrum en het universiteitsterrein lag. Er zaten maar weinig mensen in de eetzaal, twee oudere echtparen en een paar mannen van middelbare leeftijd. Waarschijnlijk handelsreizigers, dacht hij. Een van hen knikte naar hem toen hun blikken elkaar kruisten.

's Avonds maakte hij een lange wandeling en hij dacht terug

aan de keer dat hij voor het eerst door de stad liep, toen hij er voor zijn studie aankwam. Wat was de wereld veranderd. Hij liep over het universiteitsterrein. Het studentenhuis, de oude villa, was gerenoveerd en in oorspronkelijke staat teruggebracht. Er zat nu een kantoor in van een grote buitenlandse onderneming. Het oude universiteitsgebouw waar hij gestudeerd had, was in de avondlijke duisternis somberder dan hij het zich herinnerde. Hij liep in de richting van het centrum en kwam bij de Nikolauskirche. Hij was niet katholiek, maar stak een kaarsje aan voor de doden. Hij liep door over de voormalige Karl Marx-Platz en vandaar naar de Thomaskirche en bekeek het standbeeld van Bach, waar ze zo vaak voor hadden gestaan.

Een oude vrouw liep op hem af en bood hem bloemen te koop aan. Hij glimlachte naar haar en kocht een klein boeketje.

Even later liep hij in de richting waar zijn gedachten zo vaak heen waren gedwaald, zowel wakend als slapend. Hij was blij om te zien dat het huis er nog stond. Het was enigszins opgeknapt en binnen brandde licht. Hij durfde niet door de ramen naar binnen te kijken, al wilde hij dat heel graag, maar hij kon wel zien dat er een gezin woonde. Het schijnsel van een televisie kwam uit de richting waar vroeger de kamer van de oude vrouw was die haar familie in de oorlog was kwijtgeraakt. Natuurlijk was binnen alles anders geworden. Misschien had het oudste kind hun kamer wel.

Hij kuste het boeketje, legde het voor de deur en sloeg er een kruisje boven.

Een paar jaar eerder was hij naar Boedapest gevlogen en had hij de bejaarde moeder van Ilona en haar twee broers ontmoet. Haar vader was toen al overleden, zonder iets over het lot van zijn dochter te weten te zijn gekomen.

Hij zat de hele dag bij de oude vrouw en zij liet hem foto's zien van Ilona van toen ze klein was tot aan haar studententijd. De broers, die oud begonnen te worden, net als hijzelf, vertelden hem wat hij al wist, dat hun zoektocht naar antwoorden over het lot van Ilona geen resultaat had opgeleverd. Hij voelde een bitterheid in hun woorden en een verslagenheid die sinds lang in hen huisde.

De dag nadat hij in Leipzig was aangekomen, ging hij naar het voormalige hoofdkwartier van de Geheime Dienst in de stad. Het zat in hetzelfde gebouw als toen hij er studeerde, Dittrichring 24. Nu zaten er geen politieagenten meer achter de balie van de receptie, maar een jonge vrouw, die naar hem glimlachte en hem een folder aanreikte. Hij sprak nog redelijk Duits, groette haar en zei dat hij de stad bezocht en dit gebouw graag wilde bezichtigen. Er waren kennelijk meer mensen met hetzelfde doel, die in en uit de niet afgesloten, geopende kamers liepen, alles zonder commentaar. De jonge vrouw hoorde aan zijn Duits dat hij een buitenlander was en vroeg waar hij vandaan kwam; hij vertelde haar dat. Ze vertelde dat er een museum in het oude Stasi-kantoor was ingericht. Hij was welkom om de lezing bij te wonen die op het punt stond te beginnen en daarna het gebouw te bekijken. Ze ging hem voor de gang in, waar rijen stoelen waren neergezet. Enkele waren bezet. Andere toehoorders stonden tegen de muur geleund. De lezing ging over gedetineerde schrijvers uit de groep dissidenten in de jaren zeventig.

Toen de lezing was afgelopen, liep hij het kantoortje binnen met de kleine nis waar Lothar en de man met de zware snor hem onder druk hadden gezet. De cel ernaast stond open en hij ging naar binnen. Hij besefte dat Ilona hier misschien geweest was. Er stonden allerlei tekens en graffiti op de muren van de cel, ingekrast met een lepel, leek het wel.

Hij had officieel toestemming gevraagd om documenten te mogen inzien bij instantie die na de Val van de Muur was ingesteld en die de Stasi-archieven bewaarde. Er waren mensen die hielpen bij het zoeken naar wat er van verdwenen geliefden was geworden of het terugvinden van dossiers met inlichtingen over jezelf, verzameld bij buren, collega's, vrienden en familieleden. Journalisten, onderzoekers en mensen die recht meenden te hebben op informatie, konden om toegang vragen en hij had dat vanuit IJsland gedaan met brieven en telefoontjes. Hij moest steeds weer goede argumenten geven waarom hij de inlichtingen nodig had en waarnaar hij precies zocht. Hij wist dat er duizenden grote, bruine postzakken vol bewaarde inlichtingen door de papierversnipperaar waren gegaan in de laatste dagen van het Oost-Duitse bewind en dat er mensen bezig waren deze weer aan elkaar te lijmen. De omvang van die documenten was schrikbarend.

Zijn reis naar Duitsland leverde geen resultaat op. Hij vond geen spoor van Ilona, waar hij ook zocht. Men zei hem dat de inlichtingen over haar waarschijnlijk vernietigd waren. Mogelijk was ze overgebracht naar een werkkamp of een gevangenis in de voormalige Sovjet-Unie. Dan was er in Moskou nog een kans om iets over haar te vinden. Mogelijk was ze gestorven in handen van de politie in de stad of in Berlijn, als ze daarheen was gestuurd.

Hij vond ook niets in de oude documenten van de Stasi over de bedrieger die zijn geliefde had verkocht aan de Geheime Dienst.

Nu zat hij te wachten tot de politie hem kwam halen. Hij had dat de hele zomer gedaan en een groot deel van de herfst en nog was er niets gebeurd. Hij was ervan overtuigd dat de politie vroeg of laat bij hem zou aankloppen en hij vroeg zich soms af hoe hij zou reageren. Zou hij alles ontkennen en doen alsof zijn neus bloedde? Het hing er waarschijnlijk van af wat ze in handen hadden. Hij had er geen idee van wat dat kon zijn, maar stelde zich voor dat als ze de weg naar zijn huis eenmaal hadden gevonden, ze goed waren voorbereid.

Hij staarde voor zich uit en ging weer terug naar de jaren in Leipzig.

Drie woorden uit de laatste ontmoeting met Lothar stonden tot op deze dag in zijn geheugen gegrift en zouden dat altijd blijven. Drie woorden die alles zeiden.

Laat je nakijken.

29

Erlendur en Elínborg hadden hun bezoek niet aangekondigd en wisten maar heel weinig van de man die ze zouden ont- moeten, behalve dat hij Hannes heette en ooit in Leipzig had gestudeerd. Hij had een klein hotel in Selfoss en kweekte toma- ten. Ze wisten waar hij woonde, reden er rechtstreeks naartoe en parkeerden hun auto voor een eengezinswoning met één verdieping die er hetzelfde uitzag als alle andere huizen in dit plaatsje, behalve dat het lang niet was geverfd en er beton was gestort op de plek waar waarschijnlijk een garage had moeten staan. De tuin rond het huis was goed onderhouden, met strui- ken, bloemen en een vogelhuisje.

In de tuin stond een man van vermoedelijk in de zestig, te worstelen met een grasmaaimachine. Hij wilde niet starten en hij had er duidelijk genoeg van steeds weer aan het koordje te trekken dat als een lange worm terugschoot in zijn holletje zodra het werd losgelaten. De man merkte hen pas op toen ze al bij hem stonden.

"Wat is dat voor een verdomde rotzooi?" vroeg Erlendur. Hij keek neer op de grasmaaimachine en inhaleerde de sigaretten- rook. Hij had een sigaret opgestoken zodra hij uit de auto was gestapt. Elínborg had hem verboden om onderweg te roken. Zijn auto stonk al genoeg.

De man keek op en keek hen om beurten aan, twee onbe- kende mensen in zijn tuin. Hij had een grijze baard en grijs haar dat dun begon te worden, een hoog, intelligent voor- hoofd, dikke wenkbrauwen en bruine, levendige ogen. Hij had een grote bril op zijn neus, die vijfentwintig jaar geleden misschien modieus was geweest.

"Wie zijn jullie?" vroeg hij.

"Ben jij Hannes?" vroeg Elínborg.

De man bevestigde dat, duidelijk niet voorbereid op bezoek, en keek hen met een onderzoekende blik aan.

"Willen jullie tomaten?" vroeg hij.

"Misschien", zei Erlendur. "Is het wat? Elínborg hier is een kenner."

"Heb je in de jaren zestig in Leipzig gestudeerd?" vroeg Elínborg.

De man keek haar aan en antwoordde niet. Het was alsof hij de vraag niet begreep en oprecht niet snapte waarom hij gesteld werd. Elínborg herhaalde hem.

"Wat is er aan de hand?" zei de man. "Wie zijn jullie? Waarom vragen jullie me naar Leipzig?"

"Je ging er in 1952 heen, is het niet?" zei Elínborg.

"Dat klopt", zei de man argwanend. "Waarom vragen jullie daarnaar?"

Elínborg legde hem uit dat het onderzoek van de politie inzake de vondst van het skelet in het Kleifarvatn van de afgelopen lente hen op het spoor had gezet van IJslandse studenten in Oost-Duitsland na de Tweede Wereldoorlog. Het was slechts een van de vele feiten die in deze zaak naar boven waren gekomen, zei ze, zonder het Russische apparaat te noemen.

"Ik ... wat ... ik bedoel ..." zei Hannes aarzelend. "Wat heeft dat te maken met de mensen die in Duitsland waren?"

"Niet zozeer in Duitsland, maar in Leipzig om precies te zijn", zei Erlendur. "We zijn met name geïnteresseerd in een man die Lothar heette. Ken je die naam? Een Duitser. Lothar Weiser."

Hannes keek hem ontzet aan, alsof hij een spook uit zijn tuin zag oprijzen. Hij keek naar Elínborg en toen weer naar Erlendur.

"Ik kan jullie niet helpen", zei hij.

"Het hoeft niet lang te duren", zei Erlendur.

"Helaas", zei Hannes. "Ik ben dat allemaal vergeten. Het is zo lang geleden."

"We zouden het erg plezierig vinden als …" zei Elínborg, maar Hannes viel haar in de rede.

"Ik zou het erg plezierig vinden als jullie zouden oprotten", zei hij. "Ik heb jullie niets te zeggen. Ik kan jullie niet helpen. Ik heb lange tijd niet meer over Leipzig gesproken en ben niet van plan daar weer mee te beginnen. Ik ben het allemaal vergeten en ik weiger daar door jullie over verhoord te worden. Dit heeft niets met mij te maken."

Hij boog zich weer over het startkoord en rommelde wat met de grasmaaimachine. Erlendur en Elínborg keken elkaar aan.

"Waarom denk je dat?" zei Erlendur. "Je weet niet eens wat we je willen vragen."

"Nee, en dat wil ik niet weten ook. Laat me met rust."

"Dit is geen verhoor", zei Elínborg. "Maar als je dat wilt, kunnen we je voor verhoor meenemen. Als je dat beter lijkt."

"Is dit een bedreiging?" zei Hannes en hij keek op van zijn grasmaaier.

"Wat is er tegen om een paar vragen te beantwoorden?" zei Erlendur.

"Ik hoef dat niet te doen als ik het niet wil en ik doe het niet. Goedemiddag."

Elínborg opende haar mond en aan haar gezicht te zien was ze van plan hem eens flink de waarheid te zeggen, maar voor het zover was, greep Erlendur in en schoof haar in de richting van de auto.

"Als hij denkt dat hij daarmee wegkomt, met zulke nonsens …" begon Elínborg toen ze in de auto stapten, maar Erlendur viel haar in de rede.

"Ik probeer hem over te halen en als dat niet lukt, kunnen we hem altijd nog laten ophalen", zei hij.

Hij stapte uit de auto en liep weer naar Hannes. Elínborg keek hem na. Hannes had de grasmaaimachine aan de praat gekregen en begon te maaien. Hij wilde Erlendur opzij duwen, maar deze hield hem tegen en zette de machine uit.

"Het was me eindelijk gelukt hem aan de praat te krijgen!" riep Hannes. "Wat heeft dit te betekenen?"

"Wij moeten dit doen", zei Erlendur kalm, "ook al vinden we

het allebei niet leuk. Dat is nou eenmaal niet anders. We kunnen het nu doen en het snel afhandelen of we sturen een auto om je op te halen. En het kan heel goed zijn dat je ons dan nog niets vertelt, maar dan sturen we de volgende dag weer een auto en de dag daarna, net zolang tot je een goede bekende van ons bent geworden."

"Ik laat me niet koeioneren!"

"Ik ook niet", zei Erlendur.

Ze stonden tegenover elkaar met de maaimachine tussen hen in. Geen van beiden wilde toegeven. Elínborg zat in de auto naar de twee kemphanen te kijken, schudde haar hoofd en dacht: mannen!

"Goed", zei Erlendur. "Dan zien we je in Reykjavík!"

Hij draaide zich om en begon naar de auto te lopen. Hannes keek hem met een woedende blik na.

"Komt dat bij jullie in een proces-verbaal te staan?" riep hij Erlendur achterna. "Als ik met jullie praat?"

"Ben je bang voor een proces-verbaal?" zei Erlendur en hij draaide zich om.

"Ik wil niet dat er iets van mij wordt vastgelegd. Ik wil niet dat er een dossier over mij of over wat ik zeg bestaat. Ik wil geen spionage meer."

"Dat komt goed uit", zei Erlendur. "Daar heb ik ook een hekel aan."

"Ik heb daar tientallen jaren niet meer over gesproken", zei Hannes. "Ik wilde het vergeten."

"Wat wilde je vergeten?"

"Het was een rare tijd", zei Hannes. "Ik heb Lothars naam lang niet meer gehoord. Wat heeft hij te maken met het skelet in het Kleifarvatn?"

Erlendur keek hem aan zonder te antwoorden en na een poosje herstelde Hannes zich en zei dat het misschien beter was als ze binnenkwamen. Erlendur knikte en gebaarde naar Elínborg.

"Mijn vrouw is vier jaar geleden overleden", zei Hannes toen hij de deur opende. Hij vertelde dat zijn kinderen hem soms met de kleinkinderen kwamen opzoeken tijdens een zondags uitstapje naar de bergen, maar verder leefde hij rustig en ging het hem goed. Ze vroegen naar zijn gezondheid en of hij al lang in Selfoss woonde en hij zei dat hij er zo'n twintig jaar geleden naartoe was verhuisd. Daarvóór was hij ingenieur geweest in een grote fabriek en had hij bij de energiecentrales gewerkt, maar hij had zijn interesse in dat werk verloren en was uit Reykjavík naar deze plaats vertrokken, waar het hem goed beviel.

Hij bracht hun koffie in de woonkamer en Erlendur vroeg naar Leipzig. Hannes probeerde hun uit te leggen hoe het was om daar halverwege de jaren vijftig te studeren, maar voor hij er erg in had, zat hij hun te vertellen over de tekorten, het vrijwilligerswerk en het puinruimen, de demonstraties op de Dag van de Republiek, Ulbricht, de verplichte voordrachten over het socialisme, de gesprekken van de IJslandse studenten over het socialisme zoals ze dat in Leipzig ervoeren, de partijvijandige activiteiten, de studentenvereniging Freie Deutsche Jugend, de Sovjetmacht, de planeconomie, de kolchozen en het staatstoezicht dat moest voorkomen dat iemand andere ideeën kreeg en elke vorm van oppositie de kop in moest drukken. Hij vertelde over de vriendschap die binnen de IJslandse groep ontstond, de ideeën waarover ze praatten, over het socialisme als antwoord op het kapitalisme.

"Ik geloof niet dat het dood is", zei Hannes alsof hij tot een conclusie was gekomen. "Ik geloof dat het nog erg sterk is, maar anders dan wij dachten. Het socialisme maakt het dragelijker voor ons om met het kapitalisme te leven."

"Je bent nog altijd socialist?" zei Erlendur.

"Dat ben ik altijd geweest", zei Hannes. "Het socialisme heeft niets te maken met die ongegeneerde slechtheid die Stalin ervan gemaakt heeft of die absurde tirannie die zich in Oost-Europa ontwikkelde."

"Maar namen ze niet allemaal deel aan de lofzangen, aan dat grote bedrog?" zei Erlendur.

"Dat weet ik niet", zei Hannes. "Ik deed dat in elk geval niet, toen ik had gezien hoe het socialisme in de praktijk werd gebracht in Oost-Duitsland. Ik werd er nota bene weggestuurd omdat ik niet meegaand genoeg was. Omdat ik niet wilde meedoen aan die controlemaatschappij die ze daar hadden, werd er meteen gezegd dat ik een dissident was. Ze vonden het goed dat kinderen hun ouders bespioneerden en ze verklikten als ze afweken van de partijlijn. Dat heeft niets met socialisme te maken. Dat is angst om de macht kwijt te raken. Wat natuurlijk uiteindelijk toch gebeurde."

"Wat bedoel je met meedoen?" vroeg Erlendur.

"Ze wilden dat ik mijn maats bespioneerde, de IJslanders op de universiteit. Ik weigerde. Er was in mij verzet gegroeid door allerlei andere dingen die ik daar zag en hoorde. Ik ging niet naar de verplichte voordrachten. Ik verzette me tegen het systeem. Natuurlijk niet openlijk, omdat je je vanzelfsprekend niet hardop verzette, maar je besprak de slechte kanten van het systeem in kleine groepjes die je vertrouwde. Er bestonden verzetsgroepen in de stad, jonge mensen die elkaar in het geheim ontmoetten. Ik kende ze wel. Hebben jullie Lothar in het Kleifarvatn gevonden?"

"Nee", zei Erlendur. "Of liever gezegd ... we weten niet wie het is."

"Wie zijn zij?" vroeg Elínborg. "Wie vroegen je om je vrienden te bespioneren?"

"Lothar Weiser bijvoorbeeld", zei Hannes.

"Waarom hij?" vroeg Elínborg. "Weet je dat?"

"Officieel studeerde hij, maar hij studeerde helemaal niet en ging zijn eigen gang. Hij sprak vloeiend IJslands en het was duidelijk dat hij daar in opdracht van de partij of de studentenvereniging zat, wat op hetzelfde neerkwam. Het was een van zijn taken om de studenten in de gaten te houden en ze tot medewerking te bewegen."

"Medewerking aan?" vroeg Elínborg.

"Dat kon van alles zijn", zei Hannes. "Als je wist dat iemand anders naar westerse radio-uitzendingen luisterde, dan liet je dat weten aan een vertegenwoordiger van de FDJ. Als iemand vertelde dat hij geen zin had in puinruimen of ander vrijwilligerswerk, dan werd dat doorverteld. Er waren ook ernstiger vergrijpen, zoals wanneer iemand het waagde antisocialistische ideeën te verkondigen. Als iemand de demonstraties op de Dag van de Republiek oversloeg, was dat ook een uiting van verzet in plaats van gewoon luiheid. Ook als je niet naar de volstrekt nutteloze voordrachten van de FDJ over de waarde van het socialisme ging. Dat werd allemaal nauwkeurig in de gaten gehouden en Lothar was een van de mensen die dat deden. We werden opgejut om onze buren te verklikken. Je was eigenlijk geen goede socialist als je niet wat te melden had."

"Kan Lothar andere IJslanders hebben gevraagd om hem informatie te geven?" vroeg Erlendur. "Kan het zijn dat hij anderen gevraagd heeft om onder hun vrienden te spioneren?"

"Het is geen vraag of hij dat gedaan heeft, daar ben ik van overtuigd", zei Hannes. "Ik kan me voorstellen dat hij bij iedereen langs is geweest en het geprobeerd heeft."

"En?"

"En niks."

"Bestond er een speciale beloning voor deze samenwerking of was het liefdewerk?" vroeg Elínborg. "Om je buren te bespioneren?"

"Er bestond een heel beloningssysteem voor degenen die die mensen in de gaten wilden houden. Soms kreeg een slechte student die recht in de lijn was en politiek correct, hogere cijfers dan een uitstekende student die niet politiek correct was. Zo was het systeem. Als een ongewenste leerling van de universiteit werd geschopt, zoals ik op het eind, was het heel belangrijk om je positie in de partij te definiëren en zo je standpunten te laten zien. Studenten konden zich opwerken door stelling te nemen tegen overtreders en zo laten zien dat ze trouw waren en de algemene lijn volgden, zoals dat heette. De Freie Deutsche Jugend zag erop toe dat de discipline gehandhaafd bleef. Het was de enige studentenvereniging die was toegestaan en die had veel macht. Het maakte een slechte indruk als je niet lid was. Het maakte een slechte indruk als je niet naar de voordrachten ging."

"Je zei dat er groepen dissidenten bestonden", zei Erlendur. "Wat …?"

"Ik weet niet eens of je ze wel dissidenten kon noemen", zei

Hannes. "Het waren meestal jongeren die bijeenkwamen om naar westerse radiostations te luisteren en te praten over Elvis en West-Berlijn, waar velen wel eens geweest waren, soms ook over geloofszaken. Ze stelden niet zoveel voor. Maar goed, er bestonden ook andere, echte dissidenten die wilden vechten voor veranderingen, een echte democratie, vrijheid van meningsuiting. Zij werden hard aangepakt."

"Je zei dat bijvoorbeeld Lothar Weiser je had gevraagd om te spioneren. Waren er dan nog anderen als hij?" vroeg Erlendur.

"Ja, vanzelfsprekend", zei Hannes. "Het was een uitgebreide controlemaatschappij, zowel op de universiteit als onder de gewone burgers. En de mensen waren bang voor de controle. Rechtlijnige mensen deden er uit overtuiging aan mee, mensen die twijfelden, probeerden eraan te ontkomen en ermee te leven, maar ik denk dat meer mensen dan ik vonden dat het in strijd was met alles waar het socialisme voor stond."

"Ken je iemand die mogelijk voor Lothar heeft gewerkt, iemand uit de groep IJslanders?"

"Waarom willen jullie dat weten?" vroeg Hannes.

"We moeten weten of hij contact had met IJslanders toen hij hier in de jaren zestig handelsvertegenwoordiger was", zei Erlendur. "Dat is een gewone gang van zaken. We willen niet spioneren, alleen inlichtingen verzamelen vanwege dat skelet."

Hannes keek hen om beurten aan.

"Ik ken geen enkele IJslander die dit spel meespeelde, behalve misschien Emil", zei hij. "Ik denk dat hij een dubbelrol speelde. Ik heb dat wel eens tegen Tómas gezegd toen hij dezelfde vraag stelde. Maar dat was veel later. Hij zocht me toen op en vroeg me precies hetzelfde."

"Tómas?" zei Erlendur. Hij kende de naam van de lijst met studenten in Oost-Duitsland. "Heb je nog contact met mensen die ook in Leipzig gestudeerd hebben?"

"Nee, dat heb ik niet en dat heb ik ook nooit gehad", zei Hannes. "Maar Tómas en ik zijn allebei van de universiteit verwijderd. Hij kwam net als ik naar huis voor hij zijn studie had afgerond. Hij moest weg uit Leipzig. Hij zocht me op toen hij weer in IJsland was en vertelde me over zijn vriendin, een Hongaars meisje dat Ilona heette. Ik kende haar wel. Zij wilde niet bijgeschreven worden in de partijgeschiedenis, om het mild uit te drukken. Ze kwam uit een andere omgeving. Het was in die periode veel vrijer in Hongarije. De jongeren kwamen voor hun mening uit tegen de Sovjetmacht die het toen in heel Oost-Europa voor het zeggen had."

"Waarom praatte hij met jou over haar?" vroeg Elínborg.

"Hij was een gebroken man, toen hij bij me kwam", zei Hannes. "Een schaduw van zichzelf. Ik herinnerde me hem als zelfvoldaan, zelfverzekerd en vol van het socialistische ideaal. Hij had ervoor gevochten. Kwam uit een verstokt vakbondsgeslacht."

"Waarom was hij een gebroken man?"

"Omdat ze verdwenen is", zei Hannes. "Ilona werd in Leipzig gearresteerd en is nooit meer teruggezien. Hij was daar volkomen kapot van. Hij vertelde me dat Ilona zwanger was toen ze verdween. Vertelde me dat met tranen in zijn ogen."

"En later kwam hij dus bij je terug?" vroeg Erlendur.

"Dat was wel gek, ja. Dat hij zoveel jaren later terugkwam en daar weer over begon. Ik was het eigenlijk net allemaal een beetje vergeten, maar het was duidelijk dat Tómas helemaal niets vergeten was. Hij wist alles nog. Elk klein detail, alsof het gisteren gebeurd was."

"Wat wilde hij?" vroeg Elínborg.

"Hij vroeg naar Emil", zei Hannes. "Of hij misschien voor Lothar had gewerkt. Of er een nauwe samenwerking tussen hen was geweest. Ik weet niet waarom hij dat aan mij vroeg, maar ik vertelde hem dat ik er bewijs voor had dat Emil van plan was om bij Lothar in een goed blaadje te komen."

"Wat voor bewijs?" vroeg Elínborg.

"Emil was een slechte student en had eigenlijk niets te zoeken op de universiteit, maar hij was een goede socialist. Alles wat we zeiden ging linea recta naar Lothar en Lothar zorgde ervoor dat Emil goede resultaten behaalde en goede cijfers. Tómas en Emil waren goede vrienden."

"Welke bewijzen had je?" herhaalde Erlendur.

"De hoogleraar techniek vertelde het me toen we afscheid

namen. Nadat ik was weggestuurd. Hij vond het heel erg dat ik mijn studie niet mocht afmaken. Hij zei dat het onder de docenten algemeen bekend was. Docenten waren niet erg blij met studenten als Emil, maar ze konden niets doen. Ze waren ook niet enthousiast over mannen als Lothar. De hoogleraar vertelde me dat Emil heel belangrijk voor Lothar moest zijn, omdat er nauwelijks slechtere studenten bestonden, maar Lothar had het bestuur van de universiteit verzocht hem niet te laten zakken. Dat liep via de FDJ, maar Lothar zat erachter."

Hannes zweeg.

"Emil was de hardste van ons allemaal", zei hij toen. "Een spijkerharde communist en stalinist."

"Waarom ..." begon Erlendur, maar Hannes praatte door alsof hij ergens anders was, weer terug in Leipzig toen hij een jonge student was.

"Je verwacht dat helemaal niet", zei hij en hij staarde voor zich uit. "Dat hele systeem. We kregen te maken met absolute partijmacht, angst en dwang. Sommigen probeerden het hier ook in te voeren toen ze weer thuis waren, maar het lukte niet. Ik heb altijd gevonden dat het socialisme daar in Oost-Duitsland een soort voortzetting van het nazisme was. De mensen zaten natuurlijk onder de plak van de Sovjets, maar ik heb altijd het gevoel gehad dat het socialisme daar gewoon een andere vorm was van het nazisme."

30

Hannes herstelde zich en keek hen beurtelings aan. Ze voelden beiden dat hij het moeilijk vond om over de tijd te praten dat hij student was in Leipzig. Hij leek niet gewend te zijn om herinneringen daaraan op te halen. Erlendur had hem ertoe gedwongen.

"Is er nog iets wat jullie moeten weten?" vroeg hij.

"Die Tómas komt jaren nadat hij uit Leipzig was vertrokken en vraagt jou naar Emil en Lothar, en jij vertelt hem dat je er zeker van bent dat ze hebben samengewerkt", zei Erlendur. "Emil had meegewerkt aan die allesomvattende controle over de studenten."

"Ja", zei Hannes.

"Waarom vroeg hij naar Emil en wie is die Emil?"

"Hij vertelde me dat niet en ik weet maar heel weinig over Emil. Het laatste wat ik van hem weet, is dat hij in het buitenland woont. Ik denk dat hij altijd in het buitenland gebleven is sinds we in Duitsland waren. Hij is denk ik nooit meer naar huis teruggegaan. Ik ben een paar jaar geleden een van de studenten uit Leipzig tegengekomen, Karl. Hij was op vakantie in Skaftafell, net als ik; we haalden herinneringen op en hij vertelde me dat hij dacht dat Emil besloten had na zijn studie in het buitenland te blijven. Hij had sindsdien nooit meer iets van hem gehoord of gezien."

"En Tómas? Weet je iets van hem?" vroeg Erlendur.

"Nee, eigenlijk niet. Hij studeerde techniek in Leipzig, maar ik weet niet of hij in dat vak werkzaam is geweest. Hij werd van de universiteit gestuurd. Ik heb hem alleen ontmoet nadat hij uit Duitsland was teruggekomen en die ene keer toen hij me naar Emil kwam vragen."

"Vertel daar eens iets meer over", vroeg Elínborg.

"Er valt niet veel meer over te zeggen. Hij kwam en we praatten samen over vroeger."

"Waarom had hij ineens belangstelling voor die Emil?" vroeg Erlendur.

Hannes keek van de een naar de ander.

"Ik kan maar beter nog wat koffie halen", zei hij en hij stond op.

Hannes vertelde dat hij destijds in een nieuw rijtjeshuis woonde in Vogar. Op een avond was de deurbel gegaan. Toen hij opendeed, stond Tómas op de stoep. Het was herfst en het was buiten koud en guur. De wind deed de bomen in de tuin heen en weer zwaaien en de regen roffelde op het dak. Hannes zag niet meteen wie het was die op bezoek kwam, en hij schrok toen hij Tómas herkende. Zijn verbazing was zo groot dat hij even vergat hem te vragen binnen te komen.

"Neem me niet kwalijk dat ik je stoor", zei Tómas.

"Nee, dat geeft niet", zei Hannes en hij herstelde zich. "Het komt door het weer. Kom binnen, kom erin, alsjeblieft."

Tómas deed zijn jas uit en begroette zijn vrouw en zijn kinderen, die kwamen kijken wie er op bezoek kwam en glimlachte naar hen. Hannes had een klein kantoortje in de kelder en nadat ze koffie hadden gedronken en wat over het weer hadden gepraat, vroeg Hannes hem mee te komen. Hij voelde dat Tómas iets op zijn hart had. Hij was niet rustig, maar zenuwachtig en hij voelde zich duidelijk opgelaten dat hij zomaar binnenviel bij mensen die hij eigenlijk helemaal niet kende. Ze waren in Leipzig geen vrienden geweest. De vrouw van Hannes had hem de naam Tómas nog nooit horen noemen.

Ze haalden een poosje herinneringen op aan de jaren in Leipzig, ze wisten waar sommigen waren terechtgekomen, maar van anderen wisten ze niets. Hannes voelde hoe Tómas eromheen draaide en bedacht dat hij eigenlijk helemaal geen hekel aan hem had. Hij herinnerde zich de eerste keer dat hij hem zag in de bibliotheek van de universiteit. Herinnerde zich zijn beleefde verlegenheid en hoe hij voor zijn ideeën was uitgekomen. Hij was een jonge socialist die zijn ideeën door niets liet overschaduwen.

Hannes wist van de verdwijning van Ilona en dacht terug aan de dag dat Tómas hem opzocht toen hij pas uit Oost-Duitsland was teruggekomen, als een andere man, en hem vertelde wat er gebeurd was. Hij kon niet anders dan medelijden met hem hebben. Hij had Tómas destijds een woedende brief gestuurd, waarin hij hem er de schuld van gaf dat hij uit Leipzig was weggestuurd, maar toen de woede was gezakt en hij eenmaal thuis was, besefte hij dat niet Tómas schuld had, maar hijzelf, omdat hij zich tegen het systeem verzet had. Tómas begon over de brief en zei dat hij zichzelf dat niet kon vergeven. Hannes zei hem dat hij die brief moest vergeten, dat hij in grote boosheid was geschreven en dat er niets van klopte. Ze sloten daar vrede over. Tómas vertelde hem dat hij contact had gehad met de leiders van de partij over Ilona en dat zij beloofd hadden om opheldering te vragen in Oost-Duitsland. Hij kreeg een veeg uit de pan omdat hij uit Leipzig was weggestuurd en omdat hij misbruik had gemaakt van de beurs en het in hem gestelde vertrouwen. Hij had alles toegegeven en enorme spijt getoond. Hij vertelde hun alles wat ze wilden horen. Zijn enige doel was geweest Ilona te helpen. Het was allemaal vergeefs.

Tómas zei dat hij had gehoord dat Ilona en Hannes ooit bij elkaar waren geweest en dat Ilona had willen trouwen om uit het land te kunnen komen. Hannes zei dat hij dat voor het eerst hoorde. Hij vertelde dat hij een keer naar een bijeenkomst was gegaan en Ilona had gezien, maar dat hun enige contacten politiek van aard waren.

En nu zat Tómas weer bij hem thuis. Twaalf jaren waren voorbijgegaan sinds hun laatste ontmoeting. Hij was begonnen over Lothar te vertellen en scheen eindelijk te zijn aangeland bij het doel van zijn komst.

"Ik zou je graag iets willen vragen over Emil", zei Tómas. "Je weet dat we in Duitsland goede vrienden waren."

"Ja, dat weet ik", zei hij.

"Kan het zijn dat Emil een … een bijzondere band met Lothar had?"

Hij knikte. Hij wilde mensen niet zwartmaken, maar er bestond geen vriendschap tussen hem en Emil, en hij dacht te weten hoe Emil in elkaar zat. Hij vertelde Tómas wat de hoogleraar hem had gezegd over Emil en Lothar. Hoe dat een bevestiging was geweest van iets wat hij al vermoedde. Dat Emil een grote rol had gespeeld in de onderlinge spionage en zijn trouw aan de studentenvereniging en de partij had uitgebuit.

"Heb je er ooit aan gedacht dat Emil betrokken was bij jouw schorsing?" vroeg Tómas.

"Dat was onmogelijk vast te stellen. Iedereen kon hebben gekletst tegen de FDJ, en meer dan één of meer dan twee. Ik heb het jou verweten, zoals je heel goed weet. Ik schreef je die brief. Het wordt zo moeilijk om met mensen te praten, omdat je niet weet wat je kunt zeggen. Maar ik heb daar niet meer over nagedacht. Het is lang geleden. Vergeten. Zand erover."

"Weet je dat Lothar hier in IJsland is?" vroeg Tómas opeens.

"Lothar? Hier? Nee."

"Hij doet iets bij de Oost-Duitse ambassade, werkt daar of zo. Ik kwam hem toevallig tegen of beter gezegd, ik zag hem. Hij was op weg naar de ambassade. Ik liep over de Ægisíða. Ik woon in Vesturbæ. Hij merkte mij niet op. Hij was een eind van me vandaan, maar het was hem echt in levenden lijve. Hij had me een keer gezegd dat ik me moest laten nakijken toen ik hem beschuldigde van de verdwijning van Ilona, maar ik begreep hem niet. Volgens mij begrijp ik hem nu wel."

Ze zwegen.

Hij keek naar Tómas en voelde hoe eenzaam en hulpeloos die oude studiegenoot in de wereld stond; hij wilde iets voor hem doen.

"Als ik je ergens mee kan helpen … je weet, als ik iets voor je kan doen …"

"Zei die hoogleraar dat? Dat Emil met Lothar samenwerkte en daarvan profiteerde?"

"Ja."

"Weet je wat er van Emil geworden is?" vroeg Tómas.

"Woont hij niet in het buitenland? Ik geloof dat hij na zijn studie niet is teruggekeerd naar IJsland."

Ze zwegen lange tijd.

"Dat verhaal over mij en Ilona waar je het over had, wie vertelde je dat?" vroeg Hannes.

"Dat was Lothar", zei Tómas.

Hannes aarzelde.

"Ik weet niet of ik je dit moet vertellen", zei hij toen, "maar ik hoorde iets anders, vlak voor ik daar wegging. Je was zo van de kaart toen je uit Duitsland kwam dat ik je niet met een kletsverhaal wilde lastigvallen. Het was genoeg geweest. Maar ik heb begrepen dat Emil enorm achter Ilona aan heeft gelopen voordat jullie bij elkaar waren."

Tómas staarde hem aan.

"Dat is wat ik hoorde", zei Hannes en hij zag hoe Tómas wit wegtrok. "Het is misschien wel helemaal niet waar."

"Bedoel je dat ze samen waren voordat Ilona en ik …?"

"Nee, maar hij heeft het wel bij haar geprobeerd. Hij liep alsmaar om haar heen, ging met haar puinruimen en …"

"Emil en Ilona?" bracht Tómas ongelovig uit alsof hij zich dat niet kon voorstellen.

"Hij liep achter haar aan, dat is wat ik hoorde", haastte Hannes zich te zeggen en hij begreep dat hij op zijn woorden moest letten. Hij zag dat hij er nooit over had moeten beginnen. Zag dat aan het gezicht van Tómas.

"Wie heeft je dat gezegd?" vroeg Tómas.

"Ik weet dat niet meer en het hoeft ook niet waar te zijn."

"Emil en Ilona? Dus ze had geen oog voor hem?" zei Tómas.

"Helemaal niet", zei Hannes. "Dat was wat ik hoorde. Ze had geen enkele belangstelling voor hem. En Emil vond dat niet leuk."

Ze zwegen.

"Ilona heeft het daar nooit over gehad?"

"Nee", zei Tómas. "Ze praatte daar nooit over."

"En toen vertrok hij weer", zei Hannes en hij keek naar Erlendur en Elínborg. "Ik heb hem daarna nooit meer gezien en weet niet eens of hij nog leeft of niet."

"Dat was een onplezierige ervaring voor jullie, daar in Leipzig", zei Erlendur.

"Het ergste waren die onverdraaglijke verklikkers en dat eeuwige wantrouwen. Maar het was op een bepaalde manier ook heel goed om daar te zijn. We waren misschien niet allemaal zo enthousiast over het glorieuze beeld van het socialisme dat we te zien kregen, maar de meesten probeerden ermee te leven. Sommigen ging dat beter af dan anderen. Het onderwijs was gewoon uitstekend. De kinderen van boeren en arbeiders waren in de meerderheid op de universiteit. Waar is dat ooit vertoond?"

"Waarom kwam Tómas na al die jaren naar je toe en vroeg hij je naar Emil?" zei Elínborg. "Denk je dat hij Emil weer was tegengekomen?"

"Ik weet het niet", zei Hannes. "Hij vertelde me dat niet."

"Die Ilona", zei Erlendur, "is er iets bekend over wat er met haar gebeurd is?"

"Dat geloof ik niet. Het waren rare tijden, vanwege Hongarije, waar de situatie explodeerde. Ze waren niet van plan dat in andere communistische staten nog eens te laten gebeuren. Er was geen ruimte voor meningsverschillen of discussies met de oppositie. Ik denk dat niemand weet wat er met Ilona gebeurd is. Tómas is daar nooit achter gekomen. Tenminste, dat denk ik niet. Ik hou me niet meer bezig met die periode. Ik heb dat lang geleden achter me gelaten en ik vind het naar om erover te praten. Het was een troosteloze tijd. Troosteloos."

"Wie heeft je over Emil en die Ilona verteld?" vroeg Elínborg.

"Hij heette Karl", zei Hannes.

"Karl?" zei Elínborg.

"Ja", zei Hannes.

"Studeerde hij ook in Leipzig?" vroeg ze.

Hannes knikte.

"Ken je IJslanders die iets als een Russisch afluisterapparaat in hun bezit kunnen hebben gehad in de jaren zestig?" vroeg Erlendur. "Kan er een of ander spionagespel aan de gang zijn geweest?"

"Een Russisch afluisterapparaat?"

"Ja, ik kan er niet nader op ingaan, maar schiet je iemand te binnen?"

"Ja, als Lothar hier handelsvertegenwoordiger is geweest, dan komt hij misschien in aanmerking", zei Hannes. "Ik kan me niet voorstellen ... zijn jullie ... jullie hebben het toch niet over IJslandse spionnen, hè?"

"Nee, ik denk dat dat absurd zou zijn", zei Erlendur.

"Zoals ik al zei, ik weet heel weinig van die dingen af. Ik heb nauwelijks contact met mensen die in Leipzig zaten. Ik weet niets van Russische spionagezaken."

"Je hebt zeker geen foto van Lothar Weiser, hè?" vroeg Erlendur.

"Nee", zei Hannes. "Ik heb niet veel souvenirs uit die jaren."

"Die Emil lijkt nogal een geheimzinnige figuur te zijn", zei Elínborg.

"Dat kan wel. Zoals ik toen ook al zei, denk ik dat hij altijd in het buitenland heeft gewoond. Maar ik ... de laatste keer dat ik hem zag ... dat was in dezelfde periode dat Tómas dat vreemde bezoek bij me aflegde. Ik zag Emil ineens voor me opduiken in het centrum van Reykjavík. Ik had hem niet meer gezien sinds Leipzig en ik zag hem maar in een flits, maar ik weet zeker dat het Emil was. Maar zoals ik al zei, ik weet verder niets over hem."

"Je hebt dus niet met hem gesproken?" zei Elínborg.

"Met hem gesproken? Nee, dat kon niet. Hij stapte in een auto en reed weg. Ik zag hem maar heel even, maar ik weet zeker dat hij het was. Ik herinner het me goed, omdat ik me dood schrok toen ik hem opeens zag."

"Weet je nog wat voor auto het was?"

"Wat voor auto?"

"Welk merk, welke kleur?"

"Hij was zwart", zei Hannes. "Maar ik heb geen enkel verstand van auto's. Ik weet alleen nog dat hij zwart was."

"Kan het een Ford geweest zijn?" vroeg Erlendur.

"Dat weet ik niet."

"Een Ford Falcon?"

"Zoals ik al zei, ik weet alleen nog dat hij zwart was."

31

Hij legde de pen op tafel. Hij had geprobeerd om zo duidelijk en precies mogelijk te zijn toen hij de gebeurtenissen in Leipzig en later in IJsland opschreef. Het verhaal telde meer dan zeventig dichtbeschreven blaadjes en hij had er enkele dagen over gedaan om het op te schrijven, maar hij was nog niet klaar. Hij had een beslissing genomen en was daar tevreden mee. Hij had zich verzoend met wat hij wilde gaan doen.

Hij was in het verhaal op het punt aangekomen waarop hij door de Ægisíða liep en Lothar Weiser naar een gebouw zag lopen. Hij herkende Lothar direct, ook al had hij hem zoveel jaren niet meer gezien. Hij was dikker geworden en had een zwaardere tred gekregen, zoals hij daar in alle rust liep en totaal geen aandacht aan hem schonk. Hij stopte abrupt en staarde verbijsterd naar Lothar. Zijn eerste reactie, toen de eerste schok voorbij was, was zich niet te laten zien en hij wendde zich half van hem af en deed zelfs een stap achteruit. Hij zag hoe Lothar een ingang nam aan de zijkant van het gebouw, die zorgvuldig achter zich sloot en vervolgens achter het gebouw verdween. Blijkbaar ging de Duitser via een achterdeur naar binnen. Hij zag een bordje waarop stond dat daar de handelsvertegenwoordiging van de DDR gevestigd was.

Hij stond op de stoep en staarde als verlamd naar het gebouw. Het was midden op de dag en hij had een ommetje gemaakt omdat het goed weer was. Hij gebruikte zijn pauze meestal om even een uurtje naar huis te gaan. Hij werkte bij een verzekeringsmaatschappij in het centrum. Daar had hij de afgelopen twee jaar gewerkt en het beviel hem goed. Hij was er goed in om gezinnen tegen ongevallen te verzekeren. Hij keek op zijn horloge en zag dat hij te laat zou komen.

In de namiddag maakte hij weer een ommetje, zoals hij dat gewoon was. Hij was een gewoontedier en volgde dezelfde straten in Vesturbæ en rond de Ægisíða. Hij liep langzaam en tuurde door de ramen van het gebouw naar binnen en rekende erop Lothar plotseling te zien, maar dat gebeurde niet. Er brandde maar achter twee ramen licht, maar hij zag niets bewegen. Hij wilde weer naar huis gaan toen een zwarte Volga opeens wegreed van een parkeerplaats voor het gebouw en over de Ægisíða verdween.

Hij wist niet wat hij aan het doen was. Hij wist niet waar hij op rekende of waar hij op hoopte. Ook als hij Lothar uit het gebouw zou zien komen, wist hij niet of hij hem moest confronteren of alleen maar volgen. Wat moest hij tegen hem zeggen?

De volgende avonden maakte hij zijn wandeling over de Ægisíða en liep langzaam langs het gebouw en op een avond zag hij drie mannen naar buiten komen. Twee van hen stapten in de zwarte Volga en reden weg en de derde, Lothar, groette hen en liep de Hofsvallagata in, in de richting van het centrum. Het was een uur of acht en hij volgde hem op enige afstand. Lothar liep op zijn gemak over de Túngata de Garðastræti in, helemaal de Vesturgata af en Naustið in.

Hij wachtte twee uur voor een restaurant terwijl Lothar at. Het was in de herfst en de avonden begonnen koud te worden, maar hij had zich stevig ingepakt met een sjaal en een pet met oorkleppen. Hij voelde zich belachelijk in dit kinderlijke spionnenspel van hem. Hij hield zich grotendeels op in de Fischersund en verloor de deur in Naustið niet uit het oog. Toen Lothar eindelijk weer naar buiten kwam, liep hij de Vesturgata af en de Austurstræti in, in de richting van Þingholt. Hij bleef staan bij een schuur in een achtertuin aan de Bergstaðastræti, niet ver van Hotel Holt. De deur van de schuur ging open en iemand liet Lothar binnen. Hij zag niet wie het was.

Hij kon zich niet voorstellen wat er gaande was en nieuws-gierigheid dreef hem aarzelend in de richting van de schuur. De straatverlichting kwam niet zover en hij schuifelde voor-zichtig dichterbij in het donker. Hij zag dat er een hangslot op de deur zat. Hij sloop naar een raampje in de zijwand van de schuur en tuurde naar binnen. Er brandde een lamp op tafel en in het schijnsel zag hij twee mannen.

Een van de twee boog zich voorover onder de lamp en opeens zag hij wie het was. Hij deinsde achteruit alsof hij een klap in zijn gezicht had gekregen.

Het was zijn oude vriend van de universiteit in Leipzig, die hij al die jaren niet meer had gezien.

Emil.

Hij sloop weer van de schuur weg de straat op en wachtte lang tot Lothar weer naar buiten kwam, gevolgd door Emil. Emil verdween in de duisternis rond de schuur, maar Lothar ging weer op pad, de stad in. Hij achtervolgde de Duitser diep in gedachten verzonken en hij probeerde te begrijpen wat hij gezien had. Hij kon zich niet voorstellen wat de connectie was tussen Emil en Lothar. Hij dacht dat Emil in het buitenland woonde. Hij wist echter nauwelijks iets over zijn jaargenoot uit Leipzig.

Hij bleef er maar over nadenken, maar kwam er niet uit. Uit-eindelijk besloot hij Hannes op te zoeken. Hij had dat één keer eerder gedaan, direct nadat hij was thuisgekomen uit Oost-Duitsland, om hem over Ilona te vertellen. Misschien wist Hannes iets over Emil en Lothar.

Lothar verdween in het gebouw aan de Ægisíða. Hij wachtte nog een tijdje op gepaste afstand voor hij weer naar huis ging, en opeens kwam die onaangename en onbegrijpelijke uit-spraak weer in zijn gedachten die de Duitser tijdens hun laat-ste ontmoeting had gedaan: Laat je nakijken.

32

Toen ze terugreden van Selfoss praatten Erlendur en Elínborg over wat Hannes hun had verteld. De avond was gevallen en er was weinig verkeer op de Hellisheiði. Erlendur dacht aan de zwarte Falcon. Er konden er in die jaren niet veel in de straten van de stad gereden hebben. Toch was de Falcon populair; dat had Teddi, de man van Elínborg, hem verteld. Hij dacht aan die Tómas, die zijn geliefde in Oost-Duitsland was kwijtgeraakt. Ze moesten hem bij de eerste gelegenheid die zich voordeed, opzoeken. Hij wist nog niet hoe hij het lijk in het Kleifarvatn in verband moest brengen met die studenten in Leipzig in de jaren zestig. Hij dacht aan Eva Lind, die afgleed naar de ondergang zonder dat hij er iets aan kon doen, en aan Sindri, zijn zoon die hij helemaal niet kende. Al die dingen spookten door zijn hoofd zonder dat hij orde in zijn gedachten kon aanbrengen. Elínborg wierp een blik op hem en vroeg waaraan hij dacht.

"Niets", zei hij.

"Er is iets", zei Elínborg.

"Nee", zei Erlendur. "Er is niets."

Elínborg haalde haar schouders op. Erlendur dacht aan Valgerður. Hij had al een paar dagen niets van haar gehoord. Hij wist dat ze tijd nodig had en hij had zelf ook geen haast. Hij wist niet wat ze in hem zag. Dat was hem een raadsel. Hij had geen idee wat Valgerður zag in een eenzame, zwaarmoedige kerel in een verduisterde flat. Hij vroeg zich soms af waaraan hij haar vriendschap eigenlijk te danken had.

Hij wist daarentegen heel precies wat hij leuk vond aan Valgerður. Dat had hij vanaf het eerste moment geweten. Zij was ongeveer alles wat hij niet was en graag wilde zijn. Zij was op alle fronten zijn tegenpool. Knap, vriendelijk en vrolijk. Ondanks de problemen die ze ondervond in haar huwelijk en waarvan hij wist dat ze een grote invloed op haar hadden, probeerde ze zich er niet door uit het veld te laten slaan. Ze zag altijd de positieve kanten van haar problemen en het was voor haar onmogelijk om iemand te haten of een hekel aan iemand te hebben. Ze liet niemand een schaduw werpen op haar levenshouding die mild en vergevingsgezind was. Zelfs haar man niet, die volgens Erlendur erg dom moest zijn om een vrouw als Valgerður te bedriegen.

Erlendur wist heel goed wat hij in haar zag. Hij leefde helemaal op als hij bij haar was.

"Vertel me eens waar je aan denkt", vroeg Elínborg. Ze verveelde zich.

"Niets", zei Erlendur. "Ik denk nergens aan."

Ze schudde haar hoofd. Erlendur was nogal somber geweest die zomer, al had hij vanwege het werk meer tijd met hen doorgebracht dan anders. Sigurður Óli en zij hadden het erover gehad en ze dachten dat hij terneergeslagen was vanwege Eva Lind, met wie hij nauwelijks meer contact had. Ze wisten dat hij zich grote zorgen om haar maakte en had geprobeerd haar te helpen, maar het was of er met die meid geen land te bezeilen viel. Ze was een arme stakker, zei Sigurður Óli steeds weer. Elínborg had twee of drie keer geprobeerd met Erlendur te praten over Eva en gevraagd of het niet goed ging met haar, maar hij had haar afgewimpeld.

Ze zaten zwijgend bij elkaar tot Erlendur voor het huis van Elínborg halt hield. Ze stapte niet direct uit de auto, maar draaide zich naar hem toe.

"Wat is er toch?" vroeg ze.

Erlendur antwoordde haar niet.

"Wat moeten we doen met deze zaak? Moeten we niet met die Tómas praten?"

"Dat moeten we doen", zei Erlendur.

"Zit je aan Eva Lind te denken?" vroeg Elínborg. "Is het om haar dat je zo stil en ernstig bent?"

"Maak je geen zorgen om mij", zei Erlendur. "Ik praat morgen met je." Hij keek haar na toen ze de trap opliep naar haar deur en haar huis in ging. Toen ze verdwenen was, reed hij weg.

Twee uur later, toen Erlendur thuis op een stoel zat en nadenkend het duister in staarde, ging de deurbel. Hij stond op, vroeg wie er was en opende toen de benedendeur door op een knopje te drukken. Hij deed het licht aan in zijn woning, ging naar de voordeur, deed hem open en wachtte. Algauw verscheen Valgerður.

"Je wilt misschien liever alleen zijn?" zei ze.

"Nee, kom binnen", zei hij.

Ze ging voor hem langs naar binnen en hij nam haar jas aan. Ze zag een geopend boek op tafel liggen naast zijn stoel en vroeg wat hij aan het lezen was. Hij zei dat het een boek was over lawines.

"En iedereen komt zeker akelig aan zijn eind", zei ze.

Ze hadden het vaak gehad over zijn interesse in volkskunde en geschiedenis, en boeken over natuurrampen en doden.

"Niet allemaal", zei hij. "Sommigen overleven. Gelukkig maar."

"Is dat de reden dat je boeken leest over doden in de bergen en over lawines?"

"Wat bedoel je?" zei Erlendur.

"Omdat sommigen overleven?"

Erlendur glimlachte.

"Misschien", zei hij. "Ben je nog bij je zus?"

Ze knikte. Ze vertelde dat ze ervan uitging dat ze een advocaat in de arm moest nemen vanwege de scheiding en vroeg Erlendur of hij er een kende. Zelf had ze er nog nooit een nodig gehad. Erlendur bood aan eens te informeren op het politiebureau, waar je struikelde over de advocaten.

"Heb je nog wat van dat groene drankje?" vroeg ze en ze ging op de bank zitten.

Hij knikte en pakte de Chartreuse en twee glazen. Hij herinnerde zich dat hij eens ergens gelezen had dat er dertig verschillende ingrediënten werden gebruikt om de juiste smaak te krijgen. Hij ging naast haar zitten en vertelde haar over al die kruiden.

Zij vertelde hem dat ze haar man eerder die dag gesproken had en dat hij beterschap had beloofd en geprobeerd haar zover te krijgen dat ze weer bij hem kwam wonen. Maar zodra duidelijk werd dat ze vastbesloten was om bij hem weg te gaan, was hij kwaad geworden. Uiteindelijk had hij zijn zelfbeheersing verloren met veel geschreeuw en beledigingen aan haar adres. Ze zaten in een restaurant en hij had haar overladen met verwijten en trok zich er niets van aan dat de andere gasten verbijsterd meeluisterden. Zij was opgestaan en het restaurant uitgelopen zonder achterom te kijken.

Ze zaten zwijgend en dronken hun glas leeg nadat ze de gebeurtenissen van de dag had verteld. Ze vroeg om nog een glas.

"Wat moeten we doen?" zei ze.

Erlendur dronk zijn glas leeg en voelde de drank naar zijn hoofd stijgen. Hij vulde de glazen opnieuw en dacht aan de geur die hij opsnoof toen ze langs hem liep bij de deur. Het was een geur van een zomer uit een ver verleden en het vervulde hem met een wonderlijk gemis dat veel langer bleef hangen dan hij zelf besefte.

"We doen wat we willen", zei hij.

"Wat wil je doen?" vroeg ze. "Je bent zo geduldig geweest en ik begon me af te vragen of het wel geduld was, of het niet gewoon … dat je er eigenlijk niet bij betrokken wilde raken."

Ze zwegen. De vraag hing in de lucht.

Wat wil je doen?

Hij dronk zijn tweede glas leeg. Deze vraag had hij zichzelf gesteld vanaf het moment dat hij haar ontmoette. Hij wist niet dat hij geduldig was geweest. Hij had geen idee wat hij geweest was, behalve dat hij geprobeerd had haar te steunen. Misschien had hij haar niet voldoende aandacht geschonken of was hij niet voldoende betrokken geweest. Hij wist het niet.

"Je wilde niet overhaast ergens aan beginnen", zei hij. "Ik wilde dat ook niet. Er is heel lang geen vrouw in mijn leven geweest."

Hij zweeg. Hij verlangde ernaar haar te vertellen dat hij meestal alleen was geweest op deze plek met zijn boeken en dat hij zich gelukkig voelde nu zij hier bij hem op de bank zat. Ze was zo volstrekt anders dan wat hij gewend was, een heerlijke zomergeur, en hij wist niet hoe hij daarmee om moest gaan. Hoe hij haar moest vertellen dat dat het enige was wat hij wilde en waarvan hij gedroomd had sinds hij haar voor het eerst zag. Bij haar te zijn.

"Ik wilde niet opdringerig zijn", zei hij. "Maar zoiets kost tijd, zeker bij mij. En jij hebt natuurlijk … ik bedoel, het is moeilijk om in een scheiding te zitten …"

Ze zag dat het hem niet gemakkelijk afging om over die dingen te praten. Altijd als het gesprek daarop kwam, werd hij onhandig en aarzelend en zei hij weinig. Hij zei toch al niet zoveel en misschien was dat wel de reden waarom ze zich zo prettig bij hem voelde. Hij was gewoon zichzelf. Hij dikte nooit iets aan. Hij had er waarschijnlijk geen idee van hoe hij zich moest gedragen als hij wilde proberen het op de een of andere manier anders te doen. Hij was volkomen oprecht in alles wat hij zei en deed. Zij voelde dat en het gaf haar een gevoel van veiligheid dat ze zo lang had gemist. Ze vond in hem een man van wie ze wist dat ze hem kon vertrouwen.

"Sorry", zei ze en ze glimlachte. "Ik wilde hier geen moeilijke onderhandelingen over beginnen. Maar soms is het goed om te weten waar je staat. Dat begrijp je wel."

"Volkomen", zei Erlendur en hij voelde de spanning tussen hen afnemen.

"Het heeft tijd nodig en we zullen wel zien", zei zij.

"Ik denk dat dat heel verstandig is", zei hij.

"Mooi", zei ze en ze stond op van de bank. Erlendur stond ook op. Ze praatte nog wat over dat ze haar zoons moest zien, maar hij luisterde niet. Hij dacht aan iets anders. Ze liep naar de deur en hij hielp haar in haar jas, maar ze voelde dat hij ergens over in tweestrijd verkeerde. Ze opende de deur naar de gang en vroeg of er iets niet in orde was.

Erlendur keek haar aan.

"Ga niet weg", zei hij.

Ze bleef op de drempel staan.

"Blijf bij me", zei hij.

Valgerður aarzelde.

"Weet je het zeker?" zei ze.

"Ja", zei hij. "Ga niet weg."

Ze stond bewegingloos en keek hem lange tijd aan. Hij liep naar haar toe, leidde haar weer naar binnen, sloot de deur en hielp haar uit haar jas zonder dat ze ertegen protesteerde.

Ze bedreven de liefde rustig en respectvol, allebei een beetje aarzelend en onzeker in het begin, maar daarna ging het vanzelf. Ze vertelde hem dat hij anders was dan iedere man die ze in haar leven gekend had.

Ze lagen in bed en hij keek naar het plafond en vertelde haar dat hij soms naar het oosten ging, naar de plaats waar hij zijn jeugd had doorgebracht en in het oude huis sliep. Het waren alleen maar kale muren met een half kapot dak en er herinnerde nog maar weinig aan de tijd dat zijn familie daar ooit gewoond had. Toch waren er nog verwijzingen naar dat verdwenen leven. Stukken van een geruite vloerbedekking die hij zich nog goed herinnerde. Kapotte kastjes in de keuken. Vensterbanken waar kleine handjes steun hadden gezocht. Hij zei dat het prettig was om daar te komen en er te gaan liggen met zijn herinneringen en zich weer opgenomen te voelen in een wereld vol licht en rust.

Valgerður kneep in zijn hand.

Hij begon haar het verhaal te vertellen van een jong meisje dat wegliep bij haar moeder zonder precies te weten waarheen. Ze had het niet gemakkelijk gehad, had geen sterke wil en ze wilde zichzelf haar plaats in het leven ontvluchten, wat misschien begrijpelijk was omdat ze nooit gekregen had waar ze het meest naar verlangde. Ze voelde dat er iets ontbrak in haar leven. Het was alsof ze bedrogen was. Ze ploeterde voort met een wonderlijke zelfvernietigingsdrang en zakte daar dieper en dieper in weg tot ze niet verder kon en volkomen vastzat in haar eigen ellende. Toen ze gevonden werd, werd ze teruggebracht naar huis en werd ze verpleegd, maar zodra ze weer op krachten was gekomen, verdween ze opnieuw zonder waarschuwing. Ze zwalkte rond in zware stormen en zocht soms toevlucht in het huis waar haar vader woonde. Hij probeerde voor haar te doen wat hij kon en haar buiten het zware weer te houden, maar zij liet zich nooit iets voorschrijven en vertrok weer alsof er nooit iets anders in haar leven kon bestaan dan ellende.

Valgerður keek naar hem.

"Niemand weet waar ze nu is. Ze is nog in leven, want ik heb nog niet gehoord dat ze dood is. Ik wacht op dat bericht. Ik ben er keer op keer op uitgegaan in dat zware weer om haar te zoeken en ik heb haar gevonden en mee naar huis gesleept en geprobeerd haar te helpen, maar ik betwijfel of iemand haar kan helpen."

"Wees daar niet te zeker van", zei Valgerður na een lange stilte.

De telefoon ging op het nachtkastje. Erlendur keek ernaar en wilde niet opnemen, maar Valgerður zei dat het vast dringend was, omdat het al zo laat in de avond was. Hij zei dat Sigurður Óli zeker weer iets onbenulligs te zeggen had en reikte naar het apparaat.

Het kostte enige tijd voor hij begreep dat de man aan de telefoon Haraldur was. Hij belde vanuit het bejaardenhuis, en vertelde dat hij stiekem het kantoor was binnengedrongen en Erlendur moest spreken.

"Wat wil je van me?" vroeg Erlendur.

"Ik wil je vertellen wat er gebeurd is", zei Haraldur.

"Waarom?" vroeg Erlendur.

"Wil je het weten of niet?" zei Haraldur. "Anders kunnen we het maar beter vergeten."

"Rustig maar", zei Erlendur. "Ik kom morgen naar je toe. Is dat goed?"

"Kom nou maar", zei Haraldur en hij hing op.

33

Hij deed de bladzijden die hij had beschreven in een grote envelop, schreef er iets op en legde hem op zijn bureau. Hij streek even met zijn hand over de envelop en dacht aan het verhaal dat erin werd bewaard. Hij had erg getwijfeld of hij wel moest vertellen wat er was gebeurd, maar was tot de conclusie gekomen dat hij er niet onderuit kon komen. Er waren stoffelijke resten gevonden in het Kleifarvatn. Vroeg of laat zouden de sporen naar hem leiden. Hij wist dat er eigenlijk weinig of geen connectie was tussen hem en de man in het water en dat de politie er een hele klus aan zou hebben om zonder zijn hulp achter de waarheid te komen. Maar hij wilde niet liegen. Als hij niets anders achterliet dan de waarheid, dan was dat genoeg.

Het was prettig geweest om Hannes op te zoeken. Hij had hem vanaf hun eerste ontmoeting gemogen, ook al waren ze het niet altijd eens. Hannes was heel behulpzaam geweest. Hij had een nieuw licht geworpen op het contact van Emil en Lothar en had hem verteld dat Emil en Ilona elkaar gekend hadden voordat hij naar Leipzig kwam, al was daar niet veel over bekend. Dat verklaarde misschien enigszins wat er gebeurd was. Of misschien werd de zaak nog gecompliceerder vanwege die voorgeschiedenis. Hij wist niet wat hij er allemaal van denken moest.

Hij besloot dat hij met Emil moest praten. Hij zou hem naar Ilona vragen en naar Lothar en zijn geheime agenda in Leipzig. Het was niet zeker of Emil alle antwoorden had, maar hij zou uit hem krijgen wat hij wist. Hij wilde niet langer naar binnen gluren in die geheimzinnige schuur van hem. Dat paste niet bij hem. Hij wilde geen verstoppertje spelen.

Er was nog iets wat hem erheen dreef. Iets waaraan hij was gaan denken toen hij bij Hannes vandaan kwam en nadacht over zijn eigen rol in de zaak en hoe kinderlijk, goedgelovig en onschuldig hij was geweest. Hij wist dat het toch wel gebeurd zou zijn, maar hij had zelf ook een rol gespeeld. Hij wilde weten welke.

Daarom stond hij op een namiddag een paar dagen nadat hij Lothar was gevolgd, weer in de Bergstaðastræti en staarde naar de schuur. Hij was meteen na zijn werk naar Emil op weg gegaan. Het begon te schemeren en het was koud. Hij voelde dat het winter begon te worden.

Hij liep de achtertuin in, waar de schuur stond. Toen hij dichterbij kwam, zag hij dat de schuur niet op slot was. Het hangslot hing open. Hij duwde tegen de deur en keek naar binnen. Daar zat Emil over een werktafel gebogen. Hij sloop verder naar binnen. In de schuur stond allerlei rommel, die hij in het donker niet goed kon onderscheiden. Er hing binnen alleen een kale gloeilamp boven de werktafel.

Emil zag hem pas toen hij naast hem stond. Zijn jasje; het leek wel gescheurd, hing over de stoelleuning, alsof hij was aangevallen. Hij hoorde Emil iets kwaads tegen zichzelf mompelen. Opeens was het of Emil voelde dat er nog iemand in de schuur was. Hij keek op van zijn kaarten, draaide zijn hoofd langzaam om en keek naar hem. Hij zag dat het even duurde voor hij besefte wie daar zijn schuur was binnengekomen.

"Tómas", bracht hij toen uit. "Ben jij dat?"

"Hallo, Emil", zei hij. "De deur stond open."

"Wat ben je aan het doen?" vroeg Emil. "Wat …" Hij was sprakeloos van verbazing. "Hoe wist je …"

"Ik volgde Lothar hierheen", zei hij. "Ik volgde hem vanaf de Ægisíða."

"Volgde je Lothar?" zei Emil argwanend. Hij stond op van zijn stoel zonder zijn ogen van hem af te houden. "Wat ben je aan het doen?" herhaalde hij. "Waarom volgde je Lothar?" Hij keek door de deur naar buiten alsof hij rekende op meer ongenode gasten. "Ben je alleen?" vroeg hij.

"Ja, ik ben alleen."

"Wat kom je doen?"

"Je herinnert je Ilona nog wel", zei hij. "In Leipzig."

"Ilona?"

"We waren samen, Ilona en ik."

"Natuurlijk herinner ik me Ilona. Wat is er met haar?"

"Kun jij me vertellen wat er van haar geworden is?" vroeg hij. "Kun jij me dat nu, na al die jaren, misschien vertellen? Weet jij het?"

Hij wilde niet te heftig overkomen en rustig blijven, maar dat was onbegonnen werk. Zijn gezicht was een open boek, het jarenlange verdriet om de vrouw die hij liefhad en verloren had, was van zijn gezicht af te lezen.

"Waar heb je het over?" zei Emil.

"Ilona."

"Denk je nog steeds aan Ilona? Na al die jaren?"

"Weet jij het? Waar ze gebleven is?"

"Ik weet helemaal niets. Ik weet niet waar je het over hebt en dat heb ik ook nooit geweten. Je zou hier helemaal niet moeten zijn. Je moet weggaan."

Hij keek om zich heen in de schuur.

"Wat ben je aan het doen?" vroeg hij. "Wat voor schuur is dit? Wanneer ben je thuisgekomen?"

"Je moet weggaan", herhaalde Emil en hij keek angstig naar de deur. "Weten meer mensen dat ik hier ben?" vroeg hij toen. "Weten meer mensen waar ik ben?"

"Kun je me dat vertellen?" herhaalde hij. "Wat is er met Ilona gebeurd?"

Emil keek naar hem en werd opeens kwaad.

"Maak dat je wegkomt, zei ik. Ga weg! Ik kan je niet helpen met die onzin."

Emil gaf hem een duw, maar hij bewoog zich niet.

"Wat kreeg je voor het verklikken van Ilona?" vroeg hij. "Wat gaven ze jou, hun held? Gaven ze je geld? Kreeg je goede cijfers? Kreeg je een mooi baantje van ze?"

"Ik weet niet waar je het over hebt", zei Emil. Hij had tot nu toe zachtjes gesproken, maar verhief nu zijn stem.

Hij vond dat Emil enorm was veranderd, vergeleken met Leipzig. Hij was nog net zo mager als vroeger, maar zag er ongezonder uit, met donkere kringen onder zijn ogen, vergeelde vingers van het roken en een hese stem. Een grote adamsappel stak uit zijn hals naar voren en ging op en neer als hij sprak; zijn haar was dunner geworden. Hij had Emil lange tijd niet gezien en herinnerde zich hem alleen maar als jong. Nu vond hij hem vermoeid en uitgeblust. Emil had een baard van enkele dagen en hij kon zich niet aan de indruk onttrekken dat hij aan de drank was.

"Het was mijn schuld, is het niet?" zei hij.

"Wil je ophouden met die nonsens", zei Emil en hij wilde hem wegduwen. "Ga weg!" zei hij. "Vergeet het."

Hij bleef staan.

"Ik was het die je vertelde wat Ilona allemaal aan het doen was, hè? Ik was het zelf die jou op haar spoor zette. Als ik het jou niet had verteld, was ze misschien wel ontsnapt. Dan hadden ze niets geweten over die bijeenkomsten. Dan hadden ze geen foto's van ons gemaakt."

"Ga weg!"

"Ik sprak Hannes. Hij vertelde me over jou en Lothar en hoe Lothar en de FDJ de universiteit zover kregen jou te belonen met goede cijfers. Je was nooit zo'n beste student, hè, Emil? Ik zag je nooit met een studieboek. Wat kreeg je voor het verraden van je kameraden? Voor het verraden van je vrienden? Wat gaven ze je voor het bespioneren van je vrienden?"

"Het lukte haar niet om mij voor haar karretje te spannen, maar jij ging meteen plat", riep Emil uit. "Ilona was een bedrieger."

"Omdat ze jou bedroog?" zei hij. "Omdat ze niets met jou wilde? Was dat zo erg? Was het zo erg dat ze jou niet wilde?"

Emil keek hem aan.

"Ik weet niet wat ze in je zag", zei hij en een spottend lachje speelde om zijn lippen. "Ik weet niet wat ze zag in een begaafde idealist die van IJsland een socialistische staat wilde maken, maar van mening veranderde zodra zij in beeld kwam! Ik heb geen idee wat zij in jou zag!"

"Dus je wilde je wreken", zei hij. "Was dat het? Je op haar wreken."

"Jullie waren van hetzelfde soort", zei Emil.

Hij staarde naar Emil en er kwam een vreemde kilte over hem. Hij kende zijn vriend niet meer, wist niet wie of wat Emil was geworden. Hij wist dat hij weer keek naar dezelfde rigide slechtheid die hij in zijn studiejaren had leren kennen en wist dat hij eigenlijk vervuld moest worden van haat en woede en Emil aan moest vliegen, maar opeens voelde hij geen enkel verlangen meer om dat te doen. Voelde geen behoefte meer om de jarenlange zorgen, de pijn en de angst op hem af te reageren. Niet omdat hij nog nooit iemand had aangevallen. Niet omdat hij nooit gewelddadig was geweest en nooit met iemand slaags was geraakt. Maar omdat hij een afschuw had van geweld in welke vorm dan ook. Hij wist dat de woede nu zo heftig in hem omhoog moest borrelen dat hij Emil zou doden. Maar in plaats van dat hij met woede vervuld raakte, stroomde zijn hoofd leeg tot hij alleen nog maar kilte voelde.

"En je hebt gelijk", vervolgde Emil, terwijl ze daar tegenover elkaar stonden. "Jij was het. Je kunt er niemand anders de schuld van geven dan alleen jezelf. Jij was het zelf die mij voor het eerst vertelde over die bijeenkomsten van haar, over haar ideeën en opvattingen om mensen te helpen zich tegen het socialisme te keren. Jij was het. Als dat het is wat je wilde weten, dan kan ik je geruststellen. Het waren vooral jouw woorden die ervoor hebben gezorgd dat Ilona werd gearresteerd! Ik wist niet hoe ze te werk ging. Dat heb jij me verteld. Weet je dat nog? Daarna begonnen ze haar in de gaten te houden. Daarna spraken ze jou aan en waarschuwden ze je. Maar toen was het natuurlijk al te laat. De zaak was uit de hand gelopen en lag niet langer binnen onze macht."

Hij wist het nog heel goed. Hij had er veel over nagedacht of hij iets aan iemand had verteld wat hij eigenlijk niet had mogen vertellen. Hij had altijd gedacht dat hij zijn landgenoten kon vertrouwen. Erop kon vertrouwen dat IJslanders elkaar niet bespioneerden. Dat er geen controle was binnen hun vriendengroep. Dat de ideeënpolitie niets met de IJslanders te maken had. In dat vertrouwen had hij hun over Ilona en haar kameraden en hun ideeën verteld.

Hij keek naar Emil en dacht aan die controle en hoe daar een hele samenleving op kon worden gebouwd.

"Ik dacht maar aan één ding toen alles achter de rug was", zei hij ten slotte en het was net of hij tegen zichzelf praatte, alsof hij was losgeraakt van plaats en tijd en niets er meer toe deed. "Toen alles voorbij was en gedaan en er niets meer te redden was. Lang nadat ik was thuisgekomen. Ik was het die jou vertelde over de bijeenkomsten van Ilona. Ik weet niet waarom ik het deed, maar ik deed het. Ik dacht gewoon dat ik jou en de anderen opriep om ook eens naar zo'n bijeenkomst te gaan. Er waren geen geheimen tussen ons IJslanders. We konden gewoon over die dingen praten zonder ons zorgen te maken. Ik hield geen rekening met iemand als jij."

Hij zweeg.

"We steunden elkaar", ging hij verder. "Er was iemand die Ilona verraadde. Het was een grote universiteit en het kon iedereen zijn. Pas na lange tijd begon ik de mogelijkheid te overwegen dat iemand van de IJslanders, een van mijn vrienden, dat gedaan kon hebben."

Hij keek Emil aan.

"Ik was zo stom om te denken dat we vrienden waren", zei hij zacht. "We waren nog maar kinderen. We waren allebei net twintig."

Hij draaide zich om en wilde de schuur uitlopen.

"Ilona was een verdomde slet", riep Emil hem achterna. Op het moment dat hij dat hoorde, zag hij een schop staan tegen een oude, stoffige kast. Hij greep de steel, hief hem omhoog, draaide zich om, gaf een luide schreeuw en liet de schop met volle kracht op Emil neerkomen. Hij raakte zijn hoofd en hij zag hoe het licht in zijn ogen doofde en Emil op de grond neerzeeg.

Hij keek neer op het levenloze lichaam van Emil alsof hij in een andere wereld was. Toen schoot hem een lang vergeten uitspraak te binnen.

Het is het beste om ze met een schop dood te slaan.

Er begon zich een donkere plas bloed op de grond te vormen en hij wist meteen dat hij Emil had doodgeslagen. Hij voelde niets. Stond stil en rustig te kijken hoe Emil op de grond lag en de plas bloed groter werd. Keek ernaar alsof hij er niets mee te maken had. Hij was niet naar de schuur gekomen om hem te doden. Hij had geen enkel plan gesmeed voor een moord. Het was gebeurd zonder dat hij er ook maar een moment over had nagedacht.

Hij wist niet hoelang hij daar gestaan had toen hij merkte dat er iemand bij hem was komen staan en tegen hem praatte. Iemand die aan hem trok en hem licht op zijn wang sloeg en iets zei wat hij niet hoorde. Hij keek naar de man en herkende hem niet meteen. Hij zag dat de man zich over Emil boog. Hij legde een vinger tegen zijn hals om zijn pols te voelen. Hij wist dat dat geen zin had. Hij wist dat Emil dood was. Hij had Emil vermoord.

De man stond op van het lijk en draaide zich naar hem om. Nu zag hij wie het was. Ook al was hij dik geworden. Hij was die man gevolgd door Reykjavík en hij had hem bij Emil gebracht.

Het was Lothar.

34

Karl Antonsson was thuis toen Elínborg bij hem op de deur klopte, en zijn nieuwsgierigheid was meteen gewekt toen zij hem vertelde dat de vondst van de beenderen in het Kleifarvatn ertoe had geleid dat ze navraag moesten doen onder de voormalige IJslandse studenten in Leipzig. Hij vroeg Elínborg direct binnen. Hij zei dat hij en zijn vrouw op het punt stonden een partij golf te gaan spelen, maar dat dit kon wachten.

Elínborg had Sigurður Óli eerder die ochtend door de telefoon gesproken en gevraagd hoe het met Bergþóra ging. Hij zei dat het uitstekend met haar ging. Alles ging naar wens.

"En die man, is hij ermee opgehouden om je 's nachts te bellen?" vroeg ze.

"Ik heb niets meer van hem gehoord."

"Was hij niet suïcidaal?"

"Ja, soms", zei Sigurður Óli en hij voegde eraan toe dat Erlendur op hem zat te wachten. Ze zouden op bezoek gaan bij Haraldur in het bejaardenhuis vanwege die absurde zoektocht van Erlendur naar Leopold. Het verzoek om een onderzoek op het terrein in Mosfellsbæ was afgewezen, tot grote ergernis van Erlendur.

Karl woonde in Reynimel in een mooi huis met drie verdiepingen en een goed onderhouden tuin. Ulrike, zijn vrouw, was Duitse, afkomstig uit Leipzig, en gaf Elínborg een stevige hand. Het echtpaar zag er goed uit voor hun leeftijd en was nog fit. Misschien was het de golf, dacht Elínborg. Ze waren stomverbaasd over dit onverwachte bezoek en keken elkaar niet-begrijpend aan toen ze hoorden waar het over ging.

"Is het dan iemand die in Leipzig gestudeerd heeft die jullie in het meer hebben gevonden?" vroeg Karl. Ulrike ging naar de keuken en zette koffie.

"Dat weten we niet", zei Elínborg. "Herinner jij of jullie je iemand die Lothar heette in Leipzig?"

Karl keek naar zijn vrouw die in de keukendeur stond.

"Ze vraagt naar Lothar", zei hij.

"Lothar? Wat is er met hem?" vroeg ze.

"Ze denken dat hij in het meer ligt", zei Karl.

"Dat klopt niet helemaal", zei Elínborg en ze glimlachte naar de vrouw. "We weten daar niets van."

"We hebben hem betaald om de zaak te versoepelen", zei Ulrike. "Destijds."

"Versoepelen?" zei Elínborg.

"Toen Ulrike met mij meekwam naar IJsland", zei Karl. "Hij had invloed en kon ons helpen. Maar dat kostte wel wat. Mijn ouders spaarden ervoor en de ouders van Ulrike in Leipzig natuurlijk ook."

"En Lothar hielp jullie?"

"Heel veel", zei Karl. "Hij vroeg er geld voor zodat het niet gewoon een vriendendienst was; volgens mij heeft hij veel meer mensen geholpen, niet alleen ons."

"En je hoefde alleen maar te betalen?" vroeg Elínborg.

Karl en Ulrike keken elkaar aan en Ulrike liep de keuken in.

"Hij had het erover dat hij later misschien nog contact met ons zou opnemen, begrijp je. Maar dat is nooit gebeurd en is wat ons betreft nooit aan de orde geweest. Nooit. Ik ben nooit meer bij de partij geweest na onze terugkomst, ging niet naar bijeenkomsten en dergelijke dingen. Ik bemoeide me niet meer met de politiek. Ulrike was nooit geïnteresseerd geweest in politiek, had er een hekel aan."

"Had je de indruk dat jullie voor een of andere dienst gebruikt zouden worden?" zei Elínborg.

"Ik heb daar geen idee van", zei Karl. "Er is nooit iets van gekomen. We hebben Lothar nooit meer gezien. Als je aan die tijd terugdenkt, kun je soms zelf niet geloven dat je het hebt meegemaakt. Het was zo'n krankzinnige wereld."

"De IJslanders noemden het waanzin", zei Ulrike, die de kamer weer was binnengekomen. "Ik heb altijd gevonden dat dit woord 't het best omschreef."

"Hebben jullie nog contact met vroegere studiegenoten?" vroeg Elínborg.

"Nauwelijks", zei Karl. "Ja, we zien elkaar nog wel eens en passant of op een verjaardag."

"Een van hen heette Emil", zei Elínborg. "Weten jullie iets over hem?"

"Ik geloof dat hij nooit is teruggekomen", zei Karl. "Hij woont nog altijd in Duitsland. Ik heb hem niet meer gezien sinds ... Leeft hij nog?"

"Ik heb het nooit goed met hem kunnen vinden", zei Ulrike. "Het was een vreemde snuiter."

"Emil was altijd erg op zichzelf. Hij kende weinig mensen en weinig mensen kenden hem. Er werd gezegd dat hij omkoopbaar was. Ik weet daar niets van."

"En jullie weten verder niets over die Lothar?"

"Nee, helemaal niets", zei Karl.

"Heb je misschien foto's van de studenten in Leipzig?" vroeg Elínborg. "Van Lothar Weiser of anderen?"

"Nee, niet van Lothar en zeker ook niet van Emil, maar ik heb een foto van Tómas met zijn vriendin Ilona. Zij was Hongaarse."

Karl stond op en liep naar een grote kast in de kamer. Hij pakte er een oud fotoalbum uit en bladerde erin tot hij de foto vond. Hij gaf hem aan Elínborg. De foto was zwart-wit en toonde een jong stel hand in hand. De zon scheen en ze lachten vrolijk naar de camera.

"Dat is voor de Thomaskirche", zei Karl. "Een paar maanden voordat Ilona verdween."

"Ik heb daarover gehoord", zei Elínborg.

"Ik was erbij toen ze haar kwamen halen", zei Karl. "Het was gewoon verschrikkelijk. Zo brutaal en zo gewetenloos. Niemand wist wat er van haar geworden was en ik denk dat Tómas er nooit overheen is gekomen."

"Ze was erg moedig", zei Ulrike.

"Ze was bij de oppositie betrokken", zei Karl. "Dat was niet zo verstandig."

Erlendur klopte op de deur bij Haraldur in het bejaardenhuis. Het ontbijt was net afgelopen en het gekletter van borden was nog te horen in de eetzaal. Sigurður Óli was bij hem. Ze hoorden Haraldur iets roepen uit zijn kamer en Erlendur deed de deur open. Haraldur zat op zijn bed, net als de vorige keer, met zijn hoofd op zijn borst en keek naar de grond. Hij tilde zijn hoofd op toen ze de kamer binnenkwamen.

"Wie heb je daar bij je?" vroeg hij toen hij Sigurður Óli zag.

"Hij werkt met mij samen", zei Erlendur.

Haraldur groette Sigurður Óli niet, maar keek naar hem alsof Sigurður voor hem moest oppassen. Erlendur ging op de stoel voor Haraldur zitten. Sigurður bleef staan en leunde tegen de muur.

De deur van de kamer ging open en een bebaarde verpleger stak zijn hoofd om de hoek.

"Haraldur", zei hij, "de avonddienst is vanavond op nummer 11."

De man wachtte niet op antwoord, maar sloot de deur direct weer.

Erlendur keek met grote ogen naar Haraldur.

"Avonddienst?" zei hij. "Daar ga jij toch niet heen?"

"De avonddienst hier is een ander woord voor dronkenschap", bromde Haraldur. "Ik hoop dat je niet teleurgesteld bent."

Sigurður Óli glimlachte afwezig. Hij was met zijn gedachten ergens anders. Het was niet helemaal waar wat hij tegen Elínborg had gezegd toen ze elkaar die ochtend spraken. Bergþóra was weer naar de dokter geweest, die had gezegd dat het nog alle kanten op kon gaan. Bergþóra had geprobeerd positief te zijn toen ze het hem vertelde, maar hij wist dat dat haar moeite kostte.

"Laten we dit afhandelen", zei Haraldur. "Ik heb jullie misschien niet de hele waarheid gezegd, al snap ik niet wat jullie ermee te maken hebben. Maar dat … ik wilde …"

Erlendur voelde een grote aarzeling bij Haraldur, maar toen tilde de oude man zijn hoofd op om hem te kunnen aankijken.

"Jói kreeg geen zuurstof", zei hij en hij keek weer naar de grond. "Dat was de reden. Bij de geboorte. Ze dachten dat alles in orde was, hij groeide goed, maar toen bleek dat hij anders was. Toen hij ouder werd. Hij was niet als andere kinderen."

Sigurður Óli keek naar Erlendur en liet blijken dat hij geen idee had waar de man het over had. Erlendur haalde zijn schouders op. Er was iets veranderd in het gedrag van Haraldur. Hij was niet meer zo agressief. Hij was op een bepaalde manier milder.

"Het bleek dat hij gek was", vervolgde Haraldur. "Simpel. Achterlijk. Een goede inborst, maar ongeremd. Hij kon niet leren, leerde nooit lezen. Het duurde lang voordat dat duidelijk was en voor we het hadden geaccepteerd en ons erbij hadden neergelegd."

"Dat moet moeilijk geweest zijn voor je ouders", zei Erlendur na een lang stilzwijgen waarin het leek of Haraldur niets meer zou gaan zeggen.

"Toen ze stierven, ging ik voor Jói zorgen", zei Haraldur ten slotte en hij staarde naar de grond. "We woonden daar op de boerderij, hebben er tot het laatst geboerd. We hadden niets om te verkopen, behalve het land. De grond was nog heel wat waard, omdat hij zo dicht bij Reykjavík lag, en we hebben er goed aan verdiend. Konden een flat kopen en hielden nog wat over ook."

"Wat wilde je ons nou eigenlijk vertellen?" vroeg Sigurður Óli ongeduldig. Erlendur wierp hem een boze blik toe.

"Mijn broer stal de wieldop van die auto", zei Haraldur. "Dat was de hele misdaad en nu kunnen jullie me met rust laten. Dat was het hele verhaal. Ik snap niet waarom jullie daar zoveel ophef van maken. Na al die jaren. Hij stal een wieldop! Wat is dat nu voor een misdaad?"

"Hebben we het over de zwarte Falcon?" zei Erlendur.

"Ja, dat was de zwarte Falcon."

"Dus Leopold is bij jullie op de boerderij geweest", zei Erlendur. "Dat moet je nu wel toegeven."

Haraldur knikte.

"Vind je dat je er een reden voor had om daar een heel mensenleven omheen te draaien?" vroeg Erlendur geërgerd. "Met alle ellende van dien."

"Lees me de les niet", zei Haraldur. "Dat is nergens goed voor."

"Mensen hebben tientallen jaren verdriet gehad", zei Erlendur.

"We hebben hem niets gedaan. Hem is niets overkomen."

"Je hebt het politieonderzoek gehinderd."

"Sluit me maar op", zei Haraldur. "Maakt mij niets uit."

"Wat is er precies gebeurd?" vroeg Sigurður Óli.

"Mijn broer was simpel", zei Haraldur. "Maar hij heeft die man niets gedaan. Er stak geen kwaad in hem. Hij vond die verdomde wieldoppen mooi en stal er één. Er waren er nog drie over. Hij vond dat die man wel genoeg had aan drie wieldoppen."

"En wat deed die man?" vroeg Sigurður Óli.

"Jullie zochten naar een man die vermist was", ging Haraldur verder en hij staarde naar Erlendur. "Ik wilde de zaak niet ingewikkelder maken. Jullie hadden de zaak ingewikkeld gemaakt als ik meteen verteld had dat Jói de wieldop had gepakt. Dan hadden jullie willen weten of hij die vent had vermoord, maar hij deed dat niet; jullie hadden mij niet geloofd en Jói meegenomen."

"Wat deed die man toen Jói de wieldop stal?" vroeg Sigurður Óli nog eens.

"Hij leek erg nerveus."

"En wat gebeurde er?"

"Hij viel mijn broer aan", zei Haraldur. "Dat had hij niet moeten doen, want Jói was wel gek, maar erg sterk. Wierp hem van zich af als een donsveertje."

"En doodde hem", zei Erlendur.

Haraldur tilde zijn hoofd langzaam op.

"Wat zei ik jou nou net?"

"Waarom moeten we je geloven, nadat je al die jaren hebt gelogen?"

"Ik besloot om te doen alsof hij nooit was gekomen. Dat we hem nooit hadden ontmoet. Dat was het gemakkelijkst. We hebben hem niets gedaan. Hij ging bij ons weg en toen was hij in orde."

"Waarom moeten we je nu geloven?" zei Sigurður Óli.

"Jói heeft niemand gedood", zei Haraldur en hij legde de nadruk op elk woord. "Hij had dat nooit gekund. Hij deed geen vlieg kwaad, die Jói van mij. Maar jullie hebben mij nooit geloofd. Ik probeerde met hem te praten en hem zover te krijgen dat hij die wieldop teruggaf, maar hij wilde ons niet zeggen waar hij hem had verstopt. Jói was net een ekster. Hij hield van glimmende dingen en dat waren mooie, glimmende wieldoppen. Hij wilde er graag een hebben. Dat was de hele misdaad. Die man maakte er een hele toestand van en bedreigde hem en mij en toen wilde hij Jói aanvliegen. We vochten en toen ging hij onder de schijt en het vuil weg en we zagen hem nooit meer terug."

"Waarom moet ik dit geloven?" herhaalde Erlendur.

Haraldur brieste woedend.

"Het maakt me geen reet uit of je me gelooft", zei hij. "Doe wat je niet laten kunt."

"Waarom vertelde je dat mooie verhaal over die twee broers niet aan de politie toen er naar die man werd gezocht?"

"De politie leek het allemaal niet erg veel te kunnen schelen", zei Haraldur. "Ze vroegen helemaal niets. Ze namen een verklaring af en dat was het."

"En die man ging weg na die vechtpartij?" zei Erlendur en hij moest denken aan Níels, de zak.

"Ja."

"En er ontbrak een wieldop?"

"Ja. Die man reed weg zonder zich verder nog om de wieldop te bekommeren."

"Wat heb je met die wieldop gedaan? Ben je er ooit achter gekomen waar hij was?"

"Ik heb hem begraven. Nadat jullie naar die man kwamen vragen. Jói vertelde me waar hij was en ik maakte een klein gat achter het huis en begroef hem in de aarde. Je kunt hem daar vinden."

"Goed", zei Erlendur. "We gaan wel wat graven achter het huis en kijken of we hem vinden. Ik denk toch dat je nog altijd tegen ons liegt."

"Kan me niet schelen", zei Haraldur. "Denken jullie maar wat jullie willen."

"Nog iets?" zei Erlendur.

Haraldur zweeg. Misschien vond hij het genoeg zo. Sigurður Óli keek naar Erlendur. Er hing een stilte in de kleine kamer. Er drongen geluiden binnen vanuit de eetzaal en vanaf de gang, oude mensen die rondhingen en wachtten op de volgende maaltijd. Erlendur stond op.

"Dankjewel", zei hij. "Dit kunnen we gebruiken. We zouden dit graag zo'n dertig jaar geleden hebben gehoord, maar ..."

"Hij verloor zijn portefeuille", zei Haraldur.

"Zijn portefeuille?" zei Erlendur.

"In het gevecht. Die verkoper. Hij verloor zijn portefeuille. We vonden hem pas toen hij al weg was. Hij lag op de plaats waar de auto had gestaan. Jói zag hem en verstopte hem. Zo gek was hij nu ook weer niet."

"Bedoel je een portefeuille met geld?"

"Ja."

"Wat hebben jullie daarmee gedaan?" vroeg Sigurður Óli.

"Ik heb hem bij die wieldop begraven", zei Haraldur en opeens speelde er een vage glimlach om zijn mond. "Jullie zouden hem daar ook kunnen vinden."

"Je hebt hem niet willen teruggeven?" zei Erlendur.

"Ik probeerde het, maar vond zijn naam nergens in het telefoonboek. Toen kwamen jullie vragen naar die man en liet ik hem samen met de wieldop verdwijnen."

"Bedoel je dat Leopold niet in het telefoonboek stond?"

"Jawel, maar die andere naam niet."

"Die andere naam?" zei Sigurður Óli. "Heette hij dan nog anders?"

"Ik zocht er niet speciaal naar, maar in die portefeuille zaten kaartjes met de naam waarmee hij zich voorstelde, Leopold, en er waren nog andere met een andere naam."

"Welke naam?" vroeg Erlendur.

"Jói was een grappenmaker", zei Haraldur. "Hij was altijd aan het scharrelen op die plek waar ik de wieldop had begraven. Hij lag soms op de grond of ging zitten op de plaats waarvan hij wist dat daar de wieldop lag. Maar hij durfde hem nooit op te graven. Durfde hem daarna nooit meer aan te raken. Hij schaamde zich. Na die vechtpartij huilde hij in mijn armen. Die arme jongen."

"Welke naam was dat?" vroeg Sigurður Óli.

"Dat weet ik niet meer", zei Haraldur. "Ik heb jullie verteld wat jullie moeten weten. Wegwezen nu. Laat me met rust."

Erlendur reed naar de verlaten boerderij in Mosfellssveit. Het begon koud te worden met noordenwinden, en de herfst trok over het land. Hij had het koud toen hij naar de achterkant van het huis liep. Hij trok zijn jasje dichter om zich heen. Er had ooit een hek om de tuin gestaan, maar nu was dat allang kapot en voor het grootste deel in het gras verdwenen. Voordat ze afscheid namen, had Haraldur hem en Sigurður een nauwkeurige beschrijving gegeven van waar hij de wieldop had begraven.

Erlendur had een schop van de boerderij bij zich, telde de passen vanaf de muur en begon te graven. De wieldop kon niet erg diep liggen. Hij kreeg het warm van het graven, laste even een pauze in en stak een sigaret op. Toen ging hij weer verder. Hij groef ongeveer een meter diep, maar vond geen spoor van een wieldop en begon het gat groter te maken. Hij nam weer een pauze. Het was lang geleden dat hij zich zo had ingespannen. Hij stak nog een sigaret op.

Zo'n tien minuten later hoorde hij een luide tik toen hij de schop in de aarde stak en hij wist dat hij de wieldop van de zwarte Falcon had gevonden.

Hij groef er voorzichtig omheen en ging uiteindelijk op zijn knieën liggen en schoof de aarde met zijn handen weg. Algauw was de wieldop helemaal blootgelegd en hij tilde hem voorzichtig uit de grond. Hij was verroest, maar het was duidelijk dat dit de wieldop van de Ford Falcon was. Erlendur stond op en sloeg hem tegen de muur, zodat de aarde eraf viel. De wieldop schalde toen hij de muur raakte.

Erlendur legde hem opzij en keek omlaag in het gat dat hij had gegraven. Nu moest hij nog de portefeuille vinden waar Haraldur het over had gehad. Hij zag hem niet direct, knielde weer neer en wroette met zijn handen in de aarde.

Alles klopte wat Haraldur had verteld. Erlendur vond de portefeuille in de aarde waar de wieldop had gelegen. Hij nam hem voorzichtig in zijn handen en stond op. Het was een gewone, zwarte, langwerpige leren portefeuille. Door het vocht in de aarde was het leer ernstig aangetast en hij moest hem heel voorzichtig vasthouden, omdat hij bijna uit elkaar viel. Toen hij de portefeuille opende, zag hij een chequeboekje, een paar IJslandse bankbiljetten die allang niet meer in omloop waren, een paar krantenknipsels en een rijbewijs op naam van Leopold. Er was vocht bijgekomen en de foto van de man was onherkenbaar. In een ander vak vond hij nog een rijbewijs. Het leek hem een buitenlands rijbewijs en de foto daarvan was minder beschadigd dan die andere. Hij keek ernaar, maar kende de man erop niet.

Het rijbewijs leek te zijn uitgegeven in Duitsland, maar het was in zo'n slechte staat dat het nauwelijks te lezen was, behalve hier en daar een woord. Hij zag duidelijk de voornaam van de man, maar niet de achternaam. Erlendur stond met de portefeuille in zijn hand en keek op.

Hij kende de naam in het rijbewijs.

Hij kende de naam Emil.

35

Lothar Weiser schudde hem heen en weer, schreeuwde tegen hem en sloeg hem op zijn wangen. Langzamerhand kwam hij tot zichzelf en zag hoe de plas bloed onder het hoofd van Emil begon weg te lopen op de vuile stenen vloer. Hij keek naar Lothar.

"Ik heb Emil vermoord", zei hij.

"Wat heb je verdomme gedaan?" siste Lothar. "Waarom viel je hem aan? Hoe wist je van hem? Hoe heb je hem gevonden? Wat doe je hier, Tómas?!"

"Ik volgde jou", zei hij. "Ik zag jou en volgde jou. En nu heb ik hem vermoord. Hij zei iets over Ilona."

"Denk je nog steeds aan haar? Kun je haar dan nooit vergeten?"

Lothar liep naar de deur en sloot hem zorgvuldig. Hij keek om zich heen alsof hij iets zocht in de schuur. Zelf stond hij doodstil en keek als in een trance naar Lothar. Zijn ogen waren nu gewend aan het donker en hij kon beter zien. De schuur stond vol met oude rommel die opeengepakt stond, stoelen en tuingereedschap, huisraad en matrassen. Rond de werktafel zag hij allerlei apparaten en gereedschappen, maar sommige kende hij niet. Het waren verrekijkers en grote en kleine fototoestellen en een grote bandrecorder die in verbinding leek te staan met iets wat leek op een zendapparaat. Hij zag ook overal foto's, maar kon niet duidelijk zien waarvan. Op de grond bij de tafel stond een grote, zwarte kist met allerlei meters en getallen en hij had geen idee wat de functie ervan was. Ernaast lag een bruine reistas, waar het apparaat in paste. Het leek beschadigd te zijn, de meters waren kapot en de plaat aan de achterkant was eraf, alsof het op de grond was gevallen.

Hij verkeerde in een soort trance. Een wonderlijke droomtoestand. Wat hij gedaan had, was zo onwerkelijk en vreemd dat hij het op geen enkele manier kon bevatten. Hij keek naar het lijk op de grond en naar Lothar die zich eroverheen boog.

"Ik dacht dat ik hem kende ..."

"Emil kon een rare kwast zijn", zei Lothar.

"Was hij het? Die jullie over Ilona vertelde?"

"Ja, hij wees ons op die bijeenkomsten van haar. Hij werkte voor ons in Leipzig. Op de universiteit. Het maakte hem niet uit wie hij bedroog, over wie hij praatte. Zelfs zijn beste vrienden waren niet veilig. Zoals jij", zei Lothar en hij kwam weer overeind.

"Ik dacht dat wij veilig waren", antwoordde hij. "De IJslanders. Ik heb nooit vermoed ..." Hij stopte midden in de zin. Langzaam kwam hij weer tot zichzelf. De mist trok op. Zijn geest werd helderder. "Jij was niet beter", zei hij. "Jij was zelf geen haar beter. Jij was net als hij en zelfs erger."

Ze keken elkaar aan.

"Moet ik bang voor je zijn?" vroeg hij.

Hij voelde geen angst. Nog niet tenminste. Er ging geen dreiging uit van Lothar. Integendeel. Het was of Lothar direct was begonnen te bedenken wat er gedaan moest worden met Emil, die op de grond lag in zijn eigen bloed. Lothar was hem niet aangevlogen. Hij had niet eens de schop uit zijn handen gepakt. Om de een of andere absurde reden hield hij de schop nog altijd vast.

"Nee", zei Lothar. "Je hoeft niet bang voor mij te zijn."

"Hoe kan ik dat weten?"

"Ik zeg je dat."

"Niemand is te vertrouwen", zei hij. "Dat zou jij moeten weten. Dat heb jij me geleerd."

"Je moet maken dat je hier wegkomt en proberen dit te vergeten", zei Lothar, hij liep op hem af en pakte de schop vast. "Vraag niet waarom. Ik zorg wel voor Emil. Doe niet zoiets

319

stoms als de politie bellen. Vergeet het. Alsof het nooit gebeurd is. Doe niets stoms."

"Waarom? Waarom help je mij? Ik dacht ..."

"Niet denken", viel Lothar hem in de rede. "Ga en praat hier nooit met iemand over. Dit heeft niets met jou te maken."

Ze stonden tegenover elkaar en Lothar pakte de schop steviger vast.

"Natuurlijk heeft dit met mij te maken!"

"Nee", zei Lothar beslist. "Vergeet het."

"Wat bedoelde je met wat je net zei?"

"Wat?"

"Hoe ik van hem wist. Hoe ik hem gevonden had. Heeft hij hier lang gewoond?"

"Hier in IJsland? Nee."

"Wat gebeurt er? Wat doen jullie hier samen? Wat zijn dat voor apparaten hier in de schuur? En wat voor foto's zijn dat op tafel?"

Lothar hield de steel van de schop vast en probeerde die van hem af te nemen, maar hij verstevigde zijn greep en liet niet los.

"Wat was Emil hier aan het doen?" vroeg hij. "Ik dacht dat hij in het buitenland woonde. In Oost-Duitsland. Dat hij nooit was teruggekeerd na zijn studie."

Lothar was hem nog steeds een raadsel en nu nog meer dan ooit tevoren. Wie was deze man? Had hij hem al die tijd verkeerd ingeschat of was hij nog altijd hetzelfde verwerpelijke, onbetrouwbare schepsel dat hij in Leipzig geweest was?

"Ga naar huis", zei Lothar. "Denk er niet meer aan. Dit heeft niets met jou te maken. Dit heeft niets te maken met wat er in Leipzig is gebeurd."

Hij vertrouwde hem niet.

"Wat is er daar gebeurd? Wat gebeurde er in Leipzig? Vertel me dat eens. Wat hebben ze met Ilona gedaan?"

Lothar vloekte.

"We hebben geprobeerd jullie voor ons te laten werken", zei hij ten slotte. "Dat is niet gelukt. Jullie praatten allemaal. Twee van onze mannen zijn enkele jaren geleden gearresteerd en het land uitgezet nadat ze probeerden mensen hier in Reykjavík zover te krijgen dat ze foto's voor ons maakten."

"Foto's?"

"Van de legerbases op IJsland. Niemand wilde voor ons werken. Toen hebben we Emil gevraagd het te doen."

"Emil?"

"Hij vond dat niet zo'n probleem."

Lothar zag hoe wantrouwig Tómas keek en begon hem over Emil te vertellen. Het was of Lothar hem ervan wilde overtuigen dat hij hem kon vertrouwen, dat hij veranderd was.

"We zorgden ervoor dat hij werk kreeg dat het voor hem mogelijk maakte door het land te reizen zonder argwaan te wekken. Hij was heel ijverig. Hij vond dat hij een serieuze spion was." Lothar keek neer op het lichaam van Emil. "Misschien was hij dat ook. En moest hij foto's maken van Amerikaanse bases?"

"Ja, misschien ook tijdelijk werken op plaatsen als bij Heiðarfjall op Langanes of bij Stokksnes bij Höfn in Hornafjörður. En in Hvalfjörður met zijn oliereservoirs. In Straumnesfjall op de West-fjorden. Hij werkte op Keflavík en had zijn afluisterapparatuur bij zich. Hij verkocht landbouwmachines en kon zo overal in het land komen. We waren in de toekomst nog veel meer met hem van plan", zei Lothar.

"Zoals wat?"

"De mogelijkheden waren onuitputtelijk", antwoordde Lothar.

"En jij? Waarom vertel je mij dat allemaal? Ben jij niet een van hen?"

"Jawel", zei Lothar. "Ik ben een van hen. Wil je nu weggaan? Ik zorg voor Emil. Vergeet dit en praat er nooit met iemand over. Begrijp je dat? Nooit."

"Was er geen risico dat hij werd ontdekt?"

"Hij leidde een dubbelleven", zei Lothar. "We zeiden hem dat dat niet nodig was, maar hij wilde een valse naam gebruiken en zo. Als iemand hem als Emil herkende, zou hij zeggen dat hij een kort bezoek aan IJsland bracht, verder noemde hij zich Leopold. Ik weet niet waar hij dat vandaan had. Emil genoot ervan om een rol te spelen. Hij had er een vreemd plezier in te doen alsof hij iemand anders was."

"Wat ga je met hem doen?"

"We gooien soms rotzooi in een meertje hier in de buurt, ten zuiden van Reykjavík. Het moet niet te moeilijk zijn."

"Ik heb je jarenlang gehaat, Lothar. Weet je dat?"

"Ik was je eerlijk gezegd vergeten, Tómas. Ilona was een probleem en we hadden haar vroeger of later aangepakt. Wat ik deed, was van geen enkel belang in dat verband. Geen enkel."

"Hoe weet je dat ik niet regelrecht naar de politie ga?"

"Omdat je geen enkele schuld voelt tegenover deze man. Daarom zul je het vergeten. Daarom zul je dat nooit doen. Ik zal niet vertellen wat er gebeurd is en jij vergeet dat ik ooit heb bestaan."

"Maar …"

"Maar wat? Ga je nu opbiechten dat je een moord hebt gepleegd? Doe niet zo kinderachtig!"

"We waren nog maar kinderen, jongens. Hoe is het zover gekomen?"

"We proberen onze huid te redden", zei Lothar. "Dat is het enige wat we doen."

"Wat ga je ze vertellen? Over Emil? Wat ga je vertellen dat er is gebeurd?"

"Ik vertel ze dat ik hem zo gevonden heb en niet weet welke klootzak dat gedaan heeft, maar dat het maar het beste was om hem te laten verdwijnen. Dat begrijpen ze wel. Weg met jou! Eruit, voor ik van gedachten verander!"

"Weet jij wat er met Ilona is gebeurd?" zei hij. "Kun jij me vertellen wat er met Ilona is gebeurd?"

Hij stond bij de schuurdeur, toen hij zich omdraaide en de vraag stelde die hem al die jaren zo gekweld had. Alsof een antwoord hem kon helpen zich te verzoenen met wat er gebeurd was.

"Ik weet niet veel", zei Lothar. "Ik hoorde dat ze geprobeerd heeft te vluchten. Ze is naar het ziekenhuis gebracht en dat is het enige wat ik weet."

"Waarom is ze meegenomen?"

"Dat weet je best", zei Lothar. "Zij was niet onschuldig. Ze nam zelf risico's en wist wat ze deed. Ze was gevaarlijk. Ze zette aan tot opstand. Ze werkte tegen hen. Ze hadden de ervaring van de opstand van 1953. Ze waren niet van plan zoiets nog eens te laten gebeuren."

"Maar …"

"Ze wist welke risico's ze nam."

"Wat is er van haar geworden?"

"Hou daarmee op en ga weg!"

"Is ze dood?"

"Vast en zeker", zei Lothar en hij keek nadenkend naar de zwarte kist met de kapotte meters. Hij keek naar de werktafel en zijn oog viel op de autosleutel. Op de sleutelhanger stond het merk van de Ford-fabriek.

"We laten de politie denken dat hij het land in getrokken is", zei hij alsof hij tegen zichzelf sprak. "Ik moet mijn mensen overtuigen. Dat kan nog moeilijk worden. Ze geloven nauwelijks nog iets van wat ik ze vertel."

"Waarom niet?" vroeg hij. "Waarom geloven ze je niet?"

Lothar glimlachte.

"Ik ben een beetje stout geweest", zei hij. "En ik denk dat ze dat weten."

36

.Erlendur stond in de garage in Kópavogur en keek naar de
Ford Falcon. Hij hield de wieldop in zijn hand, boog zich voorover en hield hem tegen het ene voorwiel. De wieldop paste
precies. De vrouw was nogal verbaasd geweest dat ze Erlendur
weer zag, maar had hem de garage binnengelaten en hem
geholpen het zware zeil van de auto te halen. Erlendur keek
naar de lijnen, de zwarte lak, de ronde achterlichten, de witte
bekleding, het grote, fijne stuur en de oude wieldop die zijn
plek weer had teruggevonden na al die jaren en opeens werd hij
gegrepen door een groot verlangen. Hij had zo'n verlangen
naar een voorwerp heel lang niet meer gevoeld.

"Is dat de oorspronkelijke wieldop?" vroeg de vrouw.

"Ja", zei Erlendur. "We hebben hem gevonden."

"Dat noem ik nog eens knap", zei de vrouw.

"Denk je dat hij het nog doet?" vroeg Erlendur.

"De laatste keer in elk geval wel", zei de vrouw. "Waarom
vraag je dat?"

"Het is zo'n bijzondere auto", zei Erlendur. "Ik vroeg me af …
als hij te koop is … misschien dat …"

"Te koop?" zei de vrouw. "Ik heb geprobeerd om ervan af te
komen sinds mijn man is gestorven, maar niemand heeft er
interesse in. Ik probeerde het via een advertentie, maar er
reageerden alleen maar rare kerels die niets wilden betalen. Ze
wilden gewoon dat ik hem cadeau deed. De duivel hale me als
ik die auto weggeef!"

"Wat wil je ervoor hebben?" vroeg Erlendur.

"Wil je niet eerst zien of je hem wel aan de praat krijgt?" zei de vrouw. "Je mag hem wel een paar dagen proberen. Ik moet met mijn jongens praten. Ze hebben er meer verstand van dan ik. Ik heb geen verstand van auto's. Ik weet alleen dat ik er niet over pieker om die auto weg te geven. Ik wil er een goede prijs voor hebben."

Erlendur moest denken aan het kleine Japanse koekblik dat hij nu bezat en dat helemaal wegroestte. Hij had nooit iets willen bezitten, zag geen reden om levenloze voorwerpen om zich heen te verzamelen, maar hij had iets met die Falcon. Misschien was het de voorgeschiedenis van die auto en het verband met een geheimzinnige, tientallen jaren oude vermissingszaak. Om de een of andere reden vond Erlendur dat hij die auto moest hebben.

Sigurður Óli kon zijn verbazing niet verbergen toen Erlendur hem de volgende middag opzocht. De Ford reed nog prima. De vrouw zei dat de jongens regelmatig naar Kópavogur kwamen om hem te onderhouden, ook al hadden ze helemaal geen belangstelling voor oude auto's. Erlendur was rechtstreeks naar de Ford-garage gereden, waar de auto werd nagekeken, goed gesmeerd en waar roest en elektrische bedrading werden gecontroleerd. Ze zeiden hem dat de auto zo goed als nieuw was, de stoelen een beetje versleten, de instrumenten in orde en de motor in uitstekende staat, ondanks het weinige gebruik.

"Wat ben je van plan?" vroeg Sigurður Óli toen hij op de passagiersstoel ging zitten.

"Van plan?" zei Erlendur.

"Wat ga je doen met die auto?"

"Erin rijden", zei Erlendur en hij reed weg.

"Mag dat? Is het geen bewijsstuk?"

"Dat zal blijken."

Ze waren op weg naar een van de studenten uit Leipzig, Tómas, over wie Hannes hun had verteld. Erlendur had 's ochtends Marion bezocht. De toestand van de zieke was onveranderd en ze had gevraagd naar de zaak van het Kleifarvatn en naar Eva Lind.

"Heb je je dochter nou al opgespoord?" vroeg de oude vrouw.

"Nee", had Erlendur gezegd. "Ik weet niets over haar."

Sigurður Óli vertelde Erlendur dat hij voor zijn plezier op internet had gezocht naar het werk van de Oost-Duitse Geheime Dienst, de Stasi. Er was een bijna volledige controle op de burgers geweest. Er zaten hoofdkantoren van de Geheime Dienst in 41 gebouwen, ze hadden 1.181 huizen tot hun beschikking voor hun vertegenwoordigers, 305 vakantiehuizen, 98 sportcomplexen, 18.000 flats voor bijeenkomsten met spionnen. Er werkten 97.000 mensen voor de Stasi, 2.171 waren bezig met het lezen van post, 1.486 tapten telefoons af, 8.426 luisterden naar telefoongesprekken en radio-uitzendingen. De Stasi was goed voor 100.000 geheime medewerkers, 1.000.000 gaven de politie inlichtingen van allerlei soort, er waren dossiers over 6.000.000 mensen en een afdeling van de Stasi was alleen verantwoordelijk voor controle op andere medewerkers van de Stasi.

Sigurður Óli besloot zijn opsomming op het moment dat Erlendur en hij voor de deur van het huis van Tómas stonden. Het was een klein huis, één verdieping met een kelder, oud en met veel achterstallig onderhoud. Er zaten gaten in het golfplaten dak en de dakgoten waren verroest. In de muren, die lange tijd niet geschilderd waren geweest, zaten barsten, de tuin eromheen was een woestenij. Het huis stond op een prachtig uitzichtpunt aan zee in het meest westelijke deel van de stad en Erlendur genoot van het zicht op zee. Sigurður drukte voor de derde keer op de deurbel. Er leek niemand thuis te zijn.

Erlendur zag een schip aan de horizon. Een man en een vrouw liepen snel over de stoep voor het huis langs. De man nam grote stappen en liep voor de vrouw uit, die deed wat ze kon om hem bij te houden. Ze praatten samen, hij naar achteren, en zij moest haar stem verheffen om zich verstaanbaar te maken. Geen van beiden zag de twee politiemannen bij het huis.

"Dat betekent dus dat die Emil in Leipzig en Leopold dezelfde man zijn geweest", zei Sigurður Óli en hij drukte weer op de bel. Erlendur had hem verteld over zijn vondst bij het huis van de broers in Mosfellssveit.

"Daar ziet het wel naar uit", zei Erlendur.

"Is hij de man in het water?"

"Waarschijnlijk."

Tómas was in de kelder toen hij de deurbel hoorde. Hij wist dat het de politie was. Uit het kelderraam had hij twee mannen uit een oude, zwarte auto zien stappen. Het was toeval dat ze precies op dat moment kwamen. Hij had sinds het voorjaar en tijdens de hele zomer op hen gewacht en nu was het herfst. Hij wist dat ze moesten komen. Hij wist dat als ze ook maar een beetje hun werk deden, ze uiteindelijk bij hem op de stoep zouden staan en wachten tot hij antwoord gaf.

Hij wendde zich van het kelderraam en dacht aan Ilona. Ze stonden een keer bij het beeld van Bach voor de Thomaskirche. Het was een mooie zomerdag en ze hadden hun armen om elkaar heen geslagen. Om hen heen was het een drukte van mensen, trams en auto's, en toch waren ze alleen op de wereld.

Hij hield zijn geweer vast. Het was Engels, uit de Tweede Wereldoorlog. Het was van zijn vader geweest; hij had het van een Britse soldaat gekregen en het aan hem gegeven, met een paar kogels. Hij had het gesmeerd en geborsteld en schoongemaakt en een paar dagen geleden was hij naar Heiðmörk gegaan om te zien of het nog goed was. Er zat één kogel in. Hij hief zijn arm op en zette de loop tegen zijn slaap.

Ilona keek omhoog naar de kerk en naar de toren.

"Jij bent mijn Tómas", zei ze en ze kuste hem.

Bach staarde doodstil de eeuwigheid boven hen in en het leek alsof er een glimlach om zijn lippen speelde.

"Altijd", zei hij. "Ik zal altijd jouw Tómas zijn."

"Wie is die vent eigenlijk?" vroeg Sigurður Óli, terwijl ze daar op de stoep stonden te wachten. "Is hij belangrijk?"

"Ik weet alleen wat Hannes vertelde", antwoordde Erlendur. "Hij was in Leipzig en had daar een vriendin."

Hij drukte nog eens op de bel. Toen stonden ze daar en wachtten.

Het was nauwelijks een knal die ze buiten hoorden. Het was

een klein klopje dat uit het huis tot hen doordrong. Alsof er zachtjes met een hamer op de muur werd getikt. Erlendur keek naar Sigurður.

"Hoorde je dat?"

"Er is iemand binnen", zei Sigurður Óli.

Erlendur bonkte op de deur en pakte de deurkruk vast. De deur was niet op slot. Ze stapten naar binnen en riepen, maar kregen geen antwoord. Ze zagen de deur en de trap die omlaagging naar de kelder. Erlendur daalde voorzichtig de trap af en zag een man op de grond liggen met een ouderwets geweer naast hem.

"Er ligt hier een aan ons geadresseerde envelop", zei Sigurður Óli en hij kwam ook de trap af. Hij hield een dikke, gele envelop in zijn hand waar *Politie* op stond.

"Wat!" zei hij toen hij de man op de grond zag.

"Waarom deed je dat?" zei Erlendur alsof hij het tegen zichzelf had.

Hij liep naar het lijk en staarde omlaag naar Tómas.

"Waarom?" fluisterde hij.

Erlendur bezocht de geliefde van de man die zich Leopold noemde, maar Emil heette, en vertelde haar dat het skelet in het Kleifarvatn de stoffelijke resten waren van de man die ze ooit had liefgehad en die uit haar leven was verdwenen alsof hij door de aarde was opgeslokt. Hij zat lange tijd bij haar in de kamer en vertelde haar waarover de aantekeningen gingen die Tómas had gemaakt en naliet voor hij naar de kelder afdaalde; hij beantwoordde haar vragen zo goed mogelijk. Ze nam het nieuws rustig in zich op. Ze toonde geen reactie toen Erlendur haar zei dat Emil waarschijnlijk in dienst was van de Oost-Duitsers.

Hoewel het verhaal onverwacht kwam, wist Erlendur dat het niet de vraag was wat Emil deed of wie hij was die haar het meest kwelde, toen hij eindelijk tegen de avond afscheid van haar nam. Hij kon de vraag die haar meer dan welke andere achtervolgde niet beantwoorden. Was hun liefde wederzijds? Had hij van haar gehouden? Of had hij haar alleen maar gebruikt voor een doel dat buiten haarzelf lag?

Ze probeerde die vraag te verwoorden voor hij wegging. Hij voelde hoe moeilijk ze het had en voor ze uitgesproken was, omhelsde hij haar. Ze vocht tegen haar tranen.

"Dat weet je", zei hij. "Dat weet je zelf het beste, is het niet?"

Een dag later kwam Sigurður Óli thuis van zijn werk en zag Bergþóra radeloos en hulpeloos in de kamer staan en met een wanhopige blik naar hem kijken. Hij begreep meteen wat er gebeurd was. Hij rende naar haar toe en probeerde haar te troosten, maar ze barstte uit in een onbeheerste huilbui die haar lichaam deed schokken. Op de radio was het nieuws te horen. De politie zocht naar een man van middelbare leeftijd. Op het bericht volgde een kort signalement. Sigurður Óli keek op en opeens zag hij een vrouw voor zich in een winkel met een bakje verse aardbeien in haar handen.

37

Toen de winter was gekomen met een koude noordenwind en sneeuwstormen, reed Erlendur naar het meer waar in de lente het skelet van Emil was gevonden. Het was ochtend en er was weinig verkeer rond het meer. Erlendur zette de Ford langs de kant van de weg en liep omlaag naar de rand van het water. Hij had in de krant gelezen dat het water niet langer wegliep en dat het zelfs weer begon te stijgen. De specialisten van het Energie-instituut voorspelden dat het zijn oude omvang weer zou bereiken. Erlendur keek naar de Lambhagatjörn, die was drooggevallen zodat de rode leembodem zichtbaar was. Hij keek naar de Syðri-Stapi, die uit het water oprees, en naar de kring van bergen rondom en verwonderde zich erover dat dit vredige meer het decor van een spionagezaak op IJsland was geworden.

Hij zag het water golven door de noordenwind en bedacht dat alles hier weer zou worden zoals het was. Misschien had de goddelijke voorzienigheid er een hand in gehad. Misschien was het water in het Kleifarvatn gedaald opdat een oude misdaad kon worden opgelost. Gauw zou het weer diep en koud zijn op de plaats waar het skelet had gelegen dat een verhaal had bewaard over liefde en bedrog in een ver land.

Hij had het verhaal dat Tómas had opgeschreven en had nagelaten voor hij zichzelf van het leven beroofde, meer dan eens gelezen. Hij las over Lothar en Emil en de IJslandse studenten en het systeem waarin ze terecht waren gekomen, wreed en onbegrijpelijk, dat uiteindelijk ineenstortte en verdween. Hij las wat Tómas over Ilona en hun korte tijd samen had geschreven, over de liefde die hij voor haar voelde en het kind dat zij verwachtten en hij nooit gezien had. Hij voelde een diep medelijden met deze man, die hij nooit ontmoet had, maar liggend in zijn bloed aantrof met een oud geweer naast zich. Misschien was dat de enige oplossing voor Tómas.

Het bleek dat niemand Emil had gemist, behalve de vrouw die hem als Leopold kende. Emil was enig kind en had nauwelijks familie. Hij had sinds het midden van de jaren zestig af en toe een brief geschreven aan zijn neef en hem over Leipzig verteld. De neef was Emils bestaan haast vergeten toen Erlendur hem wat vragen kwam stellen.

De Amerikaanse ambassade was op de proppen gekomen met een foto van Lothar uit de tijd dat hij zaakgelastigde in Noorwegen was. De vrouw van Emil kon zich niet herinneren dat ze de man op de foto ooit had gezien. De Duitse ambassade in Reykjavík had ook nog een paar oude foto's van hem en het bleek dat hij ervan verdacht werd dubbelspion geweest te zijn en waarschijnlijk ergens vóór 1978 in een gevangenis in Dresden was overleden.

"Het komt weer terug", hoorde Erlendur een stem achter zich zeggen en hij draaide zich om. Een vrouw die hem bekend voorkwam, lachte naar hem. Ze had een dikke trui aan en een muts op haar hoofd.

"Pardon ...?"

"Sunna", zei ze. "De waterspecialist. Ik heb in het voorjaar dat skelet gevonden. Je kunt je me zeker niet meer herinneren."

"Jawel, ik herken je nog wel."

"Waar is die man die toen bij je was?" vroeg ze en ze keek om zich heen.

"Sigurður Óli, bedoel je, ik denk dat hij gewoon op het bureau is."

"Zijn jullie erachter gekomen wie het was?" vroeg Sunna.

"Min of meer", zei Erlendur.

"Ik heb er niets over gelezen in de krant."

"Nee, we moeten het nog bekendmaken", zei Erlendur. "Alles goed met jou?"

"Alles in orde."

"Hoort die man bij jou?" vroeg Erlendur en hij keek naar een man die stenen in het meer gooide en ze over het water liet springen.

"Ja", zei Sunna. "Ik heb hem afgelopen zomer ontmoet. En wie was het? In het meer?"

"Dat is een lang verhaal", zei Erlendur.

"Ik lees het misschien in de krant."

"Misschien."

"Ja ja, ik ga er weer vandoor."

"Tot ziens", zei Erlendur en hij glimlachte.

Hij keek Sunna na, die naar de man toeliep en zag hoe ze naar een auto liepen die langs de weg stond en wegreden in de richting van Reykjavík.

Erlendur trok zijn jas dicht om zich heen en keek over het meer. Hij dacht aan de discipel die ook Thomas heette en over wie Johannes vertelde. De discipelen vertelden hem dat ze gezien hadden dat Jezus Christus was herrezen, maar Thomas antwoordde: *Indien ik in Zijn handen niet zie het teken der nagels en mijn vinger niet steek in de plaats der nagels en mijn hand niet steek in Zijn zijde, zal ik geenszins geloven.*

Tómas had het teken der nagels gezien en hij had zijn hand in de wond gestoken, maar anders dan de Thomas uit de Bijbel had zijn naamgenoot het geloof juist verloren door te voelen.

"Zalig zij, die niet gezien hebben en toch geloven", fluisterde Erlendur en zijn woorden waaiden met de noordenwind mee over het meer.

Lees nu ook van uitgeverij Signature

Noorderveen

Arnaldur Indriðason

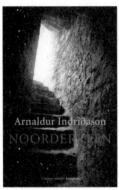

ISBN 90 5672 196 8

Wie is de dode man die wordt gevonden in een benedenwoning in de wijk Noorderveen in Reykjavík? Waarom laat de moordenaar een geheimzinnige boodschap achter? Rechercheur Erlendur en zijn jongere collega Sigur›ur Óli proberen de verschrikkelijke tragedie te ontrafelen, die zonder het moderne DNA-onderzoek verborgen zou zijn gebleven.

'*Noorderveen* is een knap geschreven, mooi gedoseerde thriller.' – DE MORGEN

'★★★★ – Prachtig geschreven.' – VN's DETECTIVE & THRILLERGIDS

'Een boeiende, maar sober vertelde en uiterst knappe en intelligente thriller.' – NBD

'Een prachtig boek.' – WWW.CRIMEZONE.NL

SIGNATURE

Lees nu ook van uitgeverij Signature

Moordkuil

Arnaldur Indriðason

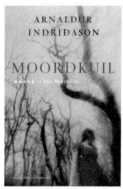

ISBN 90 5672 051 1

Op een bouwplaats in Reykjavík worden de resten van een lijk opgegraven dat daar al tientallen jaren geleden begraven moet zijn. Het is aan rechercheur Erlendur en zijn collega's om uit te zoeken wat er is gebeurd. Daarvoor moeten zij mensen zien terug te vinden die vroeger in de betreffende buurt hebben gewoond. Gaandeweg komen er diverse onprettige feiten bovendrijven, waardoor het verhaal achter het gevonden skelet steeds gruwelijker wordt. En terwijl Erlendur worstelt met het verleden, vecht zijn dochter Eva Lind op de intensive care voor haar leven.

'★★★★★ – De sfeer van het boek is goed, de persoonlijke beschrijvingen zijn sterk en de plot is verrassend.' – *VN's Detective & Thrillergids*

'Een topprestatie.' – *Het Parool*

'★★★★★ – Bloedstollende 'cold case'-zaak.' – *Midi*

SIGNATURE